Refém da Obsessão

Refém da Obsessão

O preço da vida eterna é a submissão.

Alma Katsu

Tradução
Ana Paula Doherty

Editora
Novo Conceito

Gallery Books, uma divisão da Simon & Schuster, Inc.
1230 Avenue of the Americas
New York, NY, 10020

1ª Impressão — 2013

Produção Editorial:
Equipe Novo Conceito
Imagem de Capa: © Elisabeth Ansley/Arcangel
Impressão e Acabamento RR Donnelley 250613

Este livro segue as regras da Nova Ortografia da Língua Portuguesa.

Dados Internacionais de Catalogação na Publicação (CIP)
(Câmara Brasileira do Livro, SP, Brasil)

Katsu, Alma
Refém da Obsessão / Alma Katsu ; tradução Ana Paula Doherty. -- Ribeirão Preto, SP : Novo Conceito Editora, 2013.

Título original: The reckoning.
ISBN 978-85-8163-239-1

1. Ficção norte-americana I. Título.

13-04230 CDD-813

Índices para catálogo sistemático:
1. Ficção : Literatura norte-americana 813

Editora Novo Conceito

Rua Dr. Hugo Fortes, 1885 – Parque Industrial Lagoinha
14095-260 – Ribeirão Preto – SP
www.editoranovoconceito.com.br

Para minha mãe e irmãos, Linda, Diana e John

"— Sempre será querido para mim, Fera. Sou sua amiga de verdade. Mas acho que jamais serei capaz de me casar com você.
— Você é minha única alegria — disse a Fera. — Sem você, morreria. Prometa-me, ao menos, que nunca irá embora."

A Bela e a Fera, Madame Leprince de Beaumont

PARTE UM

I

LONDRES

Estávamos quase chegando no Victoria and Albert Museum quando vimos uma multidão saindo da porta de entrada e atravessando a Rua Cromwell, forçando nosso táxi a parar no meio do caminho. O motorista virou-se e deu de ombros para mim e Luke, como se quisesse dizer que não poderíamos ir além dali, uma vez que centenas de pessoas se enfileiravam em direção à entrada arqueada em uma mancha de cor e movimento, como um cardume. Todos estavam lá para ver minha exposição.

Sem conseguir esperar nem mais um segundo, saí do táxi, e meu olhar foi atraído pelo cartaz pendurado na parte de cima da construção. Dizia: Tesouros Perdidos do Século 19 – a letra escura sobressaía sobre o fundo laranja brilhante. Sob as palavras havia a imagem de um leque feminino aberto, para mostrar o cetim branco esticado sobre a armação de ossos de baleia e a corrente, confeccionada com um cordão de seda com um pingente curvado para cima feito o rabo de um tigre. Mais especiais do que os lírios e as rosas douradas pintadas na frente do leque, eram aquelas palavras escritas à mão sobre o forro:

"Para o homem, o amor é algo à parte; para a mulher, é a sua própria existência." — Byron

O museu escolhera esse objeto pequeno e íntimo como a joia da coroa da coleção e o apresentara no cartaz e nas propagandas, ignorando trabalhos de mestres artesãos e artistas, bem como de antiguidades étnicas raras da Rota da Seda. Conseguia imaginar a empolgação do funcionário do museu ao encontrar as palavras e a assinatura de George Gordon Noel, o lorde Byron, no forro daquele pequeno e misterioso leque.

O leque era muito precioso para mim, nunca quis me separar dele. Mas, quando estávamos empacotando as caixas para enviá-las anonimamente ao V&A (despachadas através do meu advogado, para que não soubessem que me pertenciam), eu o separei e o coloquei de volta em seu lugar na prateleira; mas Luke o empacotou, pensando ter sobrado das pilhas empoeiradas das lembranças a serem jogadas fora. Quis pegá-lo de volta, mas era tarde demais: não conseguíamos pensar em uma maneira de pedir ao museu para devolvê-lo sem abrir as portas para questionamentos.

Era um dos poucos presentes que Jonathan, o amor da minha vida, tinha me dado. Depois de fugir de Boston, fomos parar em Pisa. Aquele verão estava tão quente que Jonathan, cansado de me ouvir reclamar sobre o calor do nosso quarto abafado na hospedaria, comprou um leque para que pudesse me refrescar. Era todo adornado, feito para ocasiões formais, e não muito apropriado para minha humilde situação. Mas ele não tinha a mínima noção de moda nem sabia como cortejar mulheres, já que sempre fora ele o cortejado. Por isso, dei ainda mais valor ao presente, pois era a prova de que ele realmente me amava, já que tentara me agradar.

Quanto à inscrição no forro, Byron escrevera aquelas palavras como um consolo íntimo para mim, pelas muitas vezes que tive que me esconder atrás do leque para não dizer nada enquanto as mulheres italianas se jogavam sobre Jonathan bem em frente aos meus olhos. Mas isso foi em 1822, há muito tempo. Agora, fazia três meses que ele se fora.

Ainda estava olhando para o cartaz quando Luke pagou o motorista e saiu do táxi.

— Pronta para ir, Lanny? — perguntou, deslizando a mão com confiança até a parte de trás das minhas costas, para me guiar pela multidão. Os olhos dele brilhavam de entusiasmo. — É uma virada e tanto! Quem poderia imaginar que tantas pessoas ficariam interessadas pelas coisas da sua sala? — Brincou, pois conhecia muito bem as maravilhas que mantive comigo por tanto tempo.

Partimos em direção à primeira galeria, o hall reverberava com o som das vozes. Não fiquei inteiramente surpresa com o sucesso da exposição, apelidada pela imprensa de "exposição misteriosa", pois houve um alvoroço na cidade desde que a doação anônima fora anunciada nos jornais. O V&A não foi o único museu a receber doações misteriosas: museus na França, na Itália, na Rússia, na Turquia, no Egito, no Marrocos e na China também receberam carregamentos de tesouros misteriosos, mas a instituição britânica recebera a maior parte, num total de mais de trezentas peças. A história, mostrada nos noticiários ao redor do mundo, gerou tanta curiosidade que os diretores do V&A resolveram montar rapidamente uma exposição para atender ao pedido do público.

Jamais exibido ao público antes, mostrava o cartaz à nossa esquerda enquanto a fila continuava aumentando. Uma coisa era verdade: esses itens estiveram amontoados em algum lugar durante o século passado, tendo chegado até mim como presentes e tributos, ou foram roubados, no caso dos itens mais tentadores.

Luke fora o motivo pelo qual resolvi me desfazer de tudo. Através dele, vi minha casa com outros olhos e percebi que ela tinha se tornado um cemitério de lembranças de minhas vidas passadas, cômodos repletos de coisas das quais não conseguia me livrar. Eu havia acumulado e me apegado a tudo aquilo com uma paixão irracional, mas dizia a mim mesma que era isso o que os colecionadores faziam. Agora percebo que mentia para mim mesma, pois não queria enfrentar a verdade: eu era uma colecionadora obsessiva para substituir o que eu mais queria e não podia ter: Jonathan.

Viramos e entramos na sala da exposição. O primeiro item à mostra, colocado dentro de uma caixa e sobre um pedestal, era o leque. Ele brilhava sob uma luz intensa, resplandecente como um fantasma. As pessoas se amontavam ao redor do pedestal, esbarrando gentilmente em mim enquanto eu olhava para aquele objeto que um dia me fora tão querido.

— Foi mesmo o lorde Byron quem escreveu isso? — Luke me perguntou, esquecendo-se de que as pessoas ao nosso redor não conheciam o meu segredo.

Ergui minhas sobrancelhas.

— Aparentemente, sim. Pelo menos é isso o que a descrição diz.

Ficamos presos no fluxo de pessoas que se movimentavam pela galeria, e fui forçada a dedicar momentos longos e silenciosos diante de cada peça. Era quase como se os objetos estivessem me repreendendo por ter revelado nossa vida privada ao mundo. Eu mesma me sentia culpada ao olhar para alguns deles, os mais íntimos, por tê-los abandonado desse jeito. No entanto, mais do que qualquer coisa, sentia pânico ao ver minha vida — uma vida vivida completamente em segredo — ser aberta ao público. *Nada de bom pode vir dessa traição*, as peças pareciam me avisar.

Primeiro, foi a urna que usava para colocar guarda-chuvas no hall de entrada de minha casa de Paris, que meu amigo Savva ganhara de um casal de exploradores britânicos em um jogo de cartas e que era, como se veio a descobrir mais tarde, uma urna funerária egípcia, que haviam roubado de um sítio arqueológico. Em seguida, foi uma cadeira estilo Império, que ocupava um lugar no terceiro andar: tinha vindo de um pequeno apartamento em Helsinque onde, por pouco tempo, fui amante de um oficial britânico. À medida que olhava para cada peça, me lembrava de sua origem. Sei que deveria estar feliz pelas memórias de uma vida plena, mas a verdade é que eu não estava. Não conseguia parar de pensar em Jonathan. Era como se ele estivesse ao meu lado, e não inconsciente, gelado e enterrado em uma cova sem lápide em um cemitério longínquo.

Jonathan já estivera ausente da minha vida, mas dessa vez era diferente, e isso doía no fundo da alma. Antes, sabia que ele estava em algum lugar do mundo, vivo, porém mais feliz sem mim, as razões dolorosas de sua escolha, seja lá por que, eram justificáveis. Mas agora a ausência dele era permanente. Eu amara Jonathan a vida toda, todos os meus 220 e poucos anos, e estava quase me acostumando com o fato de que nunca mais o veria.

Quando Jonathan voltou para mim, brevemente, no final, vi que ele mudara de uma maneira que eu nunca poderia imaginar. Deixara de ser o adolescente egoísta que eu conhecera e fora trabalhar em campos de ajuda voluntária, cuidando de doentes e refugiados, enquanto eu, para ser bem honesta, não havia mudado quase nada. Havia uma parte de mim que acreditava que eu merecia minha incurável condição de imortalidade, uma punição imposta a mim por um homem extremamente cruel. Adair também vira o mal em mim e sabia que eu merecia uma punição. Eu só podia esperar ser redimida se Jonathan não soubesse de nada, como Adair queria. De qualquer forma, suspeitava que o que quer que fosse que atraíra Adair ainda não fora completamente exorcizado e continuava dentro de mim. Não precisava de mais provas além do fato de ter usado Luke no hospital, um homem recentemente arrasado pela perda, para me ajudar a fugir.

E, claro, havia a dor de eu ter sido a pessoa que tirara a vida de Jonathan, mesmo ele tendo pedido por isso. Essa dor, eu tinha certeza, nunca passaria. Balancei a cabeça para me livrar daquele pensamento; hoje era o dia de dizer adeus ao passado e abraçar o presente.

— Você está bem? — Luke perguntou de repente, tirando-me de meus pensamentos.

— Estou. É só...

— É demais. Eu entendo. — Ele tocou no meu rosto; talvez por eu estar um pouco ruborizada. — Acho que não foi uma boa ideia ter vindo... Quer ir embora?

— Não, ainda não. — Apertei a mão dele. Ele apertou a minha de volta.

Continuamos a andar devagar, e, enquanto Luke focava na exposição, eu prestava atenção nas feições dele. Ele não percebia que eu o observava e olhava fixamente para as peças em exposição. Luke não se achava bonito, especialmente se comparado ao perfeito exemplar que era Jonathan, a quem tinha visto no necrotério. Eu tentava fazê-lo entender que ele tinha seu próprio charme.

Formávamos um casal bonito, Luke e eu, se não fosse pela diferença de idade. Em público, sempre o viam como a figura paterna enquanto eu era a garotinha apaixonada. Ninguém que nos visse suspeitaria de que era exatamente o contrário: eu era a mais velha, e inacreditavelmente mais velha. A verdade era que me sentia à vontade com um homem dessa idade. E daí se os cabelos grisalhos começavam a se misturar com os fios castanhos? Homens jovens eram enfadonhos. Eu não queria passar pelas crises de impaciência, ciúmes, raiva. Já testemunhara o amadurecimento de homens jovens vezes suficientes para saber que resistiriam a qualquer tipo de conselho das mulheres em suas vidas. Não, preferia a estabilidade de Luke, seu bom senso.

Não era só isso o que sentia, mas também devia isso a ele. Ao me ajudar a fugir, tinha me poupado a dificuldade de ser julgada por assassinato. Um homem menos evoluído teria titubeado diante do impossível, teria fingido não ver a prova que lhe dera de que eu *era imortal*, teria me entregado ao xerife sem pensar duas vezes. Mas Luke tinha me tirado às escondidas do Maine e atravessado a fronteira até o Canadá, deixando sua vida para trás e vindo até Paris, e agora Londres, comigo. Como não poderia amá-lo, depois de tudo o que fizera por mim?

A coragem que ele demonstrara naquele dia foi apenas uma das atitudes que me atraiu nele. Eu *precisava* de Luke. Ele era meu porto seguro, meu ombro amigo; impediu-me que me fechasse em mim mesma, esmagada pelo peso do que havia acabado de fazer. Pela primeira vez em muito tempo, estava com alguém que cuidava de mim, que me fazia feliz e me protegia. Era incrivelmente atraente ser o objeto da afeição dele, estar sempre em seus pensamentos e ser tão desejada a ponto de ele não conseguir tirar as mãos de mim. Seu toque forte fazia eu me sentir segura, e havia algo em seu comportamento — talvez fosse a confiança de médico — que me encorajava a seguir adiante com minha vida. Sem ele, talvez tivesse me transformado em um poço de tristeza e sofrimento.

Luke puxou-me para mostrar um tapete de seda vermelho e dourado, estilo Hereke, tão leve quanto um lenço de papel, adquirido durante uma viagem a Constantinopla. Disseram-me que era um tapete mágico voador (uma negociação ao estilo turco tradicional), apesar de nunca ter voado: a beleza era seu próprio valor.

— Ai! Era para eu ter mandado isso para a Turquia? — ele cochichou em meu ouvido.

— Não, era para vir para cá — assegurei-lhe. Na verdade, não fazia diferença em qual museu estava. O que importava é que o passado estava sendo deixado de lado e eu estava pronta para seguir adiante.

Nesse exato momento, percebi o olhar de Luke recair sobre duas menininhas na fila, encarando as mãozinhas envoltas por uma maior, seus rostos felizes inclinados na direção do pai. A expressão de Luke ficou mais melancólica. Ele certamente sentia saudades das filhas tanto quanto eu sentia de Jonathan. Sua ex-mulher, Tricia, ficara irritada ao saber que o ex-marido não só tinha me ajudado a fugir, mas também estava morando comigo. Ela suspeitava que ele, além de ter perdido o bom senso, também perdera o juízo. Eu odiava ser a responsável por Luke não poder ver as filhas. Foi só depois de ele ter trocado uma série de e-mails com Tricia que ela lhe permitiu que falasse com as garotas ao telefone.

— Aqui — eu disse, colocando Luke em pé em frente a um dos cartazes. Tirei a foto dele com meu celular. — Pode mandar para as meninas.

Ele semicerrou os olhos, sem ser grosseiro.

— Acha que é uma boa ideia? Tricia ainda está brava por eu ter ido embora sem dizer nada. Ela diz que o xerife em St. Andrew fica ligando para perguntar se tem notícias minhas. Pode ser que ela fique pê da vida ao ver uma foto minha de férias enquanto ela tem que lidar com meus problemas.

— Pode ser. Mas pelo menos as meninas vão saber que, não importa o que faça ou aonde vá, você pensa nelas; que sempre está pensando nelas.

Luke concordou, apertou meu braço e continuamos nossa visita pela exposição. Depois de um tempo, o tumulto da multidão tornou-se pesado demais para mim. Puxei a manga da camisa de Luke e disse:

— Preciso sair daqui.

Sem perguntar nada, ele pegou minha mão e saímos da galeria. Hora de deixar o passado para trás.

Fomos ao terceiro andar e entramos no corredor longo e escuro em que estavam as pinturas do século 19, britânicas e americanas. A atmosfera ali era silenciosa, como se o tempo tivesse parado. O restante do museu estava mais vazio do que o normal, devido à abertura da exposição especial, e nossos passos cortavam o silêncio e ecoavam pela sala como espíritos batendo nas paredes.

Essa sala, com as paredes repletas de pinturas a óleo, sempre me fascinou, e eu a visitei todas as vezes em que estive em Londres, religiosamente. Sempre amei as obras luminosas de Rosseti e Millaise, a melancolia deixando-as ainda mais belas. Da parede, os quadros de Burne-Jones, de Blake e de Reynolds olhavam para nós. Mulheres brancas como lírios, com longos cabelos cacheados, os rostos pesados com expressões chorosas de amor, segurando um buquê de rosas caídas, vestidas inadequadamente, como se estivessem no teatro clássico grego. Acho que era o ar de sobriedade das modelos que me cativava: a sensação de que elas sabiam que o amor era passageiro e, quando muito, imperfeito, mas, mesmo assim, que a busca por ele valia a pena. Elas eram amaldiçoadas por buscarem o amor, sempre. Talvez eu fosse atraída por essa sala por ser o lugar ao qual eu pertencia, posta em uma vitrine, mantida com outras coisas fora do tempo do hoje. Eu seria um objeto curioso, como uma boneca de corda ou um pássaro extinto, as excentricidades que os vitorianos adoravam, só que eu seria um artefato vivo, com quem as pessoas poderiam falar e fazer perguntas.

Olhava para uma pintura com os olhos semicerrados na penumbra — essa sala era sempre tão escura — quando senti um zumbido na nuca. A princípio, achei que fosse só uma dor de cabeça por toda a agitação do dia, ou pela claustrofobia de ser engolida pela multidão (que eu evitava sempre que possível), ou pela dissonância em ver minhas coisas em um local estranho... mas eu nunca tinha dores de cabeça, nem podia pegar uma gripe ou quebrar um osso. O zumbido vibrava fraco, porém familiar, na base do crânio, onde se juntava à coluna, e provocava arrepios incessantes que desciam por minhas costas como uma velha máquina esquecida, que, de repente, voltou a funcionar depois de um longo tempo sem uso. O zumbido era mais do que um som: parecia conter sentimentos, assim como uma borrifada de perfume pode trazer uma lembrança de volta à memória. O zunido era tudo isso. Assim que me dei conta dele, não conseguia pensar em outra coisa.

Foi então que compreendi que aquilo era um sinal, como a corrente elétrica que liga uma máquina. Eu fora contatada, e a apreensão que carregara comigo durante dois séculos cresceu dentro de mim, preenchendo todas as células do meu corpo. Podia tentar fugir do passado, mas, aparentemente, o passado ainda não estava pronto para quebrar seus vínculos comigo.

Virei-me para Luke e o alcancei; o medo turvou minha visão. Meu sangue congelou-se nas veias.

— Lanny, o que é? — Luke perguntou com a voz cheia de preocupação. Desesperada, agarrei-lhe a lapela do casaco.

— É Adair. Ele está livre.

II

BOSTON

Primeiro veio o barulho do lado de fora da cela de pedra, mais alto do que Adair ouvia há muito tempo. Quando o ruído chegou mais perto, começou o tremor; o chão reverberava sob os pés como se alguém estivesse batendo sobre a superfície da Terra com um grande bastão.

Em sua época, Adair tinha passado por avalanches e tempestades monstruosas, raios que também fizeram o chão tremer, apesar de não tão constantes quanto esse. Ouvira vulcões expelir os fogos do inferno e queimar vilas como se fossem feitas de papel e terremotos racharem o chão ao meio, formando fendas enormes que engoliam casas em gargantas gigantescas. Talvez estivesse passando por um terremoto, pensou, uma força da natureza que finalmente viera salvá-lo.

No nicho estreito da parede no qual ele fora colocado — sua cela, como a chamava —, Adair colocou as mãos sobre as paredes grossas de pedra que não cediam há... quantos anos? Ele tinha perdido a conta, era incapaz de medir o dia na escuridão constante. Tentara mandar o destino derrubar aquela maldita parede, sem sucesso. Mas agora, para sua grande surpresa, o destino, depois de não ouvi-lo durante tanto tempo, obedecera, e a odiada parede de pedra caíra... para, então, revelar uma segunda parede do outro lado. Antes que Adair pudesse lamentar sua sorte maldita, houve um tremor horrendo na parte de cima, o metal raspava sobre a pedra e os pedaços de madeira se quebravam ao meio. O teto começou a cair sobre ele e a parede desmoronou: pedra, madeira, tijolo, concreto — tudo despedaçado ao seu redor.

Quando recobrou a consciência, Adair viu-se enterrado sob um monte de entulhos, pedaços granulados e compactos de argamassa amarrados com tufos de crina de cavalo, sarrafos de madeira, pedaços de tijolos. A luz do Sol penetrou-lhe os olhos de maneira tão dolorosa que ele precisou fechá-los rapidamente, para bloquear a claridade. Assim que se adaptou à luz, olhou através da confusão do que uma vez fora a parede exterior da casa e viu o céu, uma vasta e bem-vinda expansão de azul. A brisa em seu rosto era como um beijo fresco e agradável.

Seus sentidos foram restaurados de uma só vez, após séculos de privação. Podia sentir o cheiro da poeira de argamassa em suas narinas, saborear o ar doce em sua língua. O mais glorioso de tudo era a luz. Ficara isolado no escuro, incapaz de se mexer ou de sentir qualquer coisa exceto o chão sob os pés e os tijolos em frente ao rosto... À menor lembrança e tudo aquilo já tomava conta dele novamente; a escuridão sufocante e a solidão imensa ameaçavam enlouquecê-lo. Foi com muito esforço que conseguiu deixar tudo de lado. Agora estava livre e poderia voltar a viver; estaria com outras pessoas. Ansiava por conversar com alguém, para ouvir o som da voz de outra pessoa em seu ouvido, as piadas e os segredos sussurrados, as alegrias e as tristezas, tudo. Sentiria a pele de alguém de novo, doce e delicada ao toque, úmida de excitação ou medo. Estaria livre para buscar todos os prazeres e peculiaridades da experiência humana das quais sentira falta durante um período inimaginável de tempo.

E a primeira coisa que queria fazer — que *tinha* que fazer — era colocar as mãos na mulher que lhe tirara tudo isso. Lanore.

A fúria tomou conta dele, lenta e absoluta, décadas de frustração finalmente chegariam ao fim. Queria gritar o nome dela, chacoalhar os céus clamando por justiça. *Traga aquela bruxa traidora até mim*, ele pensou, *para que possa sofrer a punição especial reservada aos traidores*. Queria enroscar as mãos ao redor da garganta dela — agora! — e lhe arrancar a vida. Mas isso seria impossível: sentia que ela não estava por perto.

Porém, esse dia chegaria e ele a faria pagar por sua traição. Ele lhe dera mais liberdade do que a qualquer outro de seus súditos, devido aos sentimentos que nutria por ela, e ela tirara proveito de sua generosidade. E, pior de tudo, ela o traíra a favor de Jonathan, um homem egoísta demais para lhe retribuir o amor. Adair a amara, de verdade, mas aparentemente seu amor não fora suficiente para ela. Para um erro tão grande de julgamento, a morte não parecia uma punição sem sentido, e, certamente, ela antecipara isso quando tomou essa decisão. No entanto, não terminaria com sua vida imediatamente. Ainda que a satisfação proveniente disso fosse imensa, seria muito breve. Teria uma satisfação muito maior ao prolongar a punição dela, tornando infernal cada dia de sua vida, dando-lhe tempo suficiente para se arrepender de sua decisão tola.

Por mais que Adair quisesse se levantar do meio dos destroços e deixar para trás aquela prisão, o peso dos entulhos sobre ele era muito grande. Tinha que esperar ser retirado de lá. Estava preso. Ouvia gritos e barulhos altos a distância, como se muitos canhões estivessem sendo posicionados. Talvez estivesse acontecendo uma guerra e Boston estivesse sob ataque.

Algum tempo depois, um homem solitário começou a mexer nos destroços. Vestia-se de forma estranha, a cabeça era coberta por um capacete incomum, simples como uma tigela, nem de longe parecido com um capacete de soldado da Infantaria. Pareceu-lhe uma eternidade até que o homem se aproximasse o suficiente para Adair poder chamá-lo com um tom de voz baixo, para não atrair mais ninguém até lá. O homem seguiu a voz de Adair até encontrá-lo em meio aos destroços e começou a tirar as pedras rapidamente, gritando enquanto trabalhava.

— Santo Deus! Tem alguém aqui! Fique calmo, companheiro, estou quase lá. Vou tirar você daqui a um minuto. — Ele estava perto, a alguns metros de distância, e procurava uma ferramenta pendurada em seu cinturão quando Adair espremeu-se e soltou um braço, agarrando o homem pelo colarinho. Segurando-se nele, Adair ergueu-se para fora dos entulhos.

— Meu Deus, filho, como sobreviveu à queda de uma casa? Deve ter uma tonelada em cima de você!

O homem com capacete parou de falar ao olhar para Adair. Devia ser pela estranheza de seus trajes, Adair imaginou enquanto analisava a roupa de seu salvador. O homem ficou boquiaberto e arregalou os olhos atrás dos óculos de segurança empoeirados enquanto Adair tirava o pó das mangas da camisa, do paletó e de seus cabelos longos.

— Em que ano estamos? — Adair perguntou com uma voz rouca.

— Como assim, em que ano estamos? Você deve ter levado uma boa pancada na cabeça para não saber em que ano estamos. — O pedreiro alcançou o equipamento pendurado no cinto. — Veja bem, fique sentado aqui, preciso ligar... Como entrou na casa? Fechamos esse local uma semana atrás. E o que você é, um daqueles atores que contratam para o grupo de turistas? Que bom que não trouxe um de nossos grupos do Freedom Trail até aqui... — Ele apontou para a blusa bufante de Adair e balançou a cabeça.

As mãos de Adair encontraram a garganta do homem e quebraram-lhe o pescoço antes que ele pudesse terminar a frase. Sentiu um pouco de remorso por matar seu salvador, mas as circunstâncias exigiam isso. Vestiu as calças e a camisa do homem, já que obviamente a moda havia mudado desde seu aprisionamento, e deixou suas roupas surradas para trás. Então, amarrando as botas enormes que pegara do trabalhador, Adair saiu da casa semidestruída, completamente estupefato pelas mudanças ao seu redor. Para começar, havia as máquinas gigantes de metal rodeando a mansão, despedaçando-a feito urubus com grandes bicos de ferro. Havia também um tipo de carruagem se movendo rapidamente pela rua, sem cavalos ou bois. As ruas e as calçadas eram duras e passavam despercebidas sob os pés. Sem lama, sem paralelepípedos. E havia muito barulho: buzinas, pessoas gritando incompreensivelmente, e música, apesar de não haver nenhum músico à vista. Para ele, o som estridente das ruas parecia uma grande confusão. Adair lutou contra o pânico crescente e, finalmente, chegou a um prédio vazio. Lá encontrou um canto silencioso e se sentou no chão apoiando as costas na parede, com os olhos fechados.

Precisou aquietar a mente até ficar calmo o bastante para sintonizar-se à sensação empolgante crescendo dentro de seu cérebro, o sinal que o conectava às suas criaturas. No início de seu aprisionamento, Adair percebera que a conexão psíquica que tinha com seus súditos fora prejudicada; não conseguia atravessar as paredes grossas da cela para atingi-los. Depois disso, esforçou-se para *não* focar no sinal e tornar-se indiferente a ele — era isso ou ficar louco de frustração —, mas, agora, o sinal tinha voltado, tão prazeroso quanto antes.

Adair apertou a cabeça para ativar o cérebro, na esperança de fazê-lo voltar à vida. Ficou sentado por aproximadamente uma hora, lutando para sintonizar o sinal. A princípio, os farrapos de conexão com seus súditos não passaram de um desconforto errático no fundo de sua mente, que desintegravam ao toque, feito estátuas de areia. Mais tarde, porém, a sensação ficou forte feito uma corda, firme o bastante para ser seguida, e ele assumiu que aquela estabilidade significava que um de seus súditos estava por perto. Adair seguiu o sinal a pé e, quilômetros depois, bateu à porta de uma casa.

Foi Jude quem abriu a porta, o homem que tinha se passado por pastor em um das vilas puritanas, e possuía um estilo de vida que tanto chocava quanto instigava os moradores. Agora foi a vez de ele ficar chocado. A primeira reação ao retorno de Adair não foi de prazer, ele percebeu, apesar de Jude ter alterado rapidamente sua expressão para algo mais apropriado. Ele colocou-se de lado para dar passagem a Adair, que entrou pela porta feito um raio.

— Meu Deus, *é você*! Senti sua presença essa manhã pela primeira vez desde... milênios, me parece... mas não esperava ter a honra de vê-lo na porta da minha casa.

Aquilo era compreensível; era de se esperar que sua aparição repentina causasse espanto. No entanto, Adair conhecia a falta de sinceridade quando a ouvia. Jude o observava intensamente e com uma ponta de curiosidade hostil, como se não fosse bem-vindo. De todos os homens e mulheres que Adair tinha subjugado a ele ao longo do tempo, Jude não era um de seus favoritos. Não o teria escolhido para ajudá-lo neste momento, mas não tinha o controle da situação. Jude sempre fora um maquinador sem escrúpulos e traiçoeiro. Ainda possuía aquele olhar selvagem e parecia o mesmo homem calculista e egoísta que atraíra a atenção de Adair muitas vidas atrás, em Amsterdã.

Jude manteve a distância de um braço enquanto Adair erguia o pescoço para dar uma boa olhada na entrada da casa. Paredes imaculadamente brancas subiam dois andares, e, suspensa acima da cabeça, havia uma escultura estranha parecida com uma alcachofra gigante, com painéis de vidro opaco no lugar das folhas. O chão era de placas largas de madeira pintadas de preto. O efeito geral era de força e austeridade sem nada do brilho, do estilo e da opulência das épocas que conhecia.

— Por favor, fique à vontade. Venha para o andar de cima. Vou lhe preparar um banho e providenciar uma troca de roupas. — Jude abriu os braços bem abertos. — Minha casa é sua.

Lutando contra suas incertezas, Adair não falou nada ao subir as escadarias. Uma hora depois, após um banho sublime e vestido nas roupas ridículas de Jude, Adair juntou-se ao anfitrião em uma ampla sala de visitas na frente da casa.

Jude sorriu com preocupação para ele.

— Sempre me perguntei o que teria acontecido com você. Nós todos nos perguntamos. Você simplesmente saiu do radar, puff! — Jude fez um gesto ao lado da cabeça, como se fosse o som de um balão estourando.

— Então, tem visto alguns dos outros? — Adair perguntou.

Jude balançou os ombros, mas reconheceu imediatamente o erro. Acabara de admitir que ele e os outros falaram sobre Adair quando este não estava presente, e falar estava a um passo de *conspirar*, o que era proibido.

— Você e os outros falaram sobre o meu desaparecimento e, mesmo assim, não foram me procurar? — Adair fungou.

— Claro que fomos, mas não havia pistas para seguir. Não conseguia sentir sua presença, nenhum de nós conseguia. Não sabíamos por onde começar. — Jude explicou. — Fui até seu último endereço, a mansão do outro lado do *Commons*, mas estava vazia. Tinha sido saqueada. Todos tinham ido embora, exceto aquele coitado pagador de pecados.

— Alejandro? — Aquela era uma descrição bem apropriada, Adair pensou; Alejandro carregava o peso de seus pecados como um padre sem batina, mesmo sendo judeu.

— Sim, o espanhol. Ele disse que você tinha ido para a Filadélfia com seus últimos acompanhantes, aquela mulher da floresta e seu amigo bonitão. Alejandro achou que você tivesse se cansado dele, de Tilde e do italiano, e os abandonara sem um tostão furado.

Adair arrumou a postura.

— Aquele homem e aquela mulher foram as pessoas que me aprisionaram. Jonathan... e Lanore. — Adair observou Jude piscar ao trazer à tona uma lembrança de muitos anos atrás. — Você se lembra dela, não é? Ela caiu nas minhas graças e depois me enganou. Uma vagabunda, traidora. E quando eu encontrá-la, ela saberá o que significa sofrer... — disse e deixou sua ameaça pairar no ar. Pensara em vingança muitas vezes ao longo das décadas, alimentando sua raiva com pequenos fluxos de lembranças amargas, como se passasse a mão sobre uma velha cicatriz para lembrar-se da dor de quando a ganhara. Porém, com o passar do tempo, o desejo por vingança passou a ser tão poderoso que precisou tirá-lo de sua cabeça. A frustração quase o deixou ensandecido, e chegar à beira daquele abismo era tão assustador que teve que desistir.

Tinha atirado sua fúria enorme contra a parede, muitas e muitas vezes, sem sucesso, isso o levou a acreditar que deveria haver algo sobrenatural sobre Lanore que tornava possível controlá-lo. Ela *só podia* ser uma bruxa; de outro modo, como explicar seu aprisionamento? A parede não passava de algumas camadas de pedra e tijolo. Ao longo do tempo, quase se convencera de que Lanore colocara uma maldição sobre a parede, para que o mantivesse trancado lá dentro.

Adair lembrou-se do momento em que recobrou a consciência e descobriu que Lanore e aquele Jonathan empavonado o tinham enterrado sob a parede. Lembrou-se do esforço para se livrar da corda que lhe amarrava as mãos, esticando os braços em direções opostas durante o que lhe pareceu semanas até que a corda se esticou o suficiente para escorregar. Desfazer o nó foi fácil. Ele gritara e berrara e batera na parede com toda a sua força, mas ninguém o ouviu. Ninguém veio por ele. Ninguém sabia que estava ali, ou pior, ninguém se daria ao trabalho de procurá-lo.

De dentro de sua tumba, ouvira a vida acontecer ao redor dele. As famílias mudavam-se e iam embora da casa. Ouvira barulho de construções, o tremor da fundação da casa. Nessas ocasiões, desejava que as paredes fossem colocadas abaixo ou o chão em cima de sua cabeça fosse destruído. Mas nada acontecera — até agora.

— Em que ano estamos? — Adair perguntou.

— Não vai acreditar. — Jude sorriu maliciosamente, como um gato de Cheshire.

— Estamos em 2010, meu amigo. Tudo mudou. Tudo. O mundo é um lugar completamente diferente agora; vai deixar você boquiaberto. — O sorriso de gato de Cheshire transformou-se em uma expressão mais séria. — E vai precisar que lhe mostre como as coisas são porque, acredite ou não, você não saberá fazer *nada*. Finanças? Ninguém mais carrega dinheiro. Usamos isso. — Jude procurou dentro do bolso e puxou um pequeno retângulo de uma substância dura desconhecida, brilhante e colorida. — Cartões de crédito: um sistema de carta de crédito portátil e pessoal. Permite que compre coisas em qualquer lugar do mundo, imediatamente, sem precisar mandar cartas para advogados ou bancos. — Ele passou o cartão para Adair, que o examinou cuidadosamente. Era estranho ao toque e não tinha peso algum.

— E pode ir a qualquer lugar do mundo em questão de horas. Pode voar a qualquer lugar em um avião, tão grande quanto um navio mercante.

— Como uma coisa tão grande como um navio de dois mastros poderia voar? — Adair zombou, certo de que Jude estava desdenhando dele, e o holandês maluco com certeza sabia que aquilo era um entretenimento perigoso.

— Com asas grandes o bastante, qualquer coisa pode voar. Mas isso não é o mais incrível. — Jude deu um salto e caminhou até um objeto sobre a mesa ao qual Adair tinha, erroneamente, imaginado ser um painel de vidro encostado em um cavalete estranho. — Tudo que antes era feito com papel e enviado por correspondência ou pombo, agora é feito pelo ar, quase instantaneamente, como se fosse mágica. Esse utensílio é chamado de computador. — Ele fez um gesto grandioso apontando para a simples folha de vidro escuro, emoldurada por um metal prateado sem graça. Adair olhou para ele cético.

— Mágica? Quer dizer que agora tudo é feito com mágica? — Adair perguntou. A mágica tinha se tornado uma coisa comum?

— Não, não. *Parece* mágica, porque é muito fácil. Mas está tudo ligado ao mundo físico, posso lhe garantir. Transmitido por ondas de energia direcionadas por código. — Jude passou a mão sobre o computador imitando um mágico, como se, do nada, pudesse fazer surgir uma pomba.

Adair não estava impressionado.

— Parece muito com alquimia: usar o conhecimento para controlar as forças contidas dentro dos elementos comuns.

Pelo que Jude dissera, parecia o mesmo que conhecer as poções certas, o jeito certo de reduzir uma coisa ao seu estado mais elementar, quanta energia canalizar. Era a mesma mágica embalada de forma diferente para homens que não aceitavam a existência de coisas que não pudessem ser quantificadas e capturadas em algoritmos. E o que era um algoritmo além de uma receita, uma fórmula ditada que combinava certos elementos para se obter um resultado específico? A ciência era muitas vezes inseparável da magia e não podia ser tão subestimada. Que diferença fazia o nome que lhe davam? Ao final, em seu estado mais básico, tudo era energia.

Jude balançou a cabeça e abanou a mão, ignorando a comparação de Adair dos computadores à alquimia.

— Não tente encaixar o novo mundo à sua velha maneira de pensar. Não funcionará. Será melhor aceitar o novo pelo que é e dizer adeus ao passado.

— Então, use sua mágica para trazer Lanore até mim. — Adair ordenou. — Agora.

Jude acomodou-se na cadeira, lançando um olhar conciliatório para Adair.

— Vamos conseguir, vamos chegar até ela. Mas... há coisas mais importantes que devem ser resolvidas antes.

— Nada é mais importante do que encontrá-la.

— Tudo virá a seu tempo. Veja bem, não quero apressá-lo para lidar com isso, mas deve ter passado pela sua cabeça... já pensou no seu espólio? Tudo o que tinha quando... quando foi...

— Aprisionado? — Adair terminou a frase por ele. Estava ficando cada vez mais impaciente com Jude, irritado por sua hesitação em receber ordens e por sua prepotência.

— Sim... podemos estudar os, hum, os detalhes assim que tiver se recuperado, mas acho que você perdeu tudo. — Depois daquela avalanche de palavras, Jude fez uma pausa e ficou piscando.

Tudo perdido... Adair lembrou-se de que tinha muita coisa em seu nome: a velha e enorme fazenda na Romênia e outra na Floresta Negra. Uma casa em Londres. Fortunas nas contas de antigos e renomados bancos por toda a Europa. Enterrara baús com tesouro e deixara instrumentos vitais com um indivíduo confiável, uma de suas criações, sob custódia. Era muito provável que aqueles baús já tivessem sido descobertos, e quem poderia dizer o que acontecera àquele amigo fiel? Seria mesmo verdade que toda a sua fortuna tinha desaparecido e que estava sem dinheiro e sem teto?

— Tenho certeza de que, depois de todo esse tempo, as propriedades e as contas bancárias se extinguiram. — Jude explicou da maneira mais gentil que pôde. — Escreva a localização, escreva o que se lembrar, e investigaremos; mas prepare-se para a possibilidade inevitável de...

De tudo ter se perdido, claro. A fúria tomou conta de Adair de novo: aquela mulher traidora roubara tudo dele... claro, os outros, dando-se conta de que ele desaparecera, devem ter se sentido no direito de encontrar a fortuna e reclamar a posse, como se fosse deles também. Deveria ser por isso que Jude pensava ser perda de tempo procurar pelos ativos de Adair; talvez ele já tivesse tentado localizá-los, sem sucesso. Jude, astuto e ganancioso feito uma raposa morta de fome.

E então lhe ocorreu que o *conteúdo* da casa também se perdera e, assim, os livros de receita e as poções. O pânico apunhalou seu estômago e seu coração, apertou-lhe a garganta. Com o tempo, poderia recuperar a terra e o dinheiro, mas, se perdesse a fonte de seu poder — os dois livros de feitiços —, estaria perdido.

Ao tomar consciência de sua verdadeira situação, Adair sentiu-se como se tivesse uma âncora amarrada à cintura e fosse puxado ao fundo do mar. A coleção de conhecimento adquirido dos melhores praticantes da magia negra, cuidadosamente compilada ao longo de muitas vidas, *perdida*... sem falar no sangue que derramara para conseguir tal conhecimento e poder, tudo aquilo para nada. Já fora o homem mais poderoso sobre a Terra, com habilidades comparáveis a de um deus, e agora — a não ser que conseguisse se lembrar dos feitiços — teria que começar sua jornada novamente.

No entanto, outro pensamento lhe ocorreu e embrulhou seu estômago. Talvez Lanny tivesse descoberto o valor dos livros e os mantivera com ela. Talvez tenha sido dessa maneira que ela conseguira aprisioná-lo. Se estivesse certo, ela era uma oponente formidável e ele não deveria subestimá-la.

— Isso é muito pior do que imaginei! — Adair lamentou, esforçando-se para não explodir, para não uivar diante da crueldade do destino, para não estraçalhar tudo que estivesse ao seu alcance de tanta frustração e profundo desamparo.

Jude colocou a mão sobre o ombro de Adair, o primeiro toque de comiseração que sentia há muito tempo.

— Lamento dizer que sim, é pior.

Adair deixou que o desespero passasse por ele como uma doença selvagem, porém discreta; era melhor incorporar aquele ódio, lembrar-se da impotência humilhante que sentia e guardar sua raiva para o dia em que estivesse cara a cara com Lanore. Esse ódio o alimentaria na dura caminhada que tinha pela frente, e esta era mais difícil do que imaginava, se o que Jude dissera fosse verdade.

Jude deu uma batidinha no ombro de Adair novamente, mais forte dessa vez, e Adair não sabia dizer se a estranheza dele se devia ao nervosismo ou à desonestidade.

— Duzentos anos sozinho... Meu Deus, deve ter sido um inferno. Como foi?

Ficar trancado em um espaço menor do que um guarda-roupa de criança? Como acha que foi? Adair queria gritar para ele, lembrando-se do horror de ter sido enterrado vivo. Nada pelo que havia passado o preparara para aquela provação. Após um longo período de privação, o mundo que conhecera tinha desaparecido; o mundo de Sol, plantas e terra fértil e vermelha tinha se transformado em um horizonte negro sem fim. Algumas vezes, na escuridão, sabia onde estava: preso em um espaço frio e profundo, tendo somente aranhas como companhia. Outras vezes, no entanto, sentia-se transportado a outro lugar, um vazio completo e absoluto, onde às vezes ouvia pedaços de conversas com vozes conhecidas, mas as quais não conseguia definir. E, nesses momentos, era tomado por sentimentos indescritíveis, que nunca imaginara sentir antes. Era muito mais assustador do que jamais pensara ser possível para um homem que nascera com gelo nas veias, mas preferia ser torturado por uma liga de inquisidores a admiti-lo. Especialmente a Jude. Adair desviou o olhar e não disse nada enquanto se mexia para sentar-se no sofá, deixando seu silêncio falar mais do que mil palavras.

— Agora sua provação terminou, e, de alguma forma, você sobreviveu — Jude declarou, colocando fim ao assunto. — Não faço ideia de como conseguiu, mas conseguiu, e isso significa muita coisa. Um homem mais fraco teria perdido a cabeça.

A loucura esteve mais perto do que Adair gostaria de admitir. Ele usara truques para manter-se ocupado: mentalmente, viajou por seu castelo na Romênia, andando pelos quartos, recordando seus pontos prediletos — a tapeçaria holandesa no hall de entrada, o pesado baú bávaro usado para segurar a travessa de prata, as paisagens através de certas janelas. Quando se cansava disso, tentava lembrar-se dos nomes e das particularidades de suas conquistas sexuais — aquelas cujos nomes ele sabia — e, então, ao terminar a lista, lembrava-se dos nomes de todos os seus cavalos. Passara pelas pilhas de minérios e metais, as plantas e as coisas orgânicas guardadas nos jarros e nas garrafas sobre as prateleiras de seu laboratório, dando nome a cada uma delas, para frente e para trás, relembrando o uso e a aplicação de cada uma. Mas chegara um tempo em que não tinha mais distrações; havia um limite para seus jogos de memória, e não era suficiente para durar duzentos anos.

E quando sua mente não estava ocupada, quando a força de sua fúria acabava e dava lugar à exaustão, ele tremia ao lembrar-se do que vinha depois: as visões terríveis que vinham da escuridão para assombrá-lo, pesadelos que o espetavam feito espíritos ressentidos...

Enquanto isso, Jude continuava a dar batidinhas no ombro dele, como faria para alegrar um velho homem.

— Sei que isso pode parecer impossível agora, mas voltará ao topo. É só uma questão de tempo.

Era isso o que tinha se tornado, Adair se perguntou, um homem de quem Jude sentia pena? Levantou-se da cadeira, e uma força começou a crescer dentro dele.

— Sim, recuperarei o que perdi e será mais rápido do que você imagina. Disso eu não tenho dúvida. E então voltaremos nossa atenção a Lanore, e a encontraremos, e lhe daremos a punição que merece.

III

LONDRES

Adair estava livre. O dia que eu tanto temia finalmente chegara. Sempre pensava no que faria quando Adair escapasse da prisão em que eu o trancara. Agora que o dia tinha chegado, não sabia o que fazer, pois não havia nada a ser feito: não havia como impedir o que não podia ser impedido.

Não me dei conta de que tinha saído correndo do museu até Luke me alcançar na metade do quarteirão. Devo ter descido as escadas como uma louca, passado pelo salão chinês e atravessado pela multidão às cotoveladas, até a entrada da Rua Cromwell. Ele me pegou pelos ombros e me virou para que olhasse para ele.

— O que está fazendo? Não pode sair assim, correndo sem rumo. O que é? Ele está por perto? — O treinamento de pronto-socorro de Luke veio à tona automaticamente. Ele olhava em meus olhos como se estivesse fitando uma pessoa fora de si, procurando sinais de trauma, comportamento parecido com o da noite em que nos conhecemos, quando fui levada pela polícia.

— Não, não muito perto. Mas eu não o sentia há... muito tempo. Fiquei assustada. — Pressionei a mão sobre meu peito numa tentativa de acalmar as batidas desesperadas de meu coração. — Ficarei bem. Me desculpe por ter saído correndo daquele jeito.

Luke me segurou com força, meu rosto enfiado em seu peito, e senti seu coração batendo forte. Esperava que ele se lembrasse das histórias que tinha lhe contado, das atrocidades que Adair era capaz de fazer; caso se lembrasse, deveria estar tão assustado quanto eu. O diabo em pessoa tinha escapado do inferno, um diabo que não poderia ser nem pacificado nem impedido, e que logo estaria em nosso encalço. Um pensamento me passou pela cabeça: será que tinha colocado Luke em uma situação perigosa? Sem dúvida, nada impediria Adair de conseguir sua vingança.

Luke passou a mão sobre meu cabelo, algo de que gostava muito, enquanto tentava acalmar nós dois.

— Se tem certeza de que é isso mesmo que está acontecendo, o que sugere que façamos?

Eu não sabia, mas ele olhava para mim esperando por uma resposta.

— Temos que fugir, Luke. — Foi o melhor que pude lhe dizer. — Temos que ir para algum lugar onde ele não pensaria em me procurar.

❖

Resolvemos sair do hotel sofisticado onde estávamos hospedados, perto do museu. Com a presença de Adair em minha mente, eu o sentia por perto, e ficar parada em um lugar só me deixava nervosa. Mesmo assim, quando chegamos no hotel, Luke tentou me convencer a mudar de ideia enquanto eu jogava as roupas dentro das malas que tínhamos desarrumado poucas horas antes.

— Lanny, seja *lógica*. — Ele implorou. — Não sabemos se há motivos para entrar em pânico. Por favor, seja razoável.

Lógica, razoável, sem motivo para entrar em pânico. Agora que o medo inicial tinha esfriado um pouco, podia ver que Luke estava voltando ao seu velho jeito de lidar com as coisas. Sentia-se muito mais à vontade analisando tudo de maneira metódica e desapaixonada — escolher uma cerveja em um *pub* poderia levar meia hora — e passou imediatamente a desconfiar toda vez que eu ficava emotiva. Isso tinha se tornado um motivo crescente de discussões entre nós.

Luke tentava tirar uma camiseta da minha mão enquanto eu estava sentada sobre a mala.

— Posso entender por que está tão assustada. Sente a presença dele novamente — ele continuou. — Mas isso começou agora, certo? Então, significa que ele *acabou* de escapar. Se esse é o caso, ele está do outro lado do oceano. E não sabemos se ele sabe qualquer coisa sobre você ou como encontrá-la. Talvez nada tenha mudado. Não entre em pânico.

No entanto, tudo mudara. E pânico — pânico justificado — era exatamente o que eu estava sentindo. Luke nunca sentira o ar se estilhaçar pela eletricidade da presença de Adair. Nunca sentira o frio de um de seus olhares de descontentamento, nunca sentira os ossos congelarem diante da expectativa de uma daquelas punições de destruir a alma. Adair era capaz de engolir, puxar alguém até ele feito uma marionete, e, uma vez nas mãos dele, era praticamente impossível escapar. A força do desejo dele era muito mais do que carismática: era de outro mundo. Em duzentos anos, conhecera príncipes e generais, líderes rebeldes e astros de cinema, mas Adair fora o único homem que conheci que tinha uma presença tão assustadora e marcante.

Decepcionado por eu não concordar com ele, Luke apertou meus ombros enquanto me olhava nos olhos.

— É *impossível* ele saber onde você está se não sabe *quem* você é agora. Pense nisso: mesmo estando livre há dias, levaria um bom tempo até encontrá-la. Você tem um novo nome, uma nova identidade. O mundo é grande, e ele não vive aqui há duzentos anos. Ele precisa se atualizar, não acha? — Havia uma ponta de irritação na voz dele. — E logicamente — lá estava aquela palavra novamente — essa coisa que está sentindo pode ser qualquer outra coisa, certo? Quer dizer, faz duzentos anos; qual a chance de ser Adair? Você poderia... estar com enxaqueca.

Desvencilhei-me dele e olhei-o com firmeza.

— Isso não é uma dor de cabeça. Eu *sei*. Talvez não possa dizer *onde* ele está, se está perto ou longe, mas sei o que essa sensação significa. É ele.

Passei apenas alguns anos com Adair, mas senti sua presença singular e invasiva o tempo todo, até o dia em que Jonathan e eu o enterramos na parede. Era uma corrente elétrica que cortava minha mente como um fio, impossível de ser desligada. Não havia outra sensação como aquela.

— Ele pode usar essa sensação para achar você?

— Não sei — respondi baixinho. A ideia era aterrorizante; que essa sensação em minha cabeça lhe permitisse me seguir como se fosse uma trilha de migalhas de pão, porém achei impossível. Afinal, eu sentira a presença de Jonathan o tempo todo em que estivéramos separados, mas não era capaz de dizer se ele estava no quarto ao lado ou do outro lado do mundo. Claro que Adair era muito mais poderoso e, sem dúvida, sabia como ler as nuances da conexão, sabia o que significava quando tremulava ou falhava, ou quando era forte o bastante para bloquear qualquer outro pensamento. Eu quis perguntar a Adair sobre isso, assim como quis perguntar sobre muitas outras coisas, mas tinha medo das respostas e esperei, tolamente, que, se ignorasse minha situação, tudo passaria. Com Adair atrás da parede, esperei para ver se o feitiço perderia sua potência e se seria mortal de novo, mas, em meu coração, sabia que era só um desejo.

E agora aqui, em pé com Luke, em posição de xeque-mate, me perguntei novamente se cometera um erro. Tinha sido muito egoísta de minha parte fugir com ele — até mesmo imprudente —, mas eu me encontrava em um estado lamentável. Tinha perdido o homem que, de um jeito ou de outro, estivera comigo a minha vida toda, e Luke era sensato, estável, parecia o substituto perfeito. Diferente de Jonathan, diferente do tipo de homem a quem eu sempre era atraída, sabia que podia contar com ele. Agora, com a mente mais clara, era difícil imaginar que nosso relacionamento fosse durar além dessas considerações práticas.

Além disso, era confrontada com o outro lado das virtudes de Luke: se um dia o vira estável e prático, agora ele estava inflexível. Comparativamente, era para eu ser a criança e ele, o pai. Ele não tinha a intenção de me chatear, mas eu começara a me ressentir das correções e coerções dele cada vez mais. Essa fricção parecia ser outro sinal de que não éramos feitos um para o outro.

Outra coisa que eu sabia, no fundo do meu coração, era que o fato de estar com Luke — estar com *qualquer* mortal, para ser honesta — estava fadado a terminar mal para mim. Ainda que tivesse prometido a Luke que ficaria com ele até o fim — parte do acordo que fizemos quando ele me ajudou a escapar —, nunca foi fácil ver as pessoas em minha vida morrerem. E — outro sinal de que eu agira precipitadamente ao fugir com Luke — prometi a mim mesma que nunca seduziria alguém que tivesse filhos, e aqui estava eu, forçando Luke a escolher entre mim e suas filhas. Obviamente, Luke tivera peso igual em cada decisão que fizemos ao longo do caminho, mas não conseguia deixar de pensar que eu me aproveitei dele num momento de vulnerabilidade. Agi errado ao trazer Luke para dentro de minha vida e agora estava sendo confrontada com o meu erro.

— Você acha que estou exagerando — disse a ele, jogando a última das minhas peças de roupa dentro da mala. — Mas lhe garanto que não estou. — Olhei para ele com uma seriedade amarga.

Luke respirou fundo antes de falar:

— Acho que é importante manter a calma até sabermos com o que estamos lidando.

— Não me sentirei segura se ficar aqui. Você pode me acompanhar ou não, mas estou indo embora — argumentei, e Luke desistiu: podia ver que eu não mudaria de ideia. Mais tarde, encontramos um hotel barato na estação de trem próxima a Heathrow. Com um suborno, o recepcionista manteve nossos nomes e passaportes fora do livro de registros, e pagamos por uma noite de hospedagem em dinheiro, assim também não haveria registro do cartão de crédito. O quarto era abafado, repleto de mobília descombinada, o colchão, macio pelo excesso de uso. Acho poucas coisas tão deprimentes quanto um hotel decadente, talvez por ter passado mais tempo da minha vida neles do que deveria. Mas era só por uma noite, e, na manhã seguinte, pegaríamos um voo para... algum lugar. Ainda não tinha tomado uma decisão; precisava encontrar um lugar onde estaria a salvo de Adair. A única coisa que sabia era que me sentiria melhor se continuássemos como nômades, sem parar em lugar algum.

Luke e eu fizemos amor rapidamente naquela noite, naquela velha cama surrada. Suspeitei que ele quis fazer sexo por pensar que acalmaria meus nervos; no entanto, ele fora muito prático e o sexo não serviu como calmante. De qualquer forma, ele adormeceu assim que terminamos, e eu estava muito agitada para fazer qualquer coisa exceto tentar ignorar aquela sensação dolorida em minha cabeça, e tudo o que ela significava.

Quanto mais ficava no escuro observando Luke, mais brigava com a necessidade de sair da cama e fugir. *Ele abandonará você; é inevitável*, insistia a voz impiedosa dentro de minha cabeça. *Ele não a ama e vai acordar um dia e querer a velha vida de volta, aquela que abandonou para seguir você. Afinal de contas, ele tem filhas. Não há felizes para sempre para alguém como você; você é um dos monstros de Adair, e ele a escolheu por uma razão. Luke nunca a amaria se realmente a conhecesse, se soubesse de tudo o que fez para ficar longe da solidão e apaziguar a dor da rejeição de Jonathan. Ele a deixaria se soubesse metade das aventuras e dos romances, pois enxerga a si próprio como uma boa pessoa, e boas pessoas não se dão bem com más pessoas. Realmente pensou que merecia ser feliz?*

Eu odiava aquela voz. Ouvia-a com muita frequência. E atrás dela escondia-se o medo que eu sentia de todos os homens, a mesma dor terrível que senti quando Jonathan me deixou. Aquela dor fora tão forte que jurei nunca mais me permitir ser magoada daquela forma de novo. Decidi que, em todos os meus relacionamentos, se alguém iria embora, esse alguém seria eu.

A verdade era, também, que só um de nós dois estava em perigo. Luke estava em perigo só porque permanecia comigo. Se eu o deixasse, ele estaria a salvo. Eu estava prestes a fazer algo cruel e imperdoável, mas o faria pelo bem dele. Quebraria a promessa que tinha feito a ele quando me ajudou a fugir: que, se desistisse de tudo para vir comigo, nunca ficaria sozinho de novo. Ele manteve o lado dele do acordo, e agora saberia que não deveria ter confiado em mim.

Silenciosamente, passei a mão pela escrivaninha até encontrar uma folha de papel do hotel. Luke merecia um bilhete meu, ainda que eu não estivesse pensando com coerência. Não sei exatamente o que escrevi; acho que lhe agradeci por ter me ajudado em um momento de grande necessidade e esperava que algum dia pudesse me perdoar. Deixei todo o dinheiro que tinha comigo e sugeri que voltasse para a América para ver as filhas. Esperava que não ficasse arrasado por minha partida, assim como fiquei quando Jonathan me deixou. Não havia saída: essa era a única coisa a fazer.

Coloquei o bilhete sobre meu travesseiro. *Preciso ir, preciso ir, preciso ir* — as palavras clamavam em minha cabeça como o dobrar de um sino, enquanto olhava para Luke dormindo tranquilamente. Adair estava vindo atrás de mim, e nosso tempo juntos terminara. Tinha que cuidar de mim e poupar Luke e sua família. Estaria sozinha de novo, mas a verdade é que estamos todos sempre sozinhos. Eu tinha aprendido perfeitamente bem essa lição.

Odiava fazer isso. Saí sorrateiramente do quarto, tão silenciosa quanto um monge nas preces da meia-noite, e recusei-me a olhar para trás quando fechei a porta.

IV

BOSTON

Na manhã seguinte, Adair levantou-se cedo depois de uma noite agitada. A escuridão da noite não chegava nem perto do negrume e do silêncio de sua tumba. Por isso, achou impossível não acordar ao menor sinal de luz no céu e ao menor barulho na rua. Por outro lado, depois de passar a noite em uma cama decente, já desenvolvera um apreço pela genialidade dos colchões e suportes de cama modernos. A cama no quarto de hóspedes de Jude poderia não ser tão decadente quanto o local cheio de almofadas e pele de animais onde dormia na velha mansão, mas era, de longe, preferível ao chão duro que lhe servira de cama durante tanto tempo.

O dia acabara de amanhecer, e Adair encontrou Jude imerso no trabalho até o pescoço, no único cômodo no qual ele parecia ficar, aquele a que chamava de escritório. Jude sempre fora produtivo; de fato, tinha chamado a atenção de Adair quando quase destruíra a associação holandesa dos mercadores de ouro com um esquema ambicioso para quebrar-lhes o monopólio. Mas hoje Adair sentia repulsa pela devoção dele aos negócios. Afinal de contas, seu mestre voltara depois de uma ausência de duzentos anos, e Jude deveria estar feliz por poder deixar de lado seus registros contábeis para comemorar a volta dele e esperar por ele, conforme rezava o protocolo.

— Leve-me para esse novo mundo — Adair ordenou, ficando em pé na frente da escrivaninha de Jude, exigindo a atenção dele. — Quero vê-lo por mim mesmo.

O holandês levantou a cabeça do trabalho com uma paciência forçada.

— Está um pouco cedo para ver qualquer coisa. Que tal conectá-lo a um computador e deixar você...

— Não! — Adair interrompeu. — Chega desse seu aparelho precioso. Estou cansado disso. — Ele suspeitava que Jude estava usando o aparelho para deixá-lo nervoso. E, além disso, não gostava do que sentia, da maneira que seus dedos faziam um barulho contínuo e deixavam seus nervos à flor da pele.

Jude recostou-se na cadeira.

— Tudo bem. Por onde propõe que comecemos?

— Preciso de roupas. Vamos fazer uma visita ao seu alfaiate.

Jude teve a audácia de sorrir.

— Não temos mais alfaiates para fazer roupas. Pode comprá-las prontas nas lojas. E tem razão: você precisa mesmo de roupas. As minhas não caem bem em você, não é mesmo? Ok, quando as lojas abrirem, iremos às compras. Enquanto isso, você deveria ter uma noção de como os homens se vestem hoje em dia. — Ele saiu do escritório e voltou com uma pilha de papéis com imagens brilhantes. — Revistas. Periódicos, como antigamente, mas o equivalente moderno. — Jude disse, colocando a pilha sobre o colo de Adair. — São na maioria propagandas, mas vão lhe dar uma ideia do que esperar.

Conforme foi-lhe dito, começou a olhar as figuras, mas lhe pareciam uma repetição infinita de rapazes indiferentes e afetados, ilustrações grandiosas de marcadores de tempo e variações de carruagens mecanizadas que vira na rua no dia anterior. Achou impossível levar a sério os rapazes, e os outros itens não lhe agradaram.

Ir às compras provou-se tedioso e fascinante ao mesmo tempo. Ele imaginou, em segredo, que seria sua primeira experiência prazerosa no novo mundo, já que sempre gostara de se vestir bem e, em sua época, se entregara aos melhores tecidos e aos alfaiates mais talentosos que o dinheiro poderia comprar. Agora, porém, a experiência foi bem menos respeitosa.

Primeiramente, Adair precisava lidar com a sensação mórbida de fazer escolhas pessoais na frente de estranhos; estava acostumado a lidar com alfaiates e atendentes, mas fazer compras diante dos olhos de outros clientes lhe pareceu público demais. E então, havia as próprias roupas, tão fracas e comuns, sem rendas nem bordados, metais, botões de latão ou passantes de seda trançada. Tudo escuro e sombrio, destituído de expressão, como se os *quakers* tivessem dominado a indústria de roupas. E se usava tão poucas camadas de roupas que, mesmo estando completamente vestido, sentia-se escandalosamente à vontade, quase nu. Sentia-se particularmente desprotegido no pescoço, sem colarinho alto e jabô, e Adair passou a mão sobre algumas gravatas de seda, mas Jude lhe assegurou de que nunca precisaria de uma. Do âmago de seu descontentamento, reconheceu que se sentia vulnerável naquelas roupas. Um dos benefícios de se usar menos camadas de roupas era estabelecer o limite entre a fronteira do corpo e o restante do mundo. A pessoa era colocada à prova.

Depois de passar quase metade do dia nas lojas, Adair adquiriu um guarda-roupa completo, até meias (tão finas quanto luvas nos pés, maravilhou-se; elas ajustavam-se magicamente nas panturrilhas, sem necessidade de ligas) e sapatos, e um pedaço imperceptível de tecido mole na virilha, em vez do linho larguinho que segurava os testículos no lugar.

Mais tarde, Jude levou Adair a um salão, uma experiência que se provou encantadora. Ele sentou-se em uma cadeira enquanto uma jovem atraente passava as mãos por seus cabelos e outra meia dúzia de cabeleireiras comentava, ao passar, sobre sua beleza, e vinham com desculpas para lhe apertar o bíceps, dizendo-lhe que tinha olhos sedutores. Um rapaz fez a barba de Adair em um estilo tão diferente a ponto de ser pretensioso, mas que parecia agradar às mulheres.

Naquela noite, Jude chamou duas acompanhantes de luxo para entretê-los. Adair sentou-se no sofá mais baixo e assistiu às duas mulheres dançando juntas, estudou a audácia das roupas delas, seus cabelos e a maquiagem precisa aplicada sobre os rostos. Suas pernas eram esculpidas, os olhos brilhantes, os lábios carnudos, como se todos os aspectos da aparência delas tivessem sido calculados para torná-las o mais desejáveis possível. As mulheres de que ele tinha lembrança, fossem elas camponesas ou cortesãs do rei, se comparadas a essas, pareceriam robustas demais e pintadas de menos. Pela centésima vez, Adair questionou-se sobre o mundo no qual estava agora, puro caos, e o quanto era diferente daquele que conhecera.

Ele e Jude se alternaram com as mulheres, que pareciam fazer um jogo no qual imaginavam as coisas mais obscenas para fazer com Adair. Fizeram um escândalo com relação ao tamanho e à largura de seu membro, e competiam para fazê-lo ficar ereto, vez após outra. Elas davam tapinhas e o acariciavam, esfregavam seus lindos rostos sobre seu peito, suas costas e sua virilha, passavam os lábios e as línguas sobre seus mamilos, umbigo e estômago, dando a cada milímetro da pele dele prazeres que não experimentava há dois séculos. Ele gozou tantas vezes que não ficaria surpreso se nunca mais tivesse um orgasmo. Uma das mulheres dormiu em sua cama naquela noite; Jude mandou a outra embora em um táxi, e Adair ficou surpreso diante da satisfação de ter uma estranha dormindo ao seu lado, como uma gatinha enrolada sob seu braço.

Na manhã seguinte, depois que ela foi embora, Adair andou pela casa e encontrou Jude no escritório novamente. Este, ao ver Adair, recostou-se na cadeira.

— Espero que tenha gostado do seu presente ontem à noite. — Jude abriu um sorriso largo. — Eu disse às garotas que você acabara de sair da prisão por fraude: esse é um crime de alto nível. Elas queriam lhe dar as boas-vindas de volta à sociedade.

Adair ignorou-o: falar sobre as atividades da noite anterior lhe parecia juvenil e deselegante.

— Então, o que fazemos agora, Jude? Você não está mais fingindo ser um pastor?

Jude apontou para sua escrivaninha lotada de pilhas de papéis e aparelhos eletrônicos.

— Sou um homem de negócios.

— Homem de negócios? De que tipo de negócio?

— O negócio de hoje em dia, meu amigo: fazer dinheiro. Tenho um sócio em Hong Kong, nunca nos encontramos pessoalmente, e especulamos no mercado de ações. Basicamente ganhamos dinheiro a partir do nada, baseados na intuição e no momento certo. É tudo muito complicado, explicarei a você outro dia. Agora, duvido que seja isso o que está lhe martelando na cabeça.

O tom de condescendência de Jude fez o sangue de Adair ferver. Ele queria colocá-lo em seu devido lugar, mas se controlou, pois sabia que precisaria dele para encontrar Lanore. Nada deveria colocar em risco as chances de encontrá-la.

— Só preciso saber que você é muito bom nisso e que tem uma renda considerável, pois usarei seus fundos até conseguir me recuperar — Adair comentou.

Adair achou engraçada a expressão no rosto de Jude. De qualquer forma, havia somente um homem a quem ele devia tudo e a quem não poderia negar nada; o que adiantaria recusar? Adair tiraria o que quisesse dele de qualquer maneira. Jude respirou fundo, resignado.

— Claro que sim. O que é meu é seu. É só dinheiro, não é?

— Sempre acreditei nisso. O dinheiro é apenas um meio para o que realmente importa.

Jude hesitou antes de continuar.

— Veja bem, precisa entender que, ainda que eu tenha dinheiro, a maior parte dele está investido em novos negócios. Não que esteja de má vontade com você com relação a nada, mas algo me diz que minhas parcas economias não irão nos sustentar por muito tempo. E, como já expliquei antes, você não tem mais nada. Tenho uma ideia para conseguir dinheiro suficiente a ponto de nunca mais precisar se preocupar com isso novamente. Há muita gente que pagaria rios de dinheiro para viver para sempre... se você concordar em colocar esse serviço à venda.

A primeira reação de Adair foi de recusa; na verdade, no momento em que a sugestão saiu da boca de Jude, sentiu-se mal. Vender esse poder seria um ato de extremo desespero. Para começar, foi assim que ele adquirira o verdadeiro elixir da vida, a poção que lhe dava imortalidade: encontrara um aprendiz pobre que não tinha outra escolha a não ser vender as poções de seu mestre para não morrer de fome. Mesmo naquela ocasião resistira à tentação de usar esse poder para enriquecer e vendera somente o suficiente para suprir sua necessidade básica. E aquela transação não terminara bem para o aprendiz: a ganância sempre está à espreita.

De qualquer forma... ele não era aprendiz, e esta era uma situação extraordinária. Adair sentiu em sua própria carne a racionalidade da sugestão de Jude. *Assim seja.*

— Posso considerar fazer isso uma única vez, Jude, e o sujeito deverá pagar muito bem pela oportunidade.

— Claro... Encontrarei alguém com meios suficientes para isso.

— Está colocando a carroça na frente dos bois. Primeiro, preciso encontrar meu livro de feitiços.

Adair não tinha ilusões com relação à dificuldade dessa tarefa. Livros eram coisas frágeis, fáceis de serem escondidos, fáceis de serem destruídos. Se não conseguisse achá-los, precisaria voltar ao velho continente e segui-los até a origem, como fizera da primeira vez. Olhou para Jude, que não fazia ideia do tamanho da pesquisa envolvida na aquisição de todos aqueles poderes, dos anos dispendidos seguindo as histórias dos Adeptos, praticantes da alquimia que tinham desenvolvido poderes espetaculares, do encontro de seus seguidores, convencendo-os a compartilhar seus segredos. Convencendo-os através de todos os meios necessários...

— Veja bem, esses livros são muito importantes: eram dois, um livro azul de origem veneziana e um muito mais rústico, não mais do que uma coleção de receitas escritas, encadernadas entre capas de madeira. O segundo, no entanto, é o mais valioso.

Jude coçou o queixo.

— Os livros na mansão... eram os únicos exemplares?

— Claro que não. Tomei precauções. Escrevi as receitas mais importantes e as escondi em um lugar seguro.

— Isso é bom. Talvez seja mais fácil recuperar as cópias do que encontrar os originais. Onde as escondeu?

— Em uma cidade na Saxônia, em uma igreja no centro da cidade. — Ele não conseguia se lembrar do ano, mas tinha ficado lá durante uma temporada inteira. Recordava-se de ter se hospedado na casa de uma viúva, uma bela casa na cidade, e ela lhe oferecera companhia e um lugar confortável para passar o inverno úmido. Aproveitara as tardes cinzentas para copiar os feitiços mais importantes, por precaução. Embrulhou-os em um pedaço de couro de javali e escondeu o pacote nas catacumbas da igreja, entre os ossos dos padres. Conseguia visualizar a área muito bem em sua mente, mas não se lembrava mais do nome da cidade nem do ano. Certamente, o lugar estaria irreconhecível agora, se é que ainda existia. Mas uma cripta nunca seria violada. Ninguém, nem mesmo na Idade Moderna, profanaria uma cripta.

— Poderia me mostrar a localização em um mapa? — Jude indagou, apesar de estar muito relutante em criar esperanças, enquanto abria um atlas na frente de Adair. — Aqui está a região da Saxônia. Fica no lado leste de um país que hoje se chama Alemanha. Veja, bem aqui, onde se encontra com a República Tcheca. — Quando a reação de Adair não passou de uma olhadela no estranho mapa, Jude virou a página, uma que mostrava a área com detalhes topográficos: verdes e marrons, com rios serpenteantes em linhas azuis-escuras. O dedo circulou a esmo sobre a página. — Alguma coisa aqui lhe parece familiar?

Os olhos de Adair pousavam sobre os nomes dos lugares... Königstein, Freital... o Rio Elba, sim; lembrava-se de que a cidade ficava na margem sul do Elba. E então seu dedo passou sobre o nome, Dresden; sim, aquele tinha sido o nome da cidade. Era onde ficava o marquês, lembrou-se. Olhou para Jude, batendo a ponta do dedo sobre o local no mapa.

— Tem certeza de que essa é a cidade? — Jude perguntou, mas, pelo tom de voz dele, Adair sabia que as notícias eram ruins. — Se o lugar é mesmo esse, se deixou os papéis no centro da cidade, sinto em lhe informar que eles, provavelmente, não existem mais. Há uma chance de terem sido poupados, se sua memória não estiver correta e se o lugar não for exatamente no centro, mas nos arredores da cidade. A cidade foi destruída por bombas e engolida pelo fogo durante uma guerra. — Adair sentiu um aperto no estômago. — Sinto muito por ter de lhe dizer isso. Podemos ir até lá e procurar por nossa própria conta, se quiser. Podemos tentar.

De repente, Adair sentiu-se exausto. O vilarejo do qual se lembrava fora um lugar encantador, com campos verdejantes e florestas cheias de cervos e javalis. A cidade era animada e próspera, e a jovem viúva ficara muito agradecida pela companhia dele. Claro que esperava que o vilarejo, como conhecia, não existisse mais, a viúva estaria morta, mas... a notícia de que a cidade fora destruída acertou-o como uma pancada na cabeça. Também ficara frustrado ao ouvir que o pacote que tentara guardar tinha desaparecido. Levantou-se, acenando para Jude:

— Não, me deixe pensar — ele disse enquanto se retirava para seu quarto.

❖

Passaram-se algumas semanas, cada uma repleta de novas conquistas para Adair. Criou-se uma nova identidade para ele, completa, com documentos de identificação, cartões de crédito e passaportes. Jude comprou-lhe um celular e ensinou-o a usá-lo, apesar de ele não ter ninguém para quem ligar. Ele aprendeu a dirigir, a usar o caixa eletrônico. Jude comprou-lhe um *tablet*, e Adair, sem a menor vontade, passava algumas horas do dia trabalhando nele como um estudante sobre o pergaminho, nos velhos tempos, debruçado sobre os exercícios que Jude lhe passava como um plano de lições de casa.

Durante todo o aprendizado e a reabilitação, aos trancos e barrancos, tentativa e erro, e nova tentativa, Adair lutou para não entrar em pânico. Viver na modernidade era um desafio assustador e a tentação para desistir, muito grande. Ao longo dos séculos, observara que o que envelhecia as pessoas era a incapacidade de acompanhar a mudança. É o começo do fim, apesar de poucos pensarem dessa forma naquela época. Vira isso em seus acompanhantes também: chegava uma hora em que não conseguiam mais tolerar a pressão do *novo*. Pode considerar-se um tradicionalista, fingir não enxergar valor no novo modo de vida ou reclamar que ganhou o direito de ignorar o progresso, mas a triste verdade é que se escolheu a obsolescência.

Ser imortal significava nunca poder se dar ao luxo de não se entregar às mudanças. Essa era a única questão imperativa: deve-se mudar eternamente. Se não puder acompanhar o ritmo do mundo, é melhor ficar preso dentro de uma parede ou em uma caverna, ou viver no fundo do oceano. E Adair recusava-se a ser irrelevante. Além disso, tinha uma missão que o instigava — encontrar a traidora Lanore McIlvrae — e sabia que deveria ser grato a essa forte motivação. Seu ódio era uma corda salva-vidas, e ele a usaria para se agarrar nela, uma mão sobre a outra, até alcançar o outro lado da margem.

Mesmo assim, percebera uma estranha mudança ao pensar em Lanore (e não conseguia parar de pensar nela). Já não sentia mais um nó no estômago. Ele já não reagia a seus inimigos como no passado. Pensar nela fazia seu coração bater mais rápido, mas não de ódio.

Em uma tarde, Adair ouviu Jude chamá-lo pelo nome do hall. Ele o ignorou, estupefato que um de seus súditos tivesse a impertinência de incomodá-lo, como se a ordem das coisas tivesse mudado: Jude fosse o mestre e Adair, o escravo. No entanto, ignorá-lo não surtiu efeito; o homem continuou a chamá-lo, berrando como uma ovelha esperando pelo pastor, então Adair desistiu e seguiu a voz até o escritório.

Como sempre, Jude estava sentado em frente ao computador.

— Achei uma coisa que vai deixá-lo muito feliz, parceiro. Eu o encontrei. Um de seus livros: o livro de feitiços.

Adair olhou para a tela por sobre o ombro de Jude.

— Como o encontrou?

— Na internet. Não sei como conseguíamos viver sem isso. — ele apontou o dedo para a imagem piscando no monitor. — Acho que esse é seu livro; não dá para saber com certeza. Não há como dizer o que aconteceu com o conteúdo da sua casa quando você desapareceu. O novo inquilino provavelmente presumiu que você abandonara tudo e leiloou suas posses para pagar o que ainda devia ao proprietário. Então, fiz uma pequena pesquisa online: eBay, leilões... — Jude falava sem parar, sem prestar atenção se Adair entendia ou não os termos que estava usando. — Sabia que uma hora o encontraria, e o encontrei. *Voilá*! — Jude disse orgulhoso enquanto virava o monitor para dar uma visão melhor a Adair. Mas o que encontrara? Tudo o que Adair via era uma fotografia de um prédio imponente e uma segunda foto de um hall repleto de vitrines reluzentes. Havia palavras rabiscadas no topo da página, mas a escrita ainda lhe parecia desconhecida e teve que se esforçar para entender cada palavra. — O manuscrito veneziano, aquele com a insígnia gravada sobre a capa — Jude continuou —, está nesse prédio.

O manuscrito veneziano era o menos importante dos dois livros principais. O livro do qual precisava desesperadamente era o segundo, uma coleção de receitas alquímicas que copiara de vários tomos ou escrevera à tinta ao ouvi-las pela boca dos praticantes. Fora o trabalho de toda a sua vida, amealhado a duras penas durante suas viagens, com as páginas soltas e fora de ordem presas por capas de madeira e amarradas com um fio de couro. Talvez o manuscrito veneziano, o mais bonito dos dois, com sua capa de linho azul, as ilustrações douradas e a caligrafia meticulosa, o levasse até o livro mais importante. Tinha que ter esperança.

— Onde é esse lugar?

— Não muito longe. Marblehead. Uma hora ao norte daqui. Sociedade Histórica da Costa Norte — Jude leu, semicerrando os olhos nos óculos ao olhar para a tela.

— Anote o endereço. Vou lhes fazer uma visita.

❖

A viagem foi rápida, seguindo as instruções de Jude, apesar de ele ainda sentir momentos de desconforto sozinho no carro (a máquina exigia que se fizesse muitas coisas ao mesmo tempo, e era muito menos intuitiva do que um cavalo. Ele sentia falta de um bom cavalo). Adair reconheceu o museu pela fotografia do site: um pequeno prédio de tijolinho à vista, construído no meio de um terreno estreito, rodeado por um arvoredo que filtrava a maior parte do barulho vindo do tráfego da estrada. Não era um estabelecimento muito popular: havia só um carro no estacionamento, e, dentro, não havia visitantes. A luz preenchia as salas de janelas altas, como as encontradas em igrejas. Adair hesitou diante do eco de seus próprios passos reverberando pelo espaço aberto enquanto caminhava impacientemente, de vitrine em vitrine, tentando encontrar o que foi procurar.

A maior parte dos itens alocados nos pedestais lhe era desconhecida, foram inventados após seu aprisionamento. Uma grande bacia com uma manivela de ferro pesada encaixada na parte superior tinha uma placa dizendo "Lavadora de roupas, 1907". Havia uma pequena coleção de adornos em ossos, os quais ele reconheceu por ter visto exemplares da arte dos próprios baleeiros, e uma exposição de pistolas e rifles, a maioria do final dos anos 1800, atraentes e bem conservados, brilhando com óleo. Inúmeras fotografias de Boston, antigas se comparadas à cidade de hoje, mas mais modernas do que a cidade que Adair conhecera, estavam penduradas nas paredes.

Finalmente chegou ao livro, exposto em uma vitrine no final de um corredor estreito, colocado em um canto solitário, como uma criança adotiva mal-amada. Livro de feitiços mágicos, em Italiano, c. 1700, da coleção da srta. Brittany Leigh Hendrickx, Boston, dizia a plaquinha afixada à parede. Adair soube imediatamente que era seu livro, aquele que adquirira quando ainda era um rapaz e estudante de medicina em Veneza. Comprara-o no final do século 13, não no século 17, como dizia a placa. Obviamente os tolos não faziam ideia do achado raro que estava sob a posse deles. O selo dele estava gravado na capa, o linho azul, desbotado e esticado sobre a placa de madeira. O livro estava aberto inocentemente em um feitiço macabro, que fazia suas vítimas se encherem de verrugas virulentas, se alguém conseguisse entender o italiano antigo e formal.

— Posso ajudar? — Adair não se deu conta da mulher que se aproximara dele. De meia-idade, vestia um colete de tricô e uma saia de lã que ia quase até os tornozelos e segurava, quase ansiosa, um binóculo em uma das mãos.

— Este livro. — Adair começou, mas ela o interrompeu.

— É bem curioso, não é? — ela disse, colocando a cabeça de lado como um pássaro. — É parte da coleção permanente. Não temos certeza se é uma reprodução, e é por isso que o mantemos aqui no fundo. Tem interesse em livros antigos?

Ele ignorou-lhe a pergunta.

— Como esse livro foi adquirido?

— Gostaríamos de saber a proveniência de todos os itens que pertencem ao museu, mas geralmente isso não é possível. — Ela sorriu com cuidado, como se não tivesse certeza se o visitante continuaria interessado. — Esse item foi doado por um colecionador que se mudou de Boston para Marblehead, a srta. Hendrickx, eu me lembro, adorava comprar espólios durante a venda das propriedades. Não suportava ver coisas velhas serem simplesmente jogadas fora. Posso olhar em nossos registros para ver se há mais informação... — Ela virou a cabeça na outra direção. — Há alguma razão em particular para seu interesse peça? Está fazendo alguma pesquisa, escrevendo uma tese?

Porque ele pertence a mim. As palavras flutuavam na cabeça dele, mas, em vez disso, respondeu:

— Sim. Eu mesmo sou um colecionador dessas... coisas peculiares. Tenho interesse em comprar esse item, se quiserem vendê-lo. Como a senhora mesma disse, é provavelmente uma reprodução e de valor histórico duvidoso. Não é digno de ser mantido nesta nobre instituição.

Ela franziu a sobrancelha, tentando demonstrar sua tentativa de concentração ou talvez para indicar que ele tinha dito algo errado.

— Isso não depende de mim. Teria que perguntar ao diretor do museu. Se ele concordasse com o seu pedido, ainda assim teria que passar pelo conselho administrativo do museu.

— Entendo — Adair comentou, unindo as mãos na frente do corpo, tentando evitar a vontade de simplesmente pegar o livro e sair correndo, feliz por ter encontrado pelo menos um de seus tesouros. — E... poderia checar se há itens similares em seu estoque? Talvez mais curiosidades da coleção da srta. Hendrickx?

— Temos um catálogo de todo o nosso inventário — ela disse com uma ponta de impaciência —, mas terá que esperar. Eu vim aqui, na verdade, para lhe informar que o museu fechará daqui a pouco. — Ela fez um gesto para mostrar o ambiente vazio. Então, era por isso que não havia outros visitantes. — Se me der seu nome e telefone, entro em contato assim que tiver a chance de pesquisar sobre isso. Mas, por hora, se não se importa... — E apontou para a porta.

— Já que aparentemente não há outros patronos e a senhora está aqui sozinha, será que disporia de uns minutos para checar seu inventário *agora*? Não é sempre que venho para esses lados. Agradeceria muito se pudesse fazer esse favor especial para mim.

Adair percebeu seu erro prontamente, lembrando-se de que os dois estavam sozinhos ali. Ela ficou nervosa, olhando por sobre o ombro em direção ao escritório, talvez imaginando como tocar o alarme ou buscar ajuda. Distanciou-se dele.

— Infelizmente, não tenho tempo de fazer isso agora. Tenho um compromisso, e ficarão preocupados se eu não aparecer...

Pelo tom nervoso da voz, Adair podia adivinhar que ela estava blefando. Pegou-a pelo cotovelo — momentaneamente surpreso com a fragilidade dela, os ossos parecendo galhos secos —, quase a levantando do chão, e, quando ela tentou se desvencilhar, ele torceu-lhe o braço a ponto de fazê-la gritar de dor.

— Vou fazer conforme me pediu. — Ela abriu a boca para protestar, mas as palavras evaporaram à medida que começou a entender que estava em apuros.

Ela primeiramente consultou um computador no escritório; Adair em pé ao lado dela monitorava cada toque no teclado para ter certeza de que não estava mandando um aviso, e então desceram uma escadaria escura até o porão. Choramingando baixinho sob a respiração, ela o guiou por entre os corredores de prateleiras altas, apinhadas com caixas, itens protegidos com plástico ou cobertos com um tecido grosso. Ela apontou para uma caixa rígida de papelão cinza no alto de uma prateleira.

— Aquilo é o que resta da coleção da srta. Hendrickx — ela informou, cruzando os braços sobre o peito e afastando-se dele, absolutamente indignada e assustada.

Adair empurrou a tampa para trás e fuçou o conteúdo da caixa. Se esses itens sem valor representavam o total da vida dessa tal de Hendrickx, então era um exemplo horroroso. Havia mais livros sem pedigree e outros itens cujos temas o intrigavam. O porão era mal iluminado, assim recorreu às próprias mãos para sentir a variedade de bugigangas, mas foi recompensado quando tocou um objeto feito de madeira apodrecida, amarrado com um pedaço de couro engordurado.

Puxou seu antigo livro de feitiços/contos. Era reconfortante ver as pontas das páginas saindo das capas de madeira velha. Desamarrou o couro e folheou as páginas; não tinha certeza se *tudo* estava lá, mas pelo menos *a maior parte* das receitas estava, e isso era mais do que ousara esperar. Colocou o livro debaixo do braço e virou-se para a funcionária, que tinha se afastado de Adair até o fundo do corredor, o mais longe possível.

— Isso era exatamente o que estava procurando. Agradeço por sua ajuda. Agora, fique aqui até que eu saia do prédio... Espere pelo menos quinze minutos antes de subir as escadas. Se escutar aquela porta abrir antes que eu tenha saído, não me dará outra opção a não ser fazer algo muito desagradável com a senhora. Prefiro não machucá-la, já que foi tão solícita. Estamos de acordo? — Ela olhava fixamente para ele, assustada e desdenhosa, sem dúvida irritada por ser incapaz de fazer alguma coisa.

— Estamos? — perguntou mais ameaçador dessa vez, e só bastou dar um passo em direção a ela para que concordasse:

— Sim.

Ele estava quase chegando à porta quando se lembrou do manuscrito veneziano, e deu meia-volta até o fundo do prédio para pegá-lo. Tentou encontrar uma maneira de abrir a vitrine, mas não parecia haver como, não havia nem uma dobradiça ou fechadura à vista; então, deu um soco na caixa, com toda a força. No entanto, ela não quebrou. Não era feita de vidro. Estilhaçou-se em mil pedaços sob os nós de seus dedos, feito uma teia de aranha. Deu outro soco, que dessa vez perfurou o plexiglas, alcançou o livro e tirou-o de lá. As pontas quebradas lhe cortaram a mão e o sangue espirrou, só por um minuto, algumas gotas espalhadas sobre a parede branca. Com o livro na mão, Adair saiu pela entrada principal e foi direto para o carro, que o esperava como um cavalo fiel.

V

ARREDORES DE LONDRES

Mesmo antes de abrir os olhos, Luke sabia que havia algo errado. Ele e Lanny eram absolutamente conectados quando estavam na cama: dormiram juntos nos últimos três meses e aproveitavam cada oportunidade de tirar um cochilo só pela desculpa de se aconchegarem um ao outro. Já tinha se acostumado a senti-la enroscada em seu corpo, a sentir o cheiro do xampu que inalava daquela coroa loura e cacheada acomodada embaixo do nariz dele.

Agora as cobertas sobre seus ombros estavam muito caídas, como uma tenda que desarmara, e os lençóis ao redor dele, frios. Quando dormia com Lanny, todos os problemas desapareciam e ele conseguia se esquecer de tudo: do divórcio, da monotonia de seu trabalho, da venda da casa dos pais, da saudade das filhas, da polícia esperando para interrogá-lo quando voltasse para casa. Sim, estar com Lanny era como viver dentro de um delírio narcótico, sem responsabilidades, sem preocupações e sem lembranças ruins.

Luke sentou-se e esfregou os olhos até ficar alerta. Passou a mão sobre o vão onde o corpo de Lanny estivera: frio; a cama estava vazia há horas. Olhou em todos os cantos do quarto e percebeu que uma das malas tinha sumido. Sentiu um frio no estômago, como se estivesse dentro de um elevador em queda livre. Pulou da cama, olhou dentro do guarda-roupa e das gavetas da cômoda, mas nem precisava fazer isso, sabia que as coisas dela não estariam lá. Luke bateu as palmas das mãos sobre a cômoda, fazendo tudo tremer: moedas, passaporte, celular. Pegou o telefone e olhou para a tela: nenhuma chamada perdida. Ela não tinha tentado entrar em contato. O orgulho impediu-o de ligar para ela imediatamente, mas sabia que aquela arrogância daria lugar ao desespero em questão de minutos.

Foi então que notou uma pilha de coisas deixadas sobre a mesinha. Um monte de promissórias amassadas e todo o dinheiro que tinham. Um cartão bancário. Instintivamente, olhou de volta para cama e foi então que viu o envelope deixado sobre o travesseiro dela.

Ele abriu o bilhete angustiado, ainda em pé, com uma mão pressionada sobre o estômago enquanto o lia duas, três vezes. *Desculpe-me se o magoei. Foi muito egoísta de minha parte pedir que viesse comigo. Você tem filhas com quem se preocupar; deveria ficar com elas. Foi mais bondoso comigo do que jamais teria o direito de esperar. Espero que um dia possa me perdoar.*

Luke sentia a raiva crescer dentro dele. A carta o fez lembrar imediatamente a história que Lanny lhe contara quando Jonathan a abandonara no hotel em Fez: depois de todos aqueles anos juntos, ele fugira na calada da noite e deixara um bilhete covarde de desculpas. Luke lembrou-se da emoção com que ela contara a história de séculos atrás e como aquilo ainda a magoava. Mesmo assim, lá estava ela fazendo a mesma coisa com Luke, deixando para trás nada além de destruição — da vida dele. Como podia fazer aquilo com ele? E como ele pôde ser tão ingênuo para acreditar que ela não o faria?

Pensando bem, essas despedidas dramáticas eram um teste; talvez devesse ir atrás dela, dizer-lhe que a amava acima de tudo e que não podia viver sem ela. Ela precisava se assegurar disso e era assim que conseguiria: fazendo uma cena. Luke ressentiu-se muito por ter feito o papel de um idiota pobre e covarde em uma peça. Além disso, tinha o direito de estar furioso: ela o tinha deixado, depois do risco que correra ao ajudá-la a fugir, depois de ele ter abandonado tudo — a carreira, a casa onde crescera, até mesmo o convívio regular com suas filhas.

Sua ex-mulher, Tricia, tinha enlouquecido ao saber de Lanny e das circunstâncias em que ele fugira com ela. Ela o acusara de estar passando pela crise de meia-idade mais previsível do mundo, apaixonando-se por uma mulher tão jovem, e então lhe perguntara se tinha ficado louco para fazer algo tão irresponsável e perigoso. Tricia também lhe dissera que não era um bom exemplo para as filhas e não queria aquela mulher perto das crianças. Aos poucos, Luke tentou convencê-la, ligando toda semana para mostrar-lhe o pai devotado e paciente que era, e que, definitivamente, estava com a cabeça no lugar, *vivia* pela primeira vez em muitos anos, e como podia ser recriminado por isso?

Mas, agora, ele *estava mesmo* louco, quase a ponto de ficar nauseado... e por quê? Por Lanny tê-lo abandonado. Sentia-se como se ela tivesse lhe dado uma surra e arrancado seus órgãos vitais. Que idiota tinha sido por confiar nela!

Luke arrumou a mala e se enfiou dentro das roupas. Caminhou a passos largos até a recepção, que estava sendo cuidada pelo mesmo funcionário da noite anterior, e bateu no balcão para chamar a atenção do atendente.

— A mulher que me acompanhava, o senhor viu a que horas ela saiu ontem à noite?

— Saiu, senhor? — Pela expressão, Luke percebeu que o atendente não fazia ideia do que ele falava.

— Deixe para lá — Luke resmungou. — Quero fechar a conta.

Luke chamou um táxi. Nada a fazer a não ser ir em direção ao aeroporto, ainda que não estivesse seguro de para onde estava indo. Não de volta a St. Andrew, com certeza. Joe Duchesne, o xerife, estaria esperando para questioná-lo e poderia até colocá-lo na cadeia. Ele tinha família ao sul de St. Andrew, mas eles provavelmente ouviram falar do que acontecera, pois ele havia desaparecido. Saberiam que a polícia estava procurando por ele, e não poderia, em sã consciência, pedir-lhes para esconder um fugitivo. Luke passou a mão sobre a etiqueta de bagagem, recém-comprada, perguntando-se: quando sua vida tinha se tornado tão pequena? Quando se tornara tão solitário a ponto de não ter nenhum amigo a quem pedir ajuda?

Irritava-o pensar que a única coisa lógica a fazer era ir até Tricia, como Lanny sugerira... apesar de, estrategista como sempre, ela já ter visto tudo dois passos à frente. Mesmo assim, ele não tinha escolha. Com o coração completamente destruído, precisava ver suas filhas, precisava do amor incondicional que elas lhe dariam, como se precisasse de uma transfusão de sangue. Tricia, sempre prática, permitiria que se escondesse nos fundos e tomaria conta dele até que colocasse a cabeça no lugar. Precisava de sua família.

E, quem sabe, essa seria a maneira de Lanny lhe dizer onde esperar por ela, como um ponto no mapa? Sem prometer que viria atrás dele, mas, se viesse, esperaria encontrá-lo com as filhas em Marquette. Ela parecia amar as filhas dele, apesar de nunca tê-las visto; não era ela que, a cada oportunidade, mencionava suas filhas, perguntava se tinha falado com elas recentemente, escolhia os presentes perfeitos para lhes mostrar que estava sempre pensando nelas? Era como se aquela fosse a oportunidade de Lanny ser mãe, para ver como era ter a vida doméstica que lhe fora negada e que era a fantasia privada de Luke: que fossem morar em uma casa perto das filhas. Que Lanny se tornasse parte da vida delas. Que ele e Lanny vivessem comodamente em Marquette quando quisessem, e voassem para terras distantes quando a situação ficasse muito sufocante. Ele queria isso e acreditava que ela queria também. Agora, tinha provado o contrário.

Não. Tinha que parar de fantasiar sobre a vida que poderiam ter tido e focar no que tinha pela frente. Ele já se sentia um fracassado, esquivando-se de casa para viver no porão da casa dos pais até reorganizar sua vida, e o fato de não estar nem mesmo voltando para a casa dos pais, mas para a casa da ex-mulher, tornava a situação ainda pior. O noivo de Tricia, Richard, era um cara muito legal, tranquilo, e fazia sua vida parecer ainda mais bagunçada e humilhante.

Ironicamente, não fazia muito tempo que Tricia o tinha abandonado. A dor foi profunda, como se tivesse levado socos nos colhões, sem parar. A provação toda o destruíra e, durante um tempo, levou-o a beber. Houve noites, no hospital, em que pensou em arrombar o armarinho da farmácia do Pronto-Socorro para pegar analgésicos e sedativos. Para fugir. Para tirar de seu organismo os resíduos de medo de ser magoado daquela maneira novamente.

No entanto, Lanny era especial e única, insubstituível. Ela não só o trouxera de volta à vida, mas o fizera sentir-se forte e necessário de novo, de uma maneira que nunca sentira com Tricia; ela tinha acordado sua mente para um estado existencial completamente novo. A própria natureza dela desafiava a ciência. Ele sentia a maravilha do desconhecido cada vez que lhe tocava a pele perfeita.

Assim como precisava dela como sua companheira e amante, Luke também precisava do conhecimento de Lanny. Ela era o portal para um mundo desconhecido, uma dimensão que poderia mudar a maneira como pensávamos sobre nossas próprias vidas, que alterava a natureza de como vivíamos e em que acreditávamos. Um mundo que poderia ser despreocupado, sem dor, sem medo. Ele delirava com otimismo e emoção.

Contudo, Lanny se fora. Sem ela, a verdade do universo se perderia para sempre. E não havia como mitigar *aquela* perda. De jeito nenhum.

VI

BOSTON

— Quer dizer que não havia nenhum tipo de segurança no museu? — Jude perguntou quando Adair contou-lhe a história do roubo. —Nenhum guarda? Nenhum alarme disparou quando você quebrou a vitrine?

Adair balançou a cabeça. Os cortes em sua mão tinham cicatrizado durante o trajeto de volta.

— E câmeras? Eles devem ter gravado sua imagem. — Jude continuou, preocupado com essa possibilidade. — Viu alguma câmera?

— Como poderia saber? — Adair retrucou.

— Devem ter uma foto sua. — Jude avisou. — Teremos que assistir aos noticiários e olhar na internet, ver se houve algum tipo de cobertura. Precisamos saber se as autoridades estarão procurando por você. Não acha que tinham uma câmera no estacionamento, acha? Alguma chance de terem anotado a placa?

Adair deixou Jude se preocupando com esses detalhes insignificantes e foi até seu quarto com os livros. Melhor olhá-los sozinho, decidiu, caso Jude tivesse algum plano com relação a eles. Começou pelo mais antigo, suas mãos tremiam de expectativa enquanto virava cada página frágil, seu húngaro e romeno voltavam aos poucos à medida que estudava os feitiços, lembrando-se dos que usara e sob quais circunstâncias. Os feitiços escritos nesses papéis eram aqueles que davam os maiores poderes, incluindo o da imortalidade, copiados de um original em russo, roubado de um aprendiz estúpido dos Adeptos, em São Petersburgo. E então, havia a joia da coroa de seus poderes acumulados, um poder único: o feitiço que permitia que trocasse sua alma — ou seu corpo — com o de outra pessoa.

Agora que tinha sua coleção de receitas de volta, sentia um enorme alívio. A fonte de seu poder retornara a ele, e seria só uma questão de tempo até estar completamente reestabelecido e independente de Jude.

Em seguida, Adair olhou o manuscrito veneziano com nostalgia, como se estivesse observando um velho álbum de fotos. Assim como um livro de receitas, o livro de magia continha suas receitas favoritas e outras mais inúteis (uma poção para provocar euforia? Por que dar importância a uma poção nojenta quando se pode ficar agradavelmente bêbado?). Bastou um só olhar por essas páginas — escritas meticulosamente à mão, provavelmente copiadas em segredo de alguma versão original por algum monge — para ser transportado de volta à sua juventude. Adquirira aquele manuscrito quando estava começando a estudar alquimia, um jovem abençoado com uma curiosidade intelectual insaciável, mas amaldiçoado, na mesma proporção, com arrogância infinita.

Ele acabara de deixar a propriedade da família para estudar medicina em Veneza e tornar-se um médico, já que a medicina lhe daria uma fachada plausível para seu interesse em alquimia e suas atividades de serviçal: comprar materiais, fazer perguntas sobre textos obscuros, procurar outros homens da ciência. Adair não sentia que tinha vocação para passar a vida cuidando de reclamações de dores e machucados de outros nobres: isso era só... um artifício conveniente. Não, tinha dedicado sua vida à busca do conhecimento, até onde sabia a vocação mais divina, em uma época em que conhecimento significava poder; aquela época fora chamada de Era das Trevas por um bom motivo. Era seu desejo por conhecimento — ou poder — que o consumia, levando-o a revelar as forças que agiam além do mundo físico, e canalizando sua busca para apoderar-se dessas forças.

VENEZA, 1261

Nenhum bem poderia vir daquilo — foi dito à época diante da fascinação de um jovem rapaz pela magia. E, para a maioria dos jovens absorvidos pela escravidão da magia, nada de bom realmente vinha dela: muitos eram levados para o calabouço ou para a pira, apesar de Adair ter sido salvo por conta da alta condição social de sua família. Seu próprio tutor, um demoníaco velho prussiano, Henrik, que apresentara Adair a essa atividade, teve um final ruim. Adair era muito jovem na época para fazer qualquer coisa para salvar o homem, quando esse fora arrastado pelos inquisidores, e seus pais deixaram muito claro que precisaram de muitas manobras para evitar que o escândalo destruísse a vida do filho.

Depois de Henrik ter sido levado embora, Adair foi a Veneza para ser treinado como médico — isso foi verdade. Devido a suas tendências peculiares e associações malignas ao suspeito herege Henrik — bruxo, alquimista ou mago, dependendo de seu estado de humor —, o jovem Adair declarou que devotaria sua vida à medicina, em vez de assuntos de guerra, diplomacia ou governança. Seus irmãos e primos já tinham desempenhado essas funções em nome da família, não tinham? A arte do médico — a mistura entre magia e alquimia, o natural e o sobrenatural — seria o futuro de Adair.

Obviamente, naquela época ele não se chamava Adair. Ele quase se esquecera de seu nome verdadeiro, aquele com o qual nascera, seu nome quase impronunciável, assim como de seu sobrenome nobre e ilustre. Viajara no corpo de um garoto camponês durante tanto tempo que seu velho nome lhe fugia, como se tentasse segurar fumaça nas mãos. E, quando finalmente se lembrou, escreveu-o, pois um nome secreto era um talismã poderoso. De acordo com os princípios da magia, se alguém o descobrisse, aquela pessoa teria poderes sobre ele, poderia comandá-lo feito um bichinho de estimação.

A família tentou dissuadi-lo da magia quando souberam de seu interesse, mas nada poderia fazê-lo parar depois que presenciara seu primeiro milagre, aquele que lhe provou que havia mais coisas na vida do que podia ver com seus próprios olhos. O velho Henrik usara seu velho saco de truques bem elaborados para impressionar os jovens pupilos, os garotos especiais que ele já percebera terem certa inclinação ou o dom. Os truques eram manipulações menores, por exemplo, combinar uma dracma de um sólido maleável com uma gota de um líquido, misturar os dois e ver o composto se transformar em algo duro e estável como um pedaço de ferro. *Quer tocar, ver com seus próprios olhos*? Henrik oferecia a seus súditos boquiabertos, com uma fungada de superioridade. Para os crédulos, aqueles truques passavam por magia. *Toque, se tiver coragem.*

Apenas alguns anos depois, quando os dois tinham feito muitos experimentos juntos no estúdio do velho, foi que Henrik mostrou a Adair a façanha impressionante que *poderia* fazer. Henrik trouxera de volta à vida aquele filhote de passarinho, ainda que a forma como conseguira a tal façanha ter sido um mistério tanto para Henrik quanto para Adair. Não havia como argumentar, o passarinho estava morto: Adair segurara seu corpo lívido nas mãos, leve e frágil como uma cabeça de dente-de-leão, os ossos soltos dentro de um fino saco de carne. Não, não havia dúvidas de que Henrik trouxera o pássaro de volta à vida, mas a ave não ficara bem durante os poucos dias em que viveu, com os olhos petrificados, sem dar nenhum pio nem fazer nenhum barulho, praticamente inerte.

Adair argumentou que precisavam testar o feitiço em um homem, pois, uma vez trazido de volta à vida, este poderia lhes dizer como era do outro lado — se havia o paraíso e o inferno —, mas Henrik não era a favor da ideia. Aquilo sim *era* heresia e possivelmente magia negra, e, mesmo estando possuído pela ideia, Adair teve que concordar com o mestre.

A única coisa que Adair não tinha conseguido descobrir, em todo o seu tempo e estudo, era *de onde* vinham os poderes. Transformar os materiais de líquido para sólido, trazer o passarinho de volta à vida: será que o poder vinha das próprias coisas? Será que se originavam de Deus? Ou poderia ser a prova da presença do demônio? Após todos esses anos, ele não tinha chegado nem perto de saber, mas começava a acreditar que era pura energia, uma energia específica, rara, que existia no etéreo. Uma energia capaz de ser gerada com muito foco e determinação, caso se soubesse canalizá-la.

Muitos anos de coleção de receitas e aperfeiçoamento de feitiços se passaram antes que ele adquirisse a joia da coroa de seus poderes: o Santo

Graal da imortalidade do alquimista. Em retrospecto, Adair viu que cada experiência que tivera, e tudo o que aprendera e fizera no passado, o preparara para adquirir essa habilidade. Na época, trabalhava como médico há décadas. Seu título de nobreza e sua propriedade familiar esperavam por ele, um pedaço de terra em meio a uma área que mudava de mãos entre a Hungria e a Romênia. O ducado agora pertencia a ele, já que todos os seus irmãos haviam morrido, em batalha ou doentes. Ele, no entanto, escolhera trabalhar como médico para a realeza, viajando de corte em corte como fachada para seu verdadeiro objetivo: encontrar todos os grandes praticantes de alquimia e absorver suas capacidades, aprender suas melhores receitas.

Ouvira rumores de que havia um Adepto em São Petersburgo, aquela cidade gloriosa e desgraçada, um alquimista com poderes inimagináveis, muito mais fortes que os de Adair. Naquele tempo, ele já era velho, quase cego, e, apesar de saber da existência do elixir da imortalidade desde seus primeiros dias — mesmo antes de partir para Veneza —, esse sempre lhe escapara entre os dedos.

Quando jovem, Adair se convencera de que queria o elixir somente por questões de interesse profissional. Parecia covarde buscar a imortalidade; só os covardes eram incapazes de encarar o fim da vida. Mas à medida que os anos se passavam e ele se tornava cada vez mais fraco, sentia o desespero acumulando-se em seus ossos como a areia que é levada pela maré. Perdera a visão de um olho e a maior parte da visão do outro. Suas juntas enrijeceram tanto que se sentia permanentemente desconfortável, fosse sentado, caminhando ou mesmo deitado na cama. Suas mãos tornaram-se tão retorcidas e amortecidas que não podia mais segurar a pena ou carregar um jarro da cozinha até a mesa de trabalho. Mesmo assim, ainda não estava pronto para morrer. Precisava de mais tempo. Havia muitos mistérios que ainda não compreendia.

E foi assim que começou a se arrastar pelos caminhos em busca de um certo homem, com a neve suja subindo acima dos tornozelos e se infiltrando por dentro das botas. Praguejava enquanto continuava a jornada, procurando pelo endereço, mas, assim que o encontrou, teve a certeza de que estava no lugar errado. *Como poderia ser este o lugar do encontro?*, o médico zombou. Era uma vizinhança pobre, praticamente um gueto. Qualquer alquimista que pudesse oferecer vida eterna seria certamente um Adepto e, dessa forma, teria enriquecido com seus talentos ou, ao menos, teria sido capaz de viver com o mínimo de conforto.

Cheio de desconfiança, finalmente encontrou a porta correta. Do lado de dentro, viu que o lugar era muito mais que modesto: era o equivalente a um ninho de rato, pequeno e esquálido, com uma cama estreita, uma mesa redonda e uma vela acesa sobre a lareira. O quarto inteiro era bagunçado, com sujeira acumulada nos cantos e fuligem subindo pelas paredes da lareira.

O alquimista, da mesma forma, parecia suspeito — e levemente insano, a julgar pela maneira que balbuciava sob a respiração e pelos olhos movendo-se rapidamente de um lado para o outro no quarto, fixando-se em Adair quando esse achou que o velho não estivesse olhando. O homem era baixo e gordo, e usava uma túnica preta que se arrastava no chão; a barba cheia embaraçava-se feito lã de ovelha e o cabelo estava amarrado frouxamente para trás. Ele parecia o fugitivo de alguma seita, um daroês exilado.

Um intermediário tinha arranjado o encontro para Adair, mas, agora que os dois estavam cara a cara, percebeu que não haveria como se comunicar com o outro alquimista, uma vez que não sabia russo, a língua que presumia ser o que aquele homenzinho louco estava falando. Adair tentou gesticular para mostrar suas intenções, mas, ao final, jogou um saco de moedas de ouro sobre a mesa e cruzou os braços sobre o peito, indicando que as negociações terminaram.

O alquimista deu uma olhada para o saco, enfiou o dedo para fuçar no conteúdo, reclamou e praguejou, mas, depois de um tempo, foi até o guarda-louças, destrancou-o com uma chave que levava pendurada no pescoço e tirou um pequeno jarro de cerâmica. Colocou-o sobre a mesa em frente a Adair, orgulhosa e seriamente, como se estivesse lhe mostrando a Sagrada Comunhão.

Adair espiou dentro do jarro de boca larga, o ceticismo evidente em seu rosto. A princípio, pareceu-lhe um elixir exótico; quase todo alquimista de sucesso tinha um elixir da vida em seu repertório, e esse não era parecido com nenhum dos que já vira antes. Mas, de novo, os elixires de outros alquimistas não faziam nada mais do que prolongar a vida por alguns anos, e ocorreu a Adair que talvez fossem *eles* que tinham entendido errado.

Adair zombou:

— O que é isso? Não vou comprar uma *poção*, seu tolo. Quero a receita, o conhecimento. Consegue entender?

O alquimista continuou inabalável, firme feito uma rocha, os braços cruzados; estava claro que não ofereceria nada além do que o próprio elixir.

Momentos depois, o desejo falou mais alto e Adair pegou o jarro e levou-o até os lábios; então, parou, fitando o Adepto nos olhos. O alquimista assentiu, mantendo o olhar firme enquanto analisava Adair ansiosamente, estimulando-o a prosseguir. Adair engoliu o líquido viscoso permeado de pedaços de terra em um único e longo gole, e imediatamente sentiu a parte de dentro da boca queimar, como se tivesse sido coberta pela pimenta mais forte. A bile começou a subir pela garganta, os olhos se arregalaram e sua visão branqueou, turvando-se logo em seguida.

Adair caiu sobre os joelhos ossudos, dobrou-se ao meio e começou a vomitar violentamente. Até hoje se lembra da agonia daquela transformação, e viu a mesma dor refletida no rosto de cada pessoa que transformara. Mas, na época, tinha certeza de que tinha sido envenenado. Fazendo um último movimento em direção ao seu assassino, alcançou o alquimista — que mal deu um passo para trás para desviar-se das mãos de Adair — antes de cair de cara no chão.

❖

Adair acordou na cama estreita do alquimista, olhando para o teto baixo e escuro feito nuvens tempestuosas. Mesmo assim... apesar de estar em um quarto estranho, em circunstâncias estranhas, sentia-se quente e seguro naquela cama, como uma criança em um berçário.

Somente depois de recuperar os sentidos, viu o alquimista sentado ao lado da cama, as costas eretas, as mãos sobre seus joelhos. Por um momento, imaginou que o velho desgraçado pudesse estar dormindo de olhos abertos, de tão quieto; mas, depois de um tempo, inclinou-se para perto dele, estudando-o.

Adair tentou levantar a cabeça, mas o quarto começou a balançar vigorosamente, então se deitou de volta no travesseiro.

— Há quanto tempo estou deitado aqui?

O alquimista continuou quieto como um caçador na floresta, fazendo Adair assumir que não tinha sido ouvido ou que ele o ignorava, já que não entendiam a língua um do outro. Então, ele disse de repente, com um ar de tranquilidade que Adair achou proposital:

— Um dia, não mais que isso.

As palavras do alquimista se encaixaram nos ouvidos de Adair de maneira estranha, fazendo sentido pela primeira vez.

— Aha! — falou, achando ter descoberto a mentira do outro homem. — Então você fala romeno.

O alquimista sorriu, divertindo-se.

— Não, estou falando russo. É a única língua que sei. É você que está conversando em russo.

Adair esfregou os olhos e encarou com desconfiança o alquimista.

— Mas eu não falo russo. Deve estar enganado — respondeu, mas o outro homem não lhe deu explicação do que parecia um milagre, continuando a olhá-lo com descrença.

Adair pressionou uma das mãos em sua testa úmida e se perguntou se tinha prejudicado a mente por ingerir a poção. Sentia-se tonto como se estivesse em uma nuvem grossa de ópio. Indiferente ao óbvio estado de choque e confusão de Adair, o alquimista puxou a cadeira para mais perto da cama e continuou:

— Ouça. Já que agora podemos nos entender, quero explicar minha atitude. Concordei em negociar com você por confiar no homem que o enviou aqui. Ele jura que você é um praticante de *grande* renome e, se esse é o caso, faz sentido que seja também um homem íntegro. Mas saiba que se não fosse pela situação extrema em que me encontro nesse momento, nunca teria concordado em vender o elixir por dinheiro, nem mesmo para um companheiro praticante. Não sou o Adepto que criou essa receita, você sabe; sou somente seu aprendiz. O Adepto é um homem sábio, sábio o suficiente para desvendar os mistérios do mundo, mas, ao mesmo tempo, sábio o suficiente para respeitar os limites de nossos conhecimentos terrenos. Meu mestre saiu em peregrinação e me deixou tomando conta de suas propriedades e suas receitas. Se não precisasse de um pouco de dinheiro para não morrer de fome, e comprar madeira para não morrer congelado, nunca compartilharia o elixir de meu mestre com mais ninguém. Você deve compreender a enorme responsabilidade que acompanha nosso trabalho, e confio que usará com sabedoria o poder que acabou de adquirir.

Ele puxou o banquinho ainda mais para perto da cama, fixando o olhar ameaçador sobre Adair e continuou:

— Há algumas coisas que deve saber, agora que tomou o elixir da vida. Em primeiro lugar, não há volta. Não há um antídoto e, assim, não há cura. Você buscou a vida eterna, por qualquer razão que seja, e agora ela é sua. Deus confia que usará esse dom para melhorar a vida de seus companheiros na Terra, como prova da glória de Deus. Qualquer outro caminho só lhe trará sofrimento.

— Como sabe que Deus está por trás desse dom? — Adair questionou com um tom tão agressivo e desafiador que o alquimista fez uma pausa, e respondeu:

— Minha resposta a você é que não seria possível prolongar nossa vida sem a ajuda de Deus, pois Deus é o único criador da vida e só Ele pode tirá-la de nós. Não podemos fazer nada sem a aprovação ou sem a ajuda de Deus. Você não acredita nisso ou não é um homem temente a Deus? Não imaginei que alguém que tivesse a clareza de mente para se tornar um Adepto não acreditasse em Deus.

Como não estava interessado em discutir com um fanático, Adair passou a prestar atenção em suas sensações. Sentou-se na cama, ciente do milagre da nova situação. A visão tinha voltado ao olho morto e o olho com visão turva estava bom. Suas mãos contorcidas vibravam com destreza, suas pernas estavam fortes. Sentia-se como se pudesse pular da cama e correr pela praça tão rápido quanto o mais forte dos cavalos.

O quarto já tinha parado de rodar, e Adiar sentia-se pronto para começar uma nova vida. Pela primeira vez, em décadas, não sentia dores.

— Então, este é o único aviso ou conselho que tem para me dar: saia e faça o bem em nome de Deus? — Ele zombou do homenzinho.

O alquimista olhou para ele desconfiado e, ignorando seu tom, declarou:

— Há uma condição da qual precisa ter ciência: você não é suscetível a nada, exceto a uma coisa. Quem fez essa poção achou adequado fazer um estabilizador, sendo a razão dessa precaução desconhecida para mim, pois não passo de um humilde zelador do elixir. Como disse, agora você é imortal em todas as situações da vida, exceto em uma: sua vida pode ser terminada pelas mãos e pela intenção daquele que lhe deu a imortalidade.

Adair analisou esse emaranhado de palavras:

— Aquele que me deu a imortalidade? — ele repetiu, levantando as sobrancelhas. — O que isso significa, exatamente? Nesse caso, seria você, já que me deu o elixir para beber? Ou seria seu mestre, quem fez a poção?

— Como aquele que lhe deu a poção, foi por minhas mãos que você se tornou imortal. — Ele pressionou a mão sobre o peito e fez uma pequena reverência. — E só pelas minhas mãos que poderá sentir dor e pelo golpe de minha espada que conhecerá a morte.

Que homem tolo, Adair pensou, revelando-lhe essas coisas. Desde que o alquimista diante dele estivesse vivo, tecnicamente não estaria imune à morte. Não se sentiria verdadeiramente imortal e nunca se sentiria totalmente seguro. Adair pegou sua capa e seu cajado do galho ao lado da lareira, demorando-se enquanto pensava no que fazer.

— Então, você mentiu para mim. Não me deu o que prometeu. Paguei pela imortalidade, foi esse o nosso acordo. No entanto... você pode me destruir, se quiser.

O alquimista colocou as mãos dentro das mangas, para aquecê-las, balançando a cabeça.

— Dei-lhe a minha palavra. Dei-lhe a eternidade, qualquer que seja a razão pela qual a buscava. Sou um homem da ciência temente a Deus, assim como você. E você é a prova viva do trabalho de meu mestre. Eu não desejo destruí-lo, desde que cumpra os termos de nosso acordo e não use esse dom para prejudicar os outros.

Adair balançou a cabeça, concordando.

— Me diga, esse elixir, com certeza você já o experimentou, não é?

O velho afastou-se de Adair, como se ele fosse contagioso.

— Não, não pretendo viver para sempre. Confio que Deus saberá a hora certa de levar seu servo para casa. Confio a minha vida a Deus.

Uma dupla de idiotas, mestre e aprendiz, Adair pensou. Já vira o tipo deles antes: assustados com a capacidade que descobriram em si e com o que tinham sob seu comando. Acovardados diante do valor da grande descoberta, com medo de adentrar no glorioso desconhecido. Usavam a religião como muleta e escudo. Na verdade, era risível: Deus não revelaria tamanho poder aos homens se não quisesse que fizessem uso dele, Adair pensou. Os homens se escondiam atrás da religião para evitar que os outros vissem o quanto estavam assustados, o quanto eram ineptos. Eram invólucros muito fracos para armazenar tal poder.

— Então, isso é o que seu mestre lhe disse sobre o estabilizador? Parece ser uma medida importante, vendo que você pode me tirar a vida a qualquer momento, e por qualquer motivo desconhecido — Adair disse, incitando o alquimista mais uma vez.

O alquimista cerrou os lábios, parecendo buscar força em suas últimas reservas de paciência.

— Como disse, meu mestre não me contou a razão de existir essa habilidade. Parece ir em direção oposta à própria razão do feitiço. Mas, conhecendo meu mestre, acho que é por compaixão.

— Compaixão? Por que um homem que não pode morrer, possivelmente o homem mais poderoso sobre a Terra, precisaria da compaixão de alguém? — Adair retrucou em tom de zombaria.

— Sim, compaixão. Para o dia em que o homem considerar a imortalidade um fardo grande demais e pedir para lhe tirarem o copo por ter bebido demais.

Adair grunhiu. Agora tinha absoluta certeza de que este homem e seu mestre eram completos idiotas.

O alquimista fechou os olhos.

— Imagino que consiga ver que meu mestre é um homem sábio e bondoso. Deus me permita que viva o suficiente para vê-lo novamente. Isso é tudo o que quero — ele declarou, fazendo o sinal da cruz.

Adair não deixou a oportunidade passar.

— Ah! Infelizmente, seu Deus lhe virou as costas hoje — disse. Ao aproximar-se do alquimista, Adair, em um movimento rápido, puxou um laço de couro trançado, fino, porém forte, de seu cinto. Enforcou o velho antes que pudesse murmurar uma só palavra ou mesmo passar o dedo entre a corda e a garganta.

Adair pisou por cima do corpo e começou a procurar pelas receitas do alquimista. Se fosse um aprendiz, o velho as manteria por perto; ninguém se arriscaria a deixar um material tão valioso muito longe. Por fim, ele finalmente as encontrou: folhas soltas de pergaminho mantidas em uma bolsa de couro junto a um rosário de miçangas de lápis-lazúli. Deixou o rosário cair perto do homem morto e desapareceu noite adentro com a bolsa de receitas guardada perto do coração.

BOSTON, DIAS DE HOJE

Sozinho no quarto, Adair tocou cada página do livro, relendo as palavras que um dia memorizara, mas de que agora já não se lembrava mais, e pensou no trabalho de toda a sua vida: como tinha encontrado as receitas de todos aqueles Adeptos, adquirido uma coleção invejável de ingredientes raros, praticado e refinado suas habilidades alquímicas. Com o tempo, com paciência e muita força de vontade, ele tinha ultrapassado cada um dos Adeptos que conhecera e tornara-se o homem mais poderoso que já vivera sobre a Terra, capaz de façanhas de que ninguém poderia jamais se vangloriar.

Agora, de novo em posse desses feitiços, se tornaria aquele homem novamente. Retomaria o poder, reconstruiria seu reino — pois fora um reino tanto quanto o ducado de seu pai, com castelos e riqueza, um séquito de cortesãos, conselheiros e bobos da corte — e retomaria suas conquistas. Começando por Lannore McIlvrae.

Ela tinha se saído uma adversária perspicaz, a única mulher — a única pessoa — a tirar proveito dele, e, por isso, devia-lhe grande respeito. Porém, Lanore também tinha roubado parte de seu coração e o enterrara vivo; e, ao modo de ver de Adair, ele não tinha escolha a não ser tornar-se o mestre dela novamente. Era a única maneira de restaurar a paz em sua mente e em seu coração.

VII

CASABLANCA

Ao sair do quarto do hotel, não acreditei que tivesse deixado Luke de verdade. Fiquei pensando em dar meia-volta... enquanto esperava pelo elevador... ao atravessar o saguão... mas não parei e, antes que me desse conta, estava dentro de um táxi, chorando, indo em direção ao aeroporto. Estava paralisada pelo pânico, ciente de que fazia algo irreparável. Já havia tomado atitudes doloridas, porém necessárias, antes: destruir o coração de um homem para evitar que ele desperdiçasse sua vida curta e preciosa; afastar-me para que a pessoa de quem eu gostava pudesse encontrar uma mulher e construísse uma família e um futuro. Conhecia essa dor e passaria por ela novamente pela felicidade de Luke.

Só havia um lugar para ir quando saí do hotel em Londres. Só uma pessoa que conhecia minha situação secreta e que compreendia o que significava estar à mercê de Adair poderia me ajudar, o que significava que essa pessoa era outra das criaturas dele. Conhecia somente um, Savva Egorovich Kononov, meu amigo mais antigo, agora que Jonathan se fora. Ele já tinha me salvado uma vez, esperava que pudesse me salvar novamente.

Não via Savva há anos. A última vez em que ouvi notícias dele, vivia no Marrocos. Para um homem que nascera na neve e no frio de São Petersburgo, Savva fora seduzido pelo calor do deserto, e os cinquenta anos em que fomos companhia um para o outro foram passados ou no norte da África ou ao longo da Rota da Seda. Achei que nunca mais voltaria ao Marrocos, pois lá sofri um dos piores momentos da minha vida. Mas, com o passar do tempo, aprendi a nunca dizer nunca para nada, e então voltei ao Marrocos, preparando-me para confrontar o passado.

Cheguei a Casablanca no final da tarde, logo após o período mais quente do dia, e tomei um táxi até o endereço que Savva me dera ao telefone. Era em uma favela em uma parte antiga da cidade, longe dos hotéis e das atrações turísticas. O táxi me deixou no meio do caminho de uma rua estreita lotada de gente do local. Hordas de criancinhas corriam entre grupos lentos de adultos distraídos, velhos fumavam nas portas, rapazes passeavam em bicicletas. O piso térreo da maioria dos prédios era ocupado por lojas de chá, ou barracas de comida, ou prateleiras rasas empilhadas com mercadorias baratas. O ar era pintado pela fumaça dos braseiros dos vendedores de comida e cheirava a centenas de aromas diferentes.

Desisti de procurar os números dos prédios e segui a descrição de Savva, procurando por uma casa de tijolos à vista, com uma varanda de ferro que dava para rua e um toldo vermelho na porta de entrada. Todos os outros prédios tinham a fachada de tijolos com sacadas, mas foi o toldo que me levou à casa certa. Passei por um conjunto de portas duplas, saindo em um quintal coberto de lixo, e subi a escada interior, procurando a porta do apartamento de Savva no terceiro andar.

Não teria reconhecido o homem que atendeu à porta se não soubesse quem esperar. Ele estava muito mais frágil do que o homem lindo e impetuoso com quem eu viajara por muitos anos. Savva mudara de um jeito que nunca imaginei ser possível para nós, os sofredores da maldição de Adair. Ele um dia fora um rapaz belíssimo, um aristocrata russo de pele clara com traços quase tão delicados quanto os de uma mulher; de algum modo, tinha ficado magro e enrugado como um faquir, nada além de pele e osso. O cabelo louro cacheado ainda era o mesmo, apesar de estar comprido e amarrado em um rabo de cavalo desgrenhado, e seus olhos continuavam azuis, porém não emanavam vitalidade, como se o fogo de sua alma estivesse quase extinto.

— Lanny, minha querida! — exclamou enquanto me abraçava com seus braços ossudos, frágeis e tão leves quanto o ar. Eu não sabia o que dizer, então dei um passo para trás e coloquei o rosto dele entre as mãos, o que o deixou envergonhado.

Ele apressou-me para entrar. O apartamento estava tão bagunçado quanto sua aparência e quase vazio, exceto por algumas peças de mobiliário lascado e roupas espalhadas. Havia algumas coisas que reconhecia de nossas viagens juntos: uma tigela de oração de latão usada, uma liteira de sári jogada sobre um sofá. Eu sabia que ele possuía algumas antiguidades que valiam uma fortuna — a parte do espólio que amealhamos juntos —, mas elas estavam misteriosamente fora do campo de visão.

Suspeitei que houvesse algo muito errado com Savva. Tinha que se esforçar muito para chegar a esse estado de deterioração, pois sempre me pareceu que, independentemente do quanto abusávamos de nós mesmos, os sinais nunca apareciam. Donna, o italiano desagradável que fora parte do séquito de Adair, costumava se cortar com uma faca de cozinha em penitência pelos pecados que ele não admitia; Adair fumava haxixe o bastante para manchar o papel de parede de seus aposentos com os fumos resinosos. Todo esse abuso nunca era demonstrado em seus rostos lindos e melancólicos. Afinal, isso fazia parte da maldição: quebre-nos ao meio e voltaremos novinhos em folha, prontos para sermos quebrados de novo.

Savva me deu as boas-vindas com um bule de chá de hortelã, as mãos tremendo enquanto carregava uma bandeja de latão redonda da cozinha estreita até a sala. Tentei não olhar para a xícara de vidro quebrada que me deu, turvada pelo uso, algo que deveria ter comprado no mercado de pulgas. Não havia mais o jogo de chá com a borda de ouro e as colheres douradas, as coisas finas e belas com as quais ele se rodeava e sem as quais não conseguia viver. Em segundos, compreendi porque as posses maravilhosas tinham desaparecido: o homem que vivia aqui vendera todas por dinheiro fácil.

Os sons que subiam da rua e entravam pelas janelas abertas — brigas de crianças em uma língua indecifrável, a melodia ondulante do chamado do muezim para a prece — não se pareciam em nada com os sons de nossa época juntos, mais de um século atrás. Savva reclinava-se em um colchão, abanando um leque em frente ao rosto, já que não havia ar-condicionado. Tinha vindo aqui porque acreditava que fosse uma das poucas pessoas no mundo que poderiam me ajudar, mas hoje ele não parecia poder ajudar ninguém. Na verdade, ele precisava ser salvo.

— Não encare isso de maneira errada: não que não esteja feliz em vê-la, mas essa visita não é de caráter totalmente social, é? — ele perguntou enquanto servia o chá. — Fiquei preocupado quando não quis me dizer ao telefone porque estava vindo... Afinal de contas, já se passaram décadas desde que nos vimos. Seja lá qual for o motivo que a trouxe até aqui, deve ser importante. E, embora jamais virasse as costas a você, sabe que não posso complicar minha vida. Já está complicada demais. — Os olhos dele analisaram meu rosto com desconfiança por um segundo.

— Explicarei tudo. Mas... — Fiquei reticente com a condição de Savva e, sem ter certeza do que estava acontecendo, não estava pronta para contar a ele sobre Adair. — Não se importa se formos *devagar* com as coisas, não é?

Uma expressão de curiosidade tomou conta do rosto dele. Savva nunca gostou de ser contrariado; era um homem impaciente, mas entendeu.

— Claro. Compreendo. Viajou bastante, está cansada. — Ele suspirou fundo e acomodou-se nas almofadas. — Sabe, quando tive notícias suas do nada e me disse que precisava de ajuda, fiquei surpreso. Feliz por ter notícias suas, claro, mas... quase disse a você para não vir. Quer dizer, dê uma olhada ao redor — ele comentou, mostrando o ambiente quase vazio. — Mal posso ajudar a mim mesmo. Agradeço por não ter dito nada sobre minha situação lamentável, mas com certeza notou. Assim, não sei se há algo que possa fazer por você, Lanny, seja lá no que esteja envolvida. Mas estou aqui para você, e sempre estarei.

Coloquei minha mão sobre a dele.

— Sempre me lembrarei de que foi você quem cuidou de mim quando achei que não pudesse mais aguentar. Você foi um anjo.

Ficamos ambos em silêncio, lembrando-nos daquela tarde quando nos conhecemos, muitas vidas antes, quando o destino enviou Savva para me salvar.

❖

FEZ, MARROCOS, 1830

Depois que Jonathan e eu saímos de Boston, resolvemos que seria melhor irmos para a Europa. Esperávamos que a parede falsa fosse descoberta após alguns dias, no máximo, e então Adair e seus cães de caça estariam atrás de nós. Fomos para a Europa sem prever que nossas precauções eram completamente desnecessárias. Voltei a Boston depois de alguns anos, para descobrir o que tinha acontecido. Mas fiz essa viagem sozinha.

No verão de 1830, Jonathan e eu fomos para Fez, alugamos uma suíte em um hotel frequentado por europeus e americanos que faziam o que, na época, era conhecido por *Grand Tour*, uma viagem realizada por jovens adultos provenientes de famílias abastadas para lhes dar conhecimento de mundo. O hotel era sofisticado o bastante para agradar clientes ricos, mas pragmático o suficiente para manter um corredor de quartos e suítes na parte de trás da propriedade, para outra classe de viajantes. Esses quartos eram feitos para os perdidos e os preguiçosos, e foi lá que nos alojamos depois de ir de um lugar para o outro durante sete anos, um pouco mais experientes e muito mais pobres, ainda completamente despreparados para o que estava por vir.

Foi lá que acordei em uma cama de casal com lençóis que não eram trocados há uma semana (não gastávamos com serviços de quarto para economizar dinheiro) e encontrei o bilhete de Jonathan me dizendo que tinha ido embora. Perdoe-me. Isso é o melhor a ser feito. Prometa que não irá me procurar. Se eu mudar de ideia, encontrarei você. Por favor, honre o meu desejo. Do seu querido, J. Reli o bilhete vinte, trinta vezes, as palavras fazendo menos sentido a cada leitura, e fiquei na cama durante uma hora, sem entender o que estava acontecendo. *Está bravo comigo por alguma coisa*, dizia a mim mesma. *Está chateado com alguma coisa que fiz ou falei, algo de que nem me lembro, e perdeu o controle. Ele voltará. Se esperar aqui pacientemente, ele voltará.*

Quando finalmente fiquei em pé, vi que suas roupas haviam desaparecido, junto com a mala e o diário que ele mantinha. Não levara nada do dinheiro e tinha apenas alguma pequena quantia que carregava no bolso. Também deixou para trás sua pequena pistola, um sinal de que agora eu era responsável por minha própria segurança.

Ele voltará depois do pôr do sol, essa foi a próxima coisa que disse a mim mesma, em grande parte como um esforço para permanecer calma. Sentei-me no cômodo escuro, fumando um cigarro atrás do outro, me perguntando por que ele tinha ido embora. As coisas haviam se deteriorado entre nós, com certeza, mas todo casal passava por maus momentos, período em que brigavam mais e sentiam menos prazer na companhia um do outro. Brigas, noites entediantes... essas coisas passariam. Jonathan não tinha escolha a não ser voltar para mim. Em nossa situação peculiar, não havia em quem mais confiar. Comecei a pensar se não havia alguém de fora a quem culpar, se Jonathan tivesse sido persuadido a se juntar a um dos aventureiros que passavam por Marrocos semanalmente — alguma mulher sedutora, alguém com dinheiro e independente. Talvez meu maior medo tivesse se concretizado e ele finalmente se apaixonara por outra pessoa.

A noite veio e se foi, e eu continuava sozinha. Parecia impossível que ele tivesse partido. Afinal, tínhamos praticamente passado nossa vida inteira juntos. Até onde sabia, havia ar, água, Sol e Jonathan. Sem ele, a Terra tropeçaria em seu eixo e se tornaria um lugar estranho e desconhecido. Tive o primeiro dos muitos ataques de pânico naquele dia, tranquei as portas e as janelas, fiquei de cócoras em um canto do quarto, imaginando o que seria de mim. Mais de uma vez desejei ter a opção de me suicidar.

No início do terceiro dia, tentava amenizar meu desespero com um estoque de gim. Prometi a mim mesma que, assim que tivesse condições de sair do hotel, procuraria o conforto do haxixe e um narguilé. Agora entendia por que Adair era viciado em seu narguilé: diante do destino que não se pode aceitar, de que outra maneira amenizar o pânico e a dor, quando esses ameaçam destruí-lo?

Durante aqueles dias terríveis, também pensei em Adair. Aplaquei o demônio escuro e sorridente dentro de meu peito, com ideias de voltar a Boston, ir até a mansão, derrubar a parede falsa com um martelo e me prostrar diante dele. Eu imploraria para se vingar de mim, pois nada poderia ser pior do que o que estava passando, e daria as boas-vindas a qualquer coisa que tirasse minha mente da perda de Jonathan. Às vezes só a dor pode curar a dor. A ideia da punição de Adair queimava em minha mente, mas, no fundo do meu coração covarde, sabia que isso era só conversa de uma mulher que não tinha nem mesmo coragem de sair de seu próprio quarto.

Depois de uma semana, finalmente me aventurei do lado de fora, principalmente porque não tinha mais gim e a recepção recusou-se a me mandar mais, temendo que eu fosse beber até morrer. Consegui chegar até a recepção do hotel e caí em uma cadeira de vime, lutando contra as lágrimas enquanto hóspedes e funcionários com cara de paisagem passavam, ignorando minha miséria profunda. As mulheres passavam tão arrumadas em seus vestidos da moda, de braços dados com os homens, e a visão deles trouxe-me novas lágrimas, pois me dei conta, pela primeira vez, de que estava sozinha. Como um animal separado de seu bando, tinha medo de não conseguir sobreviver sem Jonathan. Eu enlouqueceria.

Logo percebi que estava sendo observada por um homem desconhecido, sentado em uma cadeira oposta à minha. Um hóspede com roupas formais de viagem, ele vestia um terno completo e chapéu, apesar da temperatura. Era pequeno e bonito, como uma boneca feita para se admirar, não para brincar. Ele sorriu inseguro para mim, do jeito que se sorri para um cão rosnando, desconfiado, porém arriscando-se a ser mordido em prol da caridade.

— Me perdoe se estou me intrometendo, senhorita, mas... — Ele fez uma pequena saudação com a bengala. — Já nos conhecemos?

— Não, ainda não — eu disse desconfiada.

— Temos um amigo em comum, eu ousaria dizer. Você conhece um homem chamado Adair, se não estou enganado. — A expressão dele se acendeu diante do meu silêncio. — Você o conhece, eu sabia. Posso ver a mão dele em você.

— A mão dele em mim? — perguntei, tremendo. — Não sei o que está querendo dizer com isso.

— É só jeito de falar. Não sei o que é, para falar a verdade. É só uma aura, um silêncio, pode-se dizer. Não é algo que alguém perceberia; tem que conhecê-la para procurá-la. Vá, tente você mesma. Olhe para mim; concentre-se bastante. Não deixe seus olhos se distraírem. Consegue ver? — Ele segurou a pose, instigando-me com os olhos.

Segurei o fôlego e tentei ficar absolutamente quieta, e lentamente entendi o que ele queria dizer. Era como se ele fosse um pouco achatado, feito para parecer uma imagem de si mesmo.

— Eu... eu acho que consigo ver.

— Muito bem, veja, a mão dele está sobre mim também — ele disse de um jeito animado, como se estivéssemos comparando algo benigno como marcas de nascimento ou cicatrizes de infância.

Fomos até minha suíte com uma garrafa de gim. Ele insistiu em abrir as cortinas para deixar a luz e o ar entrarem e levarem embora o cheiro de medo do quarto. Afundou-se em uma poltrona enquanto eu falava, contando-lhe sobre a minha provação do momento antes de entrar na história da minha vida. Seus olhos de azul profundo nunca saíram do meu rosto, enquanto me servia doses minúsculas de gim até terminar minha narração. Estava exausta de tanto falar, mas muito mais calma: o tremor e as lágrimas pararam. Estávamos sentados lado a lado, em um sofá desbotado que já tinha visto dias melhores. Com o estrado a ponto de quebrar no meio, não havia como sentarmos os dois sem rolarmos um por cima do outro. Lá estávamos nós: conhecíamo-nos há meio dia e buscávamos apoio um no outro, enroscados como gêmeos. Não podia fazer outra coisa a não ser abraçá-lo, agradecida por ter alguém para minimizar o vazio absoluto de estar sozinha. Não havia a menor dúvida de que ficaríamos juntos durante um tempo.

Nascido em 1705, Savva era de São Petersburgo e, apesar de ter vivido lá somente durante os primeiros vinte anos de vida, a cidade estava forjada em sua alma. Ele dizia dever sua noção de estilo, seus modos elegantes e sua arrogância ao seu lugar de nascimento, pois a cidade era a joia da coroa do Império Russo, e quem lá vivia acreditava ser superior aos outros cidadãos. São Petersburgo era muito cosmopolita, repleta de representantes estrangeiros na corte russa, mas, ao mesmo tempo, cheia do feroz orgulho russo. Não havia lugar melhor para se ter nascido nem para ser criado, de acordo com Savva. Se ele amava São Petersburgo tanto assim, por que não estava lá naquele momento? Eu quis saber, e, diante disso, meu novo amigo ficou pensativo e tomou um gole de gim antes de me responder que, sendo uma das criaturas de Adair, eu já sabia a resposta. Sendo uma das criaturas de Adair, ele, também, era um forasteiro da humanidade. Assim como eu, nunca poderia voltar para casa.

Na intimidade do quarto de hotel, Savva explicou que seus problemas começaram muitas décadas antes, quando, ainda jovem, confessou ao seu pai, um oficial de baixo escalão na corte real, que havia se apaixonado por um jovem soldado da cavalaria húngara. A resposta do pai foi atirar Savva na rua, onde ele perambulou por horas sob a chuva gélida enquanto tentava pensar no que faria. O cavaleiro húngaro estava alojado com seu regimento e não podia acolher Savva. Além disso, ele suspeitava que seu amante não o ajudaria, de qualquer maneira: casos como esse, entre rapazes, eram passageiros.

Savva perambulou pelas ruas da cidade em estado de choque e indecisão até desmaiar no meio-fio. Naquele momento, estava ensopado até a pele, os dentes batiam violentamente e a cabeça rodava. Jogado na sarjeta, torceu para que ficasse inconsciente e morresse de pneumonia na manhã seguinte. Estava quase se acostumando à escuridão quando uma carruagem parou ao lado dele e a porta se abriu.

Savva acordou em um quarto desconhecido. Fora acomodado em uma cama de várias camadas macias de cobertores e com um travesseiro firme de penas. Suas roupas, limpas e bem dobradas, estavam nas costas de uma cadeira de madeira colocada em frente à lareira. Da mesma forma, suas botas estavam secando perto do fogo. Tanto o quarto quanto a casa estavam muito quietos. Era como se tivesse acordado em um conto de fadas depois de ter sido sequestrado por mãos invisíveis: tudo ajeitado e arrumado por fadas enquanto ele dormia.

E, então, Adair apareceu com aqueles olhos maravilhosos. Savva sorriu para mim, conspirativo.

— Um olhar para ele, tão deslumbrante e misterioso, e quase me esqueci dos meus problemas. Ele se parecia com os cossacos que vivem nas estepes. Na época, ainda existiam as famílias que levavam a vida em caravanas, vagando pelas planícies no lombo dos cavalos. Adair tinha o mesmo tom de pele, o mesmo cabelo desgrenhado, a mesma ferocidade. A mesma perspicácia. Minha alma russa foi atraída pela beleza selvagem dele.

Adair apresentou-se como um visitante recém-chegado à cidade e identificou-se como um nobre húngaro; no entanto, deixou claro que não estava lá como um emissário do imperador húngaro, enviado para se juntar à corte.

— Não, não... represento só a mim mesmo. Estou aqui para ver as maravilhas do império de Pedro, o Grande, para ver com meus próprios olhos as maravilhosas conquistas dele — Savva disse. Naquela primeira noite, Adair comportou-se humildemente, só mais tarde Savva ficaria sabendo quanto aquilo tudo fora uma encenação, que encantou seu convidado pela atenção dispensada a ele. Para um garoto de coração partido e confuso, sopa quente, conhaque e uma lareira acesa foram o suficiente para conquistar sua afeição.

E havia um aspecto do comportamento de Adair que Savva entendia claramente. Não havia como se enganar com o brilho daqueles olhos. Aos 20 anos, Savva já conhecia o convite secreto feito por um homem ao outro, com um olhar um segundo mais prolongado, a súplica silenciosa de um homem com um certo tipo de temperamento. E Savva estava inclinado a responder, apesar de seus sentimentos pelo oficial húngaro (que ele nunca mais viu). Os dois homens estavam sozinhos naquela noite, o serviçal estava fora, as cortinas pesadas abaixadas sobre as janelas, cadeados pesados na porta. Savva não resistiu à tentação.

— O pior erro da minha vida — lamentou para mim naquele dia, virando o último gole prateado de gim.

Soube do restante da história do curto tempo de Savva com Adair somente muitos anos depois, e que história triste! Porém, achava Savva sortudo em um aspecto: Adair não o manteve por muito tempo. Ele precisava de Savva para apresentá-lo à aristocracia russa, e assim que serviu aos seus propósitos, Adair o deixara partir. Ele fora um dos poucos escolhidos a quem Adair libertou, mas Savva tinha uma visão pessimista dessa boa sorte, acreditando que ele, simplesmente, não servia para muita coisa.

CASABLANCA, DIAS DE HOJE

Ao cair do Sol, o ar na sala da frente de Savva estava azul de fumaça. Ele trouxera gim e cigarros, uma caixa de estanho e um narguilé. O narguilé, apesar de lindamente adornado, era velho e malcuidado, o bocal de mármore, tão manchado quanto uma velha dentadura. Mas Savva era um bom anfitrião; abriu um pacote bem amassado para revelar metade de um tijolo de haxixe, e pitamos doses generosas no decorrer da tarde, o fumo ia nos ajudando a deixar nossas inibições de lado.

Na companhia de Savva, tive uma paz que não sentia há muito tempo, forte o bastante para suprimir meu último ataque de nervos depois de ter deixado Luke. Essa calma vinha de estar com alguém que tinha passado pelas mesmas coisas que eu. Independentemente do quanto ficássemos íntimos de uma pessoa normal, haveria sempre uma barreira, um último véu, que nunca seria retirado, e essa distância do restante da humanidade tinha um peso. Nossa existência era terrivelmente solitária. A única ocasião em que podíamos tirar de nossos ombros o peso de mil pecados era na companhia de alguém com seus próprios mil pecados na consciência. Adair costumava me reprovar por não ser amigável com Dona, Tilde e Alejandro, explicando que podíamos não gostar um do outro, mas sempre precisaríamos um do outro, pois, como uma família, ninguém mais nos entenderia. Naquela época, eu não queria ser como eles, e então resistia. Agora conseguia compreender o que Adair quis dizer. Era o único dom que ele nos deu.

— Está melhor? — Savva perguntou enquanto soprava animadamente os círculos de fumaça cinza-azulada em minha direção. Ele costumava fazer isso quando passávamos a noite com homens de tribos, quer estivéssemos com os tuaregues no Saara ou com os curdos nos Montes Taurus, para entreter as crianças.

— Sim, bem melhor. Obrigada — respondi, apesar de me incomodar o fato de encorajá-lo a usar drogas. Mesmo assim, imaginei que ele bebesse de qualquer forma, estando eu lá ou não. Continuei comedidamente. — Talvez amanhã, quando estivermos pensando com mais coerência, eu possa lhe dizer por que vim até aqui. Veja bem, vim pedir sua ajuda, Savva.

Ele deu outra tragada longa no bocal, e o som da água borbulhando preencheu o silêncio entre nós durante um momento. Então, depois de segurar a fumaça nos pulmões por bastante tempo, exalou-a com grande satisfação.

— Tudo bem — ele concordou com a voz rouca, enquanto passava o bocal para mim. Seu olhar era provocador. — Seria possível persuadi-la a matar minha curiosidade por um momento? Não consigo parar de pensar que a razão de estar aqui tem algo a ver com a presença de Adair. Eu o senti de novo ontem pela primeira vez, depois de ficar dormente por duzentos anos. Isso não seria uma coincidência, seria?

VIII

BOSTON

Adair passou alguns dias relembrando o conteúdo de seus dois valiosos livros, e concentrou-se especificamente na receita do elixir da vida. Essa poção não precisava de ingredientes exóticos e nem mesmo de muitos ingredientes. O desafio parecia estar na preparação. Alguns elementos precisavam ser purificados até um certo nível, e isso exigia um equipamento difícil de encontrar em casas de família, quanto mais na casa de um homem solteiro. Ele deu a Jude uma lista das coisas que precisava — caldeirões, tubos de ensaio, pipetas, uma balança —, a fim de fazer os refinamentos necessários para produzir o elixir.

Jude deu uma rápida olhada na lista antes de devolvê-la a Adair.

— Adair, honestamente, onde imagina que vou encontrar essas coisas? Metade delas é arcaica. Deveria tê-las trazido do museu.

— E uma fornalha — Adair continuou, ignorando a teimosia de Jude. — Preciso de uma fornalha que produza uma chama bem forte.

— Não tenho esse tipo de fornalha, algo que mantenha o próprio fogo. Usamos eletricidade para aquecer a casa.

Adair apontou para a lareira.

— E aquilo ali?

— É a gás. Não se pode cozinhar nada com aquilo.

— Como pode viver assim? — Adair comentou em tom frustrado. A vontade de voltar ao passado acertou-lhe feito uma lança, e ele sabia que tinha que esperar passar. — Você age como se vivesse em um castelo, mas sua casa é uma espelunca. Não tem nada.

— Acalme-se — Jude disse tentando tranquilizá-lo. — Nos dias de hoje, deve haver algum equipamento elétrico que faça esse tipo de trabalho. Pode deixar que eu cuido disso... Ah, e também tenho uma ideia para quem podemos vender o elixir. Ele é um desses megabilionários de tecnologia e está à beira da morte. Sempre foi um canalha sem escrúpulos, mas agora, com a metástase do câncer, não está tão arrogante assim. O único problema é que é muito difícil conseguir uma reunião com ele. Estou tentando contato por telefone, sem sucesso... Bom, lhe darei notícias em alguns dias.

Adair ouviu o tilintar da ganância sob as palavras de Jude, uma lembrança do passado que compartilharam. A adoração pela riqueza era a queda de Jude. Tinha-o feito acreditar que poderia quebrar o monopólio dos comerciantes holandeses no mercado de ouro, mas Adair encontrou-o pendurado em uma corda em um depósito, abandonado para morrer por um assassino contratado pela associação dos comerciantes. Adair sentiu a mesma fagulha de ganância enquanto Jude falava sobre o homem selecionado como candidato a comprar o elixir. Ele deveria estar louco para colocar as mãos na fortuna do homem, e Adair precisou lembrar-se de não deixar que a ganância de Jude o colocasse em uma situação difícil. Ele iria em frente e prepararia o elixir para vender, mas julgaria o mérito do homem por si mesmo.

❖

Adair não se dera conta do quanto apreciaria fazer o elixir, do enorme prazer em colocar em prática uma velha habilidade na qual, um dia, fora especialista. Grande parte da prática da alquimia era desempenhada pelo tato e pela experiência: saber a temperatura adequada para cozinhar cada ingrediente sem deixá-lo derreter ou alterar a composição muito rapidamente; encontrar a consistência perfeita do composto; medir os ingredientes sem o volume ou peso convencional (como medir um grama a olho, por exemplo, ou um quíntuplo de sonhos destruídos?). Estava encantando ao ver como tudo voltara a ele como se nunca tivesse parado de praticar. O preparado saiu perfeito: o líquido era tão claro que mal dava para ver a superfície no jarro, e havia redemoinhos dentro dele, como correntes de ar rodopiando e colidindo, e pequenas partículas de ouro dançando como a neve arremessada pelo vento. Desse jeito o elixir era lindo, apesar de, com o tempo, ir ficando velho e sem graça, transformando-se em um marrom feioso à medida que as partículas de ouro escureceriam até parecerem pedaços de terra.

No mesmo dia em que o elixir ficou pronto, Jude disse a Adair que finalmente tinha conseguido falar com o investidor que mencionara e o persuadira a permitir que fossem até a casa dele.

— Ele fez fortuna criando uma empresa ponto-com uns quinze anos atrás — Jude disse a Adair, para tranquilizá-lo com relação à escolha. No entanto, não se deu ao trabalho de explicar o que era uma empresa ponto-com: tinha voltado a usar essas abreviaturas estranhas para as coisas modernas, e Adair se acostumara tanto à arrogância dele que nem se importava mais em lhe pedir explicações. Não que tivesse aceitado a arrogância de Jude: Adair simplesmente resolvera que a toleraria até o dia em que não aguentasse mais.

Jude continou:

— Ele vendeu as ações no pico do boom da internet, mas, em vez de gastar com iates e acabar com tudo, assim como todo mundo, criou novas empresas, todas de terceirização. Na época, ninguém deu muita bola, de forma que ele conseguiu colocar o mercado de escanteio em alguns serviços-chave, como informação jurídica e segurança. Então, agora ele é o cara que sabe onde todos os segredos estão escondidos na rede. Se seus programadores não conseguem achar, ninguém consegue. Todas as empresas da *Fortune 500* — bancos, seguradoras, provedoras de serviços de saúde — fizeram fila para contratá-lo. Essa é uma das razões por tê-lo escolhido: ele lhe será útil de outras maneiras. Para encontrar Lanore, por exemplo. — Jude fez uma pausa e estudou a reação de Adair ao ouvir o nome dela; no entanto, não houve nenhuma comoção, e Adair permitiu que somente uma ruga se formasse sobre sua sobrancelha. E então Jude prosseguiu: — Ele e eu investimos em uma nova empresa de tecnologia uma vez; é por isso que o conheço. Para conseguir essa reunião, disse-lhe que você tinha um investimento muito bom para ele... — Então fez uma pausa, a preocupação silenciando seu rosto normalmente irritante. — Você sabe, foi muito triste... ele me perguntou de que lhe serviriam investimentos agora. Pararam a quimioterapia; não há mais nada a fazer por ele exceto tentar administrar a dor. O médico lhe disse que tem só algumas semanas de vida. Está com a aparência de um homem senil, mas acabou de fazer 38 anos no verão passado. Ficará chocado ao vê-lo.

O ar reflexivo de Jude não passou despercebido a Adair.

— Esse homem à beira da morte, ele é seu amigo?

— Não, não exatamente — Jude respondeu.

— Bom. Diante do que estamos prestes a fazer, não há lugar para sentimentalismos.

❖

Adair passou as horas antes do encontro resolvendo exatamente como apresentar sua proposta ao moribundo. Nunca *oferecera* esse dom a ninguém antes: sempre escolhera seus súditos e lhes dera o elixir à beira da morte, como últimos ritos. E suas escolhas sempre foram instintivas, como se seguisse uma voz que o guiasse até sua próxima vítima, o indivíduo predestinado. Não se sentia à vontade com a perspectiva de vender o que não tinha preço, mas Lanore o forçara, e quanto mais cedo terminasse essa transação mais cedo poderia sair em sua busca e fazê-la pagar por sua traição.

De acordo com Jude, o executivo enfermo que selecionara valia uma fortuna inimaginável, na casa das centenas de milhões. Era um homem muito doente que não estava habituado a perder e não desistiria de sua vida sem lutar. E, apesar de Adair reconhecer a necessidade de angariar recursos financeiros e investigativos, e reconstruir sua vida a partir do zero, ainda tinha reservas quanto ao plano. Incomodava-o profundamente dar a imortalidade a um estranho que depois teria que fazer parte de seu círculo mais íntimo. Adair não estava otimista; afinal, poucas das pessoas a quem transformara tinham valido a pena o sacrifício. Muitos deles foram fracos demais para suportar a eternidade. O estresse poderia destruir a mente e torná-lo tão vulnerável quanto um recém-nascido — ou tão perigoso quanto um psicopata.

E também havia a questão da fidelidade: ele tinha procurado por pessoas com quem pudesse contar, como se fossem uma família, mas o resultado foi frustrante. Seus súditos não tinham a devoção fanática que ele esperava, conforme ficara evidenciado pelo fato de que conseguiram seguir com suas próprias vidas — muito felizes, no caso de Jude — depois que ele desaparecera. A ele lhe parecia muito arriscado transformar alguém a quem não tivesse escolhido por si mesmo, apesar de parecer não ter alternativa e só poder torcer para que Jude tivesse usado bem sua tão conhecida perspicácia.

Adair e Jude foram de carro até uma mansão nos arredores de Boston. Quase todas as janelas do casarão estavam escuras e cobertas de um silêncio profundo, parecia que o proprietário já estava morto. Um homem velho de paletó escuro atendeu à porta.

— O sr. Kingsley está esperando os senhores — ele murmurou, quase a ponto de não ser ouvido, e arrastou os pés pelo corredor, como se esperasse que eles não o seguissem.

— Há alguém aqui que gostaria que conhecesse — Jude disse a Adair, apontando em direção a um homem caído atrás de uma enorme escrivaninha no fundo da sala. Adair percebeu prontamente que Jude não havia exagerado: parecia que o fim chegaria para aquele homem a qualquer momento. Era um pouco mais que um esqueleto vestindo uma pele amarelada como roupa. Praticamente não tinha cabelo, e o que ainda restava estava grisalho, revelando um crânio em forma oval. A única parte dele que parecia viva eram os olhos, que seguiam Adair com uma intensidade selvagem. Ele estava analisando Adair, com certeza; parecia o tipo calculista, que sempre queria tudo do seu jeito, e um homem arrogante demais para morrer. *Se estiver morrendo, encare a morte com humildade; não há outra forma de passar por aquela porta*, Adair queria aconselhá-lo, mas algumas pessoas não gostavam de conselhos, independentemente das circunstâncias.

— Adair, este é Pendleton Kingsley — Jude falou.

Pendleton nem ao menos levantou a mão; em vez disso, segurou a máscara do respirador no rosto enquanto os observava. Ao fundo, Adair ouvia o ar escapando aos poucos do tanque de oxigênio, como o sibilar de uma cobra. O moribundo respirou fundo antes de dizer:

— Adair; esse é um nome incomum.

— Pendleton também é.

— É mesmo, não é? Na verdade, é meu nome do meio. Meus pais me deram o nome de Jack, bonitinho e simples, mas nunca gostei. Não gosto de que as pessoas sejam muito íntimas, se é que compreende o que estou dizendo. Pendleton é melhor para os negócios. — Ele colocou a máscara sobre a escrivaninha à sua frente e virou-se para Jude. — Então, Judah, o que é tão importante a ponto de precisar me ver em um momento como esse? Acho bom valer a pena.

Para um homem em uma condição tão fragilizada, Pendleton era tão sarcástico quanto um escorpião, mas, estranhamente, Adair achou impossível ignorar sua repugnância. Havia algo venenoso naquele homem que o tornava quase encantador, como se exalasse um feromônio ao qual Adair estava programado para reagir. A agressividade natural de Pendleton, até mesmo sua raiva à flor da pele diante da morte, era como sangue na água de Adair. Essa sensação tomava conta dele toda vez que encontrava alguém a quem estava destinado a se unir, e era o sinal pelo qual estava esperando.

Durante uma hora, Adair procurou pelas fraquezas de Pendleton. Ao final, havia muito pouco a ser admirado: o homem tinha se livrado de duas esposas através de divórcios cruéis, que as forçaram a ir embora sem nenhuma compensação pela fidelidade ou amor. Seu único filho, uma menina, não falava mais com ele. Tinha comprado empresas e se desfeito dos homens que as construíram do zero; havia comprado propriedade intelectual de inventores desesperados por meros trocados. Fazia seus funcionários trabalharem feito escravos com a promessa de uma recompensa que nunca vinha. Enquanto isso, amealhara uma fortuna comparada a cofres de pequenos países. E desprezava todos a quem tinha destruído em seu caminho, confiante de que lhes dera o que mereciam.

Quando Pendleton cansou de falar sobre si mesmo, olhou para Adair com ar de reprovação.

— E aí, qual é o assunto? Veio até aqui para desperdiçar o tempo de um moribundo ou vai me falar por que queria me ver?

Adair rodou o álcool dentro do copo, um uísque de má qualidade servido aos convidados; Pendleton não estava bebendo.

— Primeiro tem que me dizer quanto vale.

O homem gargalhou para disfarçar a surpresa.

— No final, sempre tem a ver com dinheiro, não é mesmo? Bem, foi bem direto, Adair, e tenho que admitir: você não é muito educado, mas é muito *objetivo*.

Adair fixou os olhos nele.

— Obviamente que estou interessado em seu dinheiro. Exceto por sua astúcia empresarial, tem pouca coisa a seu favor, e com certeza não vim aqui por sua companhia. Mas, em troca de sua fortuna, tenho algo a lhe oferecer, algo que sei que deseja com todo o seu coração. É evidente que você é um homem de resultados, mas o que vim lhe vender é muito caro. Assim, preciso saber se tem os recursos necessários para pagar por isso: seu último desejo antes de morrer.

— Então quer saber se sou rico o suficiente para seja lá qual for o esquema que está armando? Será que sou rico o bastante? — Os olhos pequenos e brilhantes de Pendleton iam de Adair para Jude. — Isso é uma piada? Tenho dinheiro para comprar e vender *vocês* dois.

Jude balançou a cabeça, querendo dirimir a fúria do moribundo, e olhou para o chão.

— Acalme-se. Acho que ficará muito interessado no que meu amigo tem para lhe oferecer; caso contrário, não teria pedido para perder seu tempo. Peço que o escute com atenção. *Com muita atenção*. O demônio está sempre nos detalhes.

Adair estalou os dedos para chamar a atenção de Pendleton de volta para ele.

— Você não é um homem saudável, Pendleton.

O doente olhou para Adair como se ele tivesse cuspido nele.

— Acha isso *engraçado*?

— Seu médico pode até ter lhe dito que ainda tem quatro meses de vida, talvez seis, no máximo, mas estou aqui para lhe dizer que tem só três semanas, não mais do que isso.

O homenzarrão ficou pálido, mas conseguiu franzir os lábios.

— Como ousa dizer isso a mim? Está tentando me causar um ataque cardíaco? O que faz você pensar que sabe mais que o meu médico...

Adair continuou:

— Os homens em sua família nunca tiveram uma vida longa; sempre pareceram estar sob algum tipo de maldição. Seu pai estava na escola secundária quando seu avô morreu. E você tinha só cinco anos quando seu pai foi levado de você.

Pendleton fungou.

— Você pode ter lido isso na *Newsweek*.

— Acha que sei disso porque fiz uma pesquisa sobre você? Sei o que há de errado só de olhar para você. Consigo ver onde a doença o devora e, mais do que isso, consigo ver seus medos — Adair declarou. — Todos os homens na linha de descendência do seu pai morreram jovens, de ataque cardíaco. Ironicamente, o que o está o matando não é seu coração. Você já passou por várias cirurgias até os 35 anos e quando conseguiu chegar a uma capacidade cardíaca de 60 anos, setenta por cento, seus médicos encontraram os tumores. O câncer se espalhou praticamente por todos os órgãos de seu corpo, no seu cérebro e até mesmo nos seus ossos.

Pendleton não disse nada, porém a mão tateou em busca da máscara de oxigênio. Tinha o olhar de derrota nos olhos, enquanto Adair lhe dava as notícias que sabia ser verdadeiras, apesar do prognóstico levemente mais otimista de seu médico bem remunerado.

Adair inclinou-se para frente, na direção de Pendleton, que agora respirava pesadamente dentro da máscara.

— Já se olhou no espelho e sabe que a Morte está preparando sua chegada. Conhece a obra dela, a dor que não pode ser controlada nem pela medicação. Já a sentiu se aproximando, e range os dentes diante da injustiça de sua situação. Você se pergunta por que tem que morrer. Por que a morte não leva alguém mais inferior, com menos conquistas? A morte deveria poupá-lo, um capitão da indústria e um filantropo, alguém que já fez tanto em benefício de seus companheiros. Não é justo. Mas a vida não é justa. E você também sabe disso.

Pendleton estava pensativo, como se esses mesmos pensamentos lhe passassem pela cabeça, mas estivesse muito absorvido em si mesmo para dizê-los em voz alta. O momento passou e ele virou a cabeça na direção de Adair.

— A vida é injusta, sim; já sei disso há muito tempo — ele desdenhou com impaciência. — Mas, falemos de negócios. Como você mesmo tão gentilmente me lembrou, não tenho muito tempo.

Adair deu um sorrisinho para o moribundo.

— Não tenha medo, pois tempo é exatamente o que venho lhe oferecer. E se eu lhe dissesse que consigo livrar seu corpo de toda a dor? Que tenho a capacidade de erradicar a náusea e as dores de cabeça, os arrepios e os suadores que sofre desde cedo até à noite? O que daria para ficar bem de novo, Pendleton? — Adair manteve os braços cruzados no peito, olhando para o homem encarquilhado, que parecia enrugar-se ainda mais dentro de sua cadeira. — O que acharia se eu pudesse lhe dar a capacidade de viver para sempre?

Pendleton hesitou por um segundo antes de soltar uma gargalhada irônica.

— Eu diria que está completamente maluco. O que você é? Algum tipo de charlatão que Jude encontrou no Craiglist? Quer que eu jogue fora toda a minha fortuna por uma cura milagrosa quando sei que não há esperança? Será que pareço tão ingênuo assim? Já tenho os melhores médicos do mundo. — A voz dele baixou de tom diante dessas palavras, "os melhores médicos do mundo", reconhecendo o pouco que podiam fazer por ele agora.

— Não finja não estar interessado. Está dizendo que sabe que sua situação não tem mais jeito, e, mesmo assim, há esperança em sua voz, há esperança em seus olhos. Claro que quer saber mais sobre a minha proposta: posso mantê-lo vivo, e, mais do que isso, você viverá para sempre. Imagine como seria não sentir medo dos tumores dentro de você, de seu coração debilitado? Você foi doente e cauteloso a vida inteira: imagine como seria não ter que se preocupar com o que o futuro lhe trará? Liberdade completa: é isso o que significa. Sua vida nunca mais será a mesma.

O suor começou a aparecer sobre a parte de cima dos lábios de Pendleton, que se enxugou, nervoso. Rodava ao redor de Jude como se fosse derrubá-lo.

— Que merda é essa Judah, algum tipo de piada de mau gosto?

— Ele não está brincando. É verdade.

— Está duvidando? — Adair interrompeu. — Não há razão para simplesmente acreditar em minhas palavras. Posso provar tudo a você. — O sangue jateou os olhos de Adair quando enfiou a mão no bolso de cima de sua jaqueta e tirou uma pistola de cano curto calibre 22.

Pendleton respirou fundo ao vê-la.

— Espere aí. Não há necessidade *disso*. Não precisamos nos exaltar...

Adair interrompeu:

— Escreva quanto vale sua fortuna em um pedaço de papel.

Pendleton olhava da pistola para Adair, depois para o rosto franzido de Jude, buscando reafirmação, mas não havia nenhuma; então, rabiscou relutantemente algo no papel. Jude inclinou-se sobre a escrivaninha para ler.

— Acho que é isso mesmo — ele confirmou para Adair.

— Bom. Então, para você, quanto valeria viver para sempre? Estamos falando em mais do que enganar a morte, enganar seu destino. Será um deus entre os homens, incólume a qualquer perigo. Dinheiro não é nada, se comparado a isso. Daria setenta por cento desse valor? — Ele bateu os dedos sobre o papel. — Oitenta?

Pendleton tinha se acalmado, querendo acreditar no que estava ouvindo, mas, diante da menção do dinheiro, enrijeceu, resistindo.

— Está louco? É muito dinheiro, e para quê? Do que está falando?

— Você viverá até o fim dos tempos. Para sempre! Pode imaginar isso? Claro que não. Mal consegue se lembrar das coisas que lhe aconteceram uma década atrás, não é mesmo? Pense em seu corpo frágil, e então pense no que estou lhe oferecendo... Quer saber exatamente o que estará comprando? Parece-me um pedido justo. Deixe-me demonstrar.

Para a surpresa de Pendleton, Adair deu a volta na escrivaninha e apertou a pistola sobre a mão, enroscando os dedos no gatilho e segurando-os com força.

— O que... o que está fazendo?

— Preciso de sua ajuda. Só por um momento. — Ele esticou o braço de Pendleton até o fim, o cano da pistola a poucos centímetros do peito de Jude, e pressionou o dedo sobre o gatilho. O barulho ricocheteou pelas paredes maciças do quarto branco, e Pendleton saltou da cadeira como se tivesse sido atingido por um pistolete para gado. Havia fumaça, sufocante e ácida, e no meio de tudo isso Jude caído no chão. Pendleton derrubou a arma e ficou de pé, mas Adair pressionou a mão sobre o peito dele, para segurá-lo onde estava.

— Fique onde está. Espere. Observe e verá.

Inclinaram-se sobre a mesa, olhando para baixo, para Jude e o círculo vermelho sobre o peito, com um buraco de bala perfeito bem no meio, o círculo se espalhando na parte da frente da camisa dele.

Ouviram uma correria do lado de fora da porta e, então, uma batida.

— Diga ao seu funcionário que está bem — Adair ordenou.

Pendleton obedeceu de olhos arregalados.

— Pode ir, Carlos. Não foi nada! — ele gritou.

Os dois homens seguraram o fôlego, Adair maravilhado e Pendleton totalmente horrorizado até que, após um momento de silêncio absoluto, Jude voltou à vida. Gemendo, ele pressionou a mão sobre a ferida.

— Da próxima vez, poderia me avisar antes? — ele disse em voz fraca para Adair, enquanto se levantava.

— O que é isso... — Pendleton começou a se afastar.

— É um milagre, não é assim que chamaria? Um homem morto trazido de volta à vida, como Lázaro? É isso o que estará comprando: um novo destino — Adair explicou-lhe, pegando a pistola de volta. — Você se orgulha de si mesmo por ser um homem esperto; provavelmente está imaginando que isso é algum tipo de truque. Não quero deixar nenhuma dúvida. Vá, dê uma olhada na ferida! Veja com seus próprios olhos.

No entanto, Pendleton estava petrificado, em pé ao lado da mesa.

— Não preciso ver mais nada. É *claro* que é um truque, como daqueles mágicos na televisão... é, é muito bom, tenho que admitir. Mas não há como ele ter levado um tiro de verdade, não conseguiria se levantar desse jeito...

— Não é um truque. — Adair agarrou a mão de Pendleton, apertando-a com força enquanto o levava até Jude e o fazia pressionar a mão sobre a ferida.

— Toque-a. Vá em frente, não seja um covarde. O que está sentindo? Já está cicatrizando, não é? Consegue explicar o que está acontecendo? Claro que não; nunca viu nada parecido... — Adair soltou a mão do homem e empurrou-a para o lado. — Me ouça, preste bastante atenção. Não conto o meu segredo para todo mundo, Pendleton. Só estou lhe dando essa oportunidade porque estou passando por dificuldades financeiras. Devido à minha situação desagradável, estou lhe fazendo a melhor oferta de sua vida. No mundo todo, só há algumas pessoas como Jude e eu. E estou lhe dando a chance de se unir a nós.

Pálido e trêmulo, Pendleton apoiou-se na mesa lateral e serviu-se de uma bebida.

— É verdade, Judah? Você também é imortal?

— Claro que sou — Jude respondeu.

Pendleton apontou um dedo trêmulo para Adair.

— Quem, o que *você* é? O demônio?

— Para um homem que se orgulha de sua racionalidade e intelecto, passou a acreditar muito rápido em superstições. — Adair zombou. — Se eu fosse o demônio, precisaria de seu dinheiro? Sou, realmente, um homem muito poderoso, de uma maneira que não está preparado para compreender. Transfira oitenta por cento de sua fortuna para mim, Jude irá tomar conta da transação, e você não morrerá nas próximas três semanas. O câncer, que já se espalhou por seu corpo, desaparecerá e você viverá para sempre. Mas, se quer aceitar essa proposta, deve preparar antecipadamente um documento para o seu advogado, nomeando Jude como o procurador de seus negócios, autorizando a cremação de seu corpo e pedindo que não haja nenhum serviço funeral.

Diante do que foi dito por último, Pendleton lançou um olhar desconfiado para ele, mas segurou a língua.

— É uma mentira, uma ilusão. Para evitar que as pessoas olhem muito de perto para o milagre de sua recuperação — Adair explicou. — Você estará vivo, confie em mim, e garantiremos que estará completamente preparado para sua nova vida.

— Minha nova vida?

— Sua vida nova e *saudável* — Jude interferiu, apontando para o lugar onde a ferida estivera aberta.

— O que me diz? — Adair indagou.

Os olhos de Pendleton ficaram vazios e distantes; contudo, passaram a se encher com uma mistura de esperança e certeza crescente.

— Eu... eu não posso tomar uma decisão dessas tão rápido. Darei a resposta a vocês depois.

— Não espere muito. — Adair avisou-o enquanto colocava a arma de volta no bolso. — Lembre-se do que eu disse: tem três semanas. Se achar que está à beira da morte e resolver aceitar minha oferta, não chame uma ambulância; ligue para nós. Não há muito a fazer por você se estiver em um hospital, rodeado de gente. E, desnecessário dizer, não poderá contar a ninguém o que lhe falamos. Se souber que contou a alguém sobre mim, desaparecerei, e sua única chance de viver desaparecerá comigo.

❖

O chamado veio exatamente vinte dias depois, de manhã bem cedo. Jude dirigiu pelo tráfego infernal de Boston na parte da manhã, ziguezagueando entre os carros como um esquiador desgovernando descendo um *slalom* congelado, para chegar à casa de Pendleton. Encontraram-no pálido e suado na cama, seu rosto era uma máscara de terror enquanto engasgava com cada golfada de ar. O mordomo estava ao seu lado, olhando de soslaio para o telefone sobre o criado-mudo, ansioso para chamar uma ambulância. Sobre o criado-mudo também havia um documento, dobrado em três.

— Vocês pediram isso. — Pendleton resfolegou ao apontar para o papel.

Adair olhou profundamente para o rosto de Pendleton, buscando os conhecidos sinais da morte.

— Não podemos fazer o serviço neste local. Temos que tirá-lo daqui. Vamos carregá-lo até o carro.

Ao ouvir essas palavras, o mordomo foi na direção deles em protesto, mas o moribundo levantou a mão, gesticulando para fazê-lo parar. Adair pegou-o no colo, e o homem era tão leve quanto um espantalho de palha.

— Não me deixe morrer... — Pendleton murmurou segurando na mão de Adair, a arrogância saindo de seu corpo como a pasta de dentes sai do tubo. — Não estou pronto para ser julgado.

Nem eu, Adair pensou, com um breve e raro sentimento de compaixão.

Assim que chegaram à casa de Jude, Adair carregou o corpo praticamente inerte de Pendleton dois andares acima, até o quarto de visitas.

Depois de colocarem Pendleton na cama, a mão de Adair pousou sobre o frasco que continha o elixir da vida, dentro de seu bolso.

— Relaxe. O processo não é indolor, mas tudo na vida tem um preço. Não lute contra isso.

Ele inclinou o frasco na direção da boca de Pendleton, apesar de achar quase desnecessário. Era como se a alma do homem, envelhecida e puída feito um velho lenço, já estivesse em suas mãos. Mesmo assim, derrubou algumas gotas na língua do homem, disse algumas poucas palavras e esperou.

Havia tanto tempo que não fazia isso que quase se esqueceu de como fazê-lo. Sentiu uma força tomar conta dele rapidamente e preparou-se para que essa energia se canalizasse através dele para o outro homem. A sensação passou por Adair como um trovão, como se toda a força do vento tivesse sido capturada até se apresentar para ele, como se ele fosse um portal. Nem toda a energia foi passada para Pendleton; ela também alimentou Adair, renovando-o como nada mais poderia. Nesse momento, ele estava vivo de um jeito que não estivera desde sua última transformação. Desde Lanore. E foi por isso que o fez, Adair percebera. Tomar posse dessas almas podres era algo que ele planejara fazer. Mas não sabia exatamente *por quê*.

No último momento, lembrou-se de dizer as palavras que ligariam Pendleton a ele:

— Sua vida e sua saúde serão restauradas, mas tudo o que tiver agora pertence a mim. Sua alma é minha, para eu fazer dela o que bem desejar. Isso será concedido pela minha mão e intenção.

Assim que o corpo exausto de Pendleton sucumbiu ao sono, Adair e Jude ficaram em pé na porta.

— Você ainda não tem o dinheiro dele. — Jude lembrou Adair. — Vai levar um tempo para encontrar todos os lugares secretos. Tenho certeza de que Pendleton usa bancos e corretoras fora do país e contas falsas para ludibriar o pagamento de impostos. Será muito complicado conseguir ter acesso ao dinheiro.

Adair deu uma batidinha nas costas de Jude, tentando reforçar sua confiança.

— Se há alguém que pode encontrar o dinheiro, esse alguém é você. Converse com ele. E faça-o entender: agora ele não tem alternativa.

❖

Horas depois, quando o corpo se fechou e voltou à vida, Adair foi ver Pendleton no quarto escuro. Mesmo na penumbra já podia ver que a mudança estava quase completa. O homem na cama fazia jus à sua idade novamente, a pele ficando fresca e maleável, o cabelo engrossando e escurecendo. Ainda estava magro, mas a musculatura rejuvenescera e, com o tempo, ficaria normal outra vez. Era um corpo promissor — não parecia um deus, como Jonathan —, mas dava para dizer que ele um dia estivera em boa forma, tanto quanto seu coração fraco lhe permitira. Seria um tipo agradável para se ter como companhia. Adair sentou-se na beirada da cama e olhou dentro dos olhos assustados de Pendleton.

— Como está se sentindo?

A língua de Pendleton passou pelos lábios rachados.

— Uma merda, mas diferente. Mudado.

— Recuperei sua saúde, como prometi. Pode não sentir ainda, mas, quando olhar-se no espelho, verá que está tão bem quanto estava antes da doença. Quer que lhe prove isso?

Os olhos de Pendleton refletiram as lembranças da arma, de Jude no chão. Ele tremeu.

— Não, acredito em você. Posso sentir. Mesmo agora, sinto-me melhor do que há meses. Só quero sair daqui. Só quero seguir minha vida.

— E irá.

Pendleton arrumou-se na cama.

— E então... qual é o próximo passo? Tenho que receber algum tipo de treinamento? Deve haver coisas que devo saber, coisas do tipo como passar despercebido no mundo normal? Você vai me explicar tudo, não é? De onde vem esse poder? O que significa?

— De certa forma, sim. Mas terá tempo suficiente para aprender. Vai morar aqui comigo e com Jude. Será parte da nossa família... como um súdito, na verdade. Fará tudo o que eu disser, *tudo*. Porque, se não me obedecer, eu o matarei.

Pendleton equilibrou-se nos cotovelos, apesar da cabeça girar e do suor frio escorrer por suas costas.

— O que quer dizer com me matar? Você disse que eu seria imortal...

Adair balançou a cabeça.

— Quando nos conhecemos, você parecia orgulhar-se de sua sagacidade, mas, para um homem esperto, não fez muitas perguntas com relação ao nosso acordo. Jude avisou-o para prestar atenção aos detalhes da minha proposta, mas, claro, você não o fez. Se tivesse me perguntado, eu teria lhe explicado que, mesmo sendo imortal, há uma exceção, uma pequena falha em sua armadura de invencibilidade. E essa exceção sou *eu*.

Pendleton semicerrou os olhos rodeados por manchas escuras.

— Nada neste mundo é absoluto. Nunca aprendeu isso? Imaginei que, devido à sua vida, aos seus negócios e aos seus arranjos pessoais, conheceria essa verdade. Há sempre uma... *condição*, digamos assim. Um sistema de equilíbrio de forças. É dessa maneira que o mundo funciona, não dá para fugir. Eu sou aquele que limita seu poder. Lembra-se de quando nos conhecemos, da demonstração com a pistola, como a coloquei em sua mão e o fiz atirar em Jude? Fiz isso porque, se eu tivesse atirado, ele teria morrido... Só eu posso lhe tirar a vida, assim como só eu posso lhe fazer sentir dor, e deve saber que não hesito em exercer nenhum desses poderes, se achar devido. Em sua vida, pode ter passado as pessoas para trás, mas nunca fará isso comigo. Nunca.

— Nã-não foi para isso que eu lhe paguei... Não foi essa a barganha — Pendleton disse enquanto tentava se levantar da cama, mas, ainda fraco, caiu no chão aos pés de Adair.

— Barganha? Poderia me explicar, então, qual exatamente foi o nosso acordo? Pode me mostrar o que está escrito, me apresentar um contrato? É mesmo, não há contrato. Há somente um caminho para a imortalidade que conheço, só um caminho para a vida eterna, e vem de mim. Eu *conheço* os meus termos, Pendleton. Tenho vivido de acordo com a minha parte da barganha. Acho que agora seria uma boa hora para sua primeira lição.

Jude entrou no quarto segurando uma enorme faca de cozinha, passando sem parar a mão sobre o fio da navalha. Pendleton olhava da faca para Adair, o medo se acumulando em seus olhos.

— Este é um passo pelo qual todos têm que passar, mesmo Jude e os outros que trouxe para o meu lado, para provar que estou dizendo a verdade. Assim, nunca me testará novamente.

Ele fez um movimento de cabeça para Jude, que ficou de cócoras perto de Pendleton, segurou-se em seus ombros para se equilibrar, virou o rosto e enfiou a lâmina dentro da barriga macia do homem.

Pendleton encolheu-se e abriu a boca para urrar, mas nenhum som saiu. Seus olhos se arregalaram em surpresa. Tirou a faca de Jude e olhou para a lâmina ensanguentada.

— O que... não senti nada. Nada. Como fez isso?

Adair riu sombriamente.

— Você não é mais feito da mesma matéria dos outros mortais. Seu corpo é só um invólucro agora. Nenhuma faca, nenhuma bala pode machucá-lo. Nem o fogo nem a água. Nem o frio, nem o calor, nem a sede ou a fome. Veja que foi a mão de Jude que segurou a faca, e por isso você não sentiu nada. É exatamente como eu lhe disse: não tem nada a temer de nenhum homem. Exceto de mim.

Antes que Pendleton pudesse completar a equação em sua cabeça e prever o que estava por vir, Adair esticou o braço e agarrou de volta o pulso de Pendleton, o estalo de seus ossos ecoava pelo quarto. A faca caiu no chão, fazendo barulho.

— Droga! — Pendleton urrou, segurando o antebraço. — Você quebrou meu pulso! Quebrou a porcaria do meu pulso!

Adair permaneceu em pé, enrolou as mangas da camisa enquanto Jude saiu apressadamente do quarto.

— Sim, quebrei. Veja, temos que chegar até a segunda parte da lição, uma lição dolorida, porém necessária. Pois daqui a pouco você começará a apreciar o dom que lhe dei. Vai se sentir poderoso e livre para fazer o que bem entender. No entanto, deve sempre se lembrar, Pendleton, de que, apesar de tudo, você *não* é livre. Deve obediência a mim até o final dos tempos. Infelizmente, minha experiência diz que meras palavras não são suficientes para fazê-lo se lembrar disso. Devo deixar a situação bem clara, para nunca se esquecer, assim sempre terá medo de mim. Terá medo e me obedecerá.

Adair desceu o braço com força e atingiu a lateral do rosto de Pendleton, deixando a marca de dois dedos desde suas costeletas até o sulco de seus maxilares, o homem tremendo ao toque dele.

Então, golpeou no mesmo lugar que tinha acabado de atingir, um golpe baixo que deixou Pendleton com a visão turva, batendo os dentes de dor.

Pendleton não se envolvia em uma briga desde a escola preparatória, uma daquelas explosões entre garotos, tão combustíveis e duradoras quanto um fósforo. Mas isso era diferente: a dor lhe atravessava o maxilar e percorria o crânio como se tivesse sido atacado pelo alicate de um encanador. E era resultado de um golpe só; achava que não poderia sobreviver a um segundo golpe.

Caiu aos pés de Adair momentaneamente, então se levantou cambaleante e ficou em pé.

— Entendi. Você é o chefe. Pode parar agora — ele disse, esforçando-se para se afastar dele, tarde demais.

Adair segurou o maxilar de Pendleton em um golpe aniquilador, acertando-lhe novamente um soco, no mesmo lugar já sensível.

— Pense nisso como um exercício de obediência. Veja, você é como um cão sem adestramento, mas, quando tiver acabado com você, será tão atencioso quanto a maioria dos cães fiéis. E, como qualquer animal da matilha, aprenderá a ser disciplinado, saberá o seu lugar em nossa família e fará o que o seu mestre mandar. Pois, agora, eu sou o seu mestre: o mestre a quem não pode ludibriar ou trair, o mestre de quem você nunca poderá fugir. A partir desse momento e até o final dos tempos, você e tudo o que possui será meu. Agora sou sua vida; sou seu deus.

IX

CASABLANCA

Uma escuridão empoeirada encobria a cidade. A rua estava quieta, a agitação do dia tinha sido substituída pelos murmúrios da multidão noturna, famílias jantavam nos quintais, sentindo a brisa.

Savva e eu nos sentamos no chão do apartamento, com a parafernália toda espalhada ao nosso redor, o narguilé silencioso e o haxixe esgotado, havia apenas alguns grãozinhos e sujeira grudados no papel-alumínio amassado. Ele encontrava-se no estado de paz temporária resultante dos narcóticos e do vinho. Seus olhos azuis sagazes me observavam atentamente quando me perguntou mais uma vez:

— Isso não teria nada a ver com Adair, não é? Por mais alterado que eu esteja, até sou capaz de encaixar as peças, Lanny querida. Não sentíamos a presença dele há pelo menos dez anos quando nos conhecemos; então o zumbido surgiu depois de duzentos anos, exatamente no mesmo dia em que você aparece à minha porta. Isso é muita coincidência para mim. Não posso deixar de pensar que tenha alguma coisa para me contar.

Fui tomada por uma enorme sensação de alívio, por finalmente poder dividir meu segredo com alguém que pudesse compreendê-lo; só alguém que tivesse vivido sob o feitiço de Adair poderia compreendê-lo. Contudo, também estava envergonhada por não ter contado antes a Savva. Moramos juntos durante décadas e trocamos histórias sobre Adair, é verdade, mas sempre havia uma linha que não podíamos atravessar. Ninguém sabia sobre a parede. Não escondi esse segredo de Savva por pensar que ele pudesse soltar Adair, mas sabia que mantinha contato com os outros e tinha medo que, sem querer, deixasse escapar algo quando estivesse bêbado ou sob a influência de um entorpecente.

Sem mais motivos para continuar sendo cautelosa, confessei toda a história. Contei-lhe que Adair era mais poderoso e cruel do que fomos levados a crer e como ele tinha enganado todos nós. Contei-lhe como fingi amar Adair para poder pegá-lo em uma armadilha. Os olhos de Savva se arregalavam mais e mais à medida que cuspia minha história em uma enxurrada de palavras, pois, após ter começado, não conseguia parar, pelo mero alívio da confissão.

— Onde encontrou coragem para enfrentar Adair? É como encarar o próprio demônio! — comentou incrédulo. — Imagino que ninguém mais teria ousado fazer o que você fez. Tem mais coragem do que qualquer um de nós, minha querida. E se pensarmos nos assassinos e vilões de que Adair se rodeou para servi-lo, isso é muita coisa.

Na época, fui mais impulsiva que corajosa. Agi pelo pânico, não pela coragem. Só a admiração dele não me ajudaria; eu já tinha visto mais do que um homem ser vangloriado pela multidão por suas conquistas ir parar na forca.

— Vim até você porque preciso de ajuda — confessei. — Não vivi com Adair tempo suficiente para aprender qualquer coisa sobre a fonte ou a extensão de seus poderes. Não sei do que ele é capaz. Preciso de seu conselho.

Savva afastou-se de mim com raiva e começou a se arrumar para distrair-se, juntando os utensílios dentro da caixa de estanho.

— Infelizmente, não servirei para muita coisa. Também não convivi com Adair durante muito tempo. Só uns dois anos a mais do que você, no máximo.

— Mas conheceu os outros acompanhantes. Deve ter ouvido histórias de suas explorações, aventuras, das coisas que ele podia e *não* podia fazer...

— O que quer que eu diga? — ele perguntou, virando-se bruscamente para mim. — Se há um santuário, nunca ouvi falar. Se há uma maneira de fazê-lo parar, nenhum de nós conseguiu descobrir. — Os ombros caíram e ele respirou fundo, desculpando-se. — Gostaria de lhe dar esperança, mas também não vejo por que mentir para você.

O medo cresceu dentro de mim novamente, uma frieza assustadora que tentara suprimir.

— Por favor, Savva. Me ajude. Não quero acabar... — Tremi dos pés à cabeça. — Não quero acabar como Uzra — admiti. — A pobre mulher, forçada a ficar com Adair, a aguentar suas fantasias nojentas e seu mau humor. E por quê? O único crime dela, se é que se pode chamar assim, foi ser linda demais para que ele resistisse.

— É isso o que acha? — Savva me olhou de soslaio. — Nunca conversamos a fundo sobre Uzra? Minha querida, você está enganada. Uzra não era inocente. Não era nem um pouco diferente de Dona ou Tilde, de mim ou... — Ele parou antes de dizer a última palavra: *você*. — Ela era uma assassina.

Pensei na odalisca. Certamente ela era muito pequena para ser perigosa, quanto mais para matar alguém. No entanto, tinha uma personalidade violenta, e não havia como negar que algo lhe queimava o coração. Apesar de Adair tê-la mantido prisioneira durante séculos, podia-se perceber, pela expressão determinada e desafiadora do rosto dela, que nunca desistiria de tentar fugir.

— Uma assassina? O pai dela, você quer dizer; ela matou o pai, um homem terrível.

— Não foi só o pai. Os irmãos, os tios... todos os homens da tribo dela. Ela os traiu com um grupo rival, infiltrando os assassinos bem no meio deles. Dizem que ela os ajudou sob a condição de não deixarem nenhum homem vivo. Queria que toda a sua linha de descendentes desaparecesse. Foi um crime terrível, quase um genocídio. As mulheres que sobreviveram a levaram até o sultão para ser julgada; foi quando Adair a encontrou e a sequestrou.

Tinha a sensação de que o mundo estava virando de cabeça para baixo e tremendo como um enfeite de globo de neve, a paisagem obscurecida pelos flocos caindo, meu caminho novamente perdido. Quando se tratava de Adair, não se podia ter certeza de nada. O passado não estava escrito em pedra. Aqui, com apenas algumas palavras, Savva desmistificara tudo o que eu sabia sobre Uzra. Cambaleei em busca de chão firme.

— Não foi isso que Adair me disse.

— Ainda não aprendeu a não confiar nas histórias de Adair? — ele riu com um ar sarcástico.

— Adair me disse que o pai matou a mãe porque suspeitava que um estrangeiro fosse o verdadeiro pai de Uzra. E então a obrigara a tomar o lugar da mãe... na cama.

— Bem, isso pode ser verdade; explicaria a razão de Uzra odiar o pai e querer se vingar da família. Por que não dizimar todo o clã se deixaram matar a mãe dela e continuaram lá, enquanto ele estuprava uma garota que o tinha como pai? Ah, não, se me perguntasse, acho que tiveram o que mereceram. Mas... tenho certeza de que algumas pessoas não concordariam. Foi justo matar seus irmãos, pobres garotinhos que não tinham nada a ver com a insanidade do pai deles? — Savva levantou-se do chão, a caixa com a parafernália de entorpecentes enfiada debaixo do braço. — Esse é o problema ao tentar dividir a culpa: raramente ela se encaixa em partes iguais. Faz diferença se ela cortou o pescoço de um ou de uma dúzia de homens? Ela tinha o direito de se vingar? Algum de nós tem? Não consigo chegar a uma conclusão sobre isso. Só sei que Uzra com certeza fez *algo muito ruim*, muitos anos atrás, para chamar a atenção de Adair, assim como o restante de nós.

Meu coração acelerou ao ouvir as palavras de Savva, e minha garganta se fechou. Não queria discutir isso com ele, mas a distinção era muito importante para mim. Sempre olhara para Uzra como prova de que Adair não se rodeava só de monstros. Se ela fosse inocente, talvez houvesse uma chance de que eu também fosse inocente, e que tivesse chamado a atenção de Adair por engano. Agora Savva me dizia que não havia esperança.

— Por que ele mentiria? Por que não me contaria a verdade sobre Uzra?

Savva fungou.

— Ah, por favor, Lanny, sabe tanto quanto eu que Adair mentia o tempo todo. Mentia para alcançar seus objetivos e encobrir seus rastros. — Ele amassou o pacote de papel-alumínio vazio até formar uma bola. — Ou talvez tenha feito confusão com a história, e essa lhe pareceu a verdadeira. Será que era verdade mesmo? É só um lado da história.

Para mim, toda aquela história tinha a lógica de um louco.

— Não acredita nisso de verdade, acredita? — perguntei a Savva, provocando-o. — Com certeza você acredita que algumas verdades sejam absolutas. Um fato é um fato.

Ele riu de um jeito sinistro, sob a respiração.

— Ah, minha cara Lanny, depois de tudo pelo que passou, não pode acreditar em algo tão singular quanto um *fato*... — Fez um gesto grandioso, indo da cabeça aos pés. — Eu não tenho explicação para o que aconteceu conosco; você tem?

— Me deixe eu lhe contar sobre o incidente que trouxe essa casa até mim — ele continuou, falando por sobre os ombros enquanto foi guardar a caixa de estanho dentro de um baú. — Estava saindo com um homem chamado Daniel, um homem adorável, mas, mesmo assim, resolvi terminar tudo com ele. Fiquei terrivelmente culpado, sabe. Ele nunca tinha estado com um homem antes; não fazia nem ideia de que era isso o que ele realmente queria. Assim que ficamos juntos, ele abandonou a esposa, a família. Mesmo um velho egoísta feito eu é capaz de sentir culpa. Senti que havia destruído sua vida, então o abandonei. Anos depois, ouvi dizer que ele estava morrendo. AIDS. Resolvi ir vê-lo; era o mínimo que podia fazer. Ainda me sinto terrível pelo que fiz a ele e agora por isso também; ele está morrendo, e isso nunca teria acontecido se não fosse por mim... — Ele engoliu o choro, trazendo a mão sobre a boca por um momento.

— Bem, fui até o apartamento dele, me sentindo o anjo da morte. Ele estava morrendo enquanto eu, olhe só para mim, não havia mudado nada desde que o vira pela última vez. Qualquer outro homem perguntaria: onde está a justiça? No entanto, ele não estava zangado; não me culpava por nada. Ele me disse que estava agradecido por eu ter entrado na vida dele. Vê? Um fato, dois pontos de vista. Qual dos dois é verdadeiro? Os dois podem ser verdadeiros?

Abri a boca, mas não tinha resposta.

— Pensei muito sobre isso — ele continuou, subitamente incisivo. — É importante para mim também. Você não é a única a se perguntar por que foi escolhida por Adair. Nós todos nos perguntamos, cada porcaria de nós. Sempre achei que ele me escolheu porque eu arruinara a vida de todos esses homens, porque eu era muito egoísta e ia atrás de qualquer homem que me atraísse. Esse era o meu pecado, e Adair era minha punição. Mas, se Daniel foi capaz de me perdoar, isso não significava que, apesar de tudo, o que fiz não foi tão ruim assim? — Savva respirou fundo. — Se conseguimos ver nossos erros e aprendemos a mudar, não deveria ser isso o que importa? Isso não deveria nos tornar dignos de sermos perdoados? Espero que um dia, talvez, seja.

❖

O haxixe deveria ter me feito dormir como um bebê, mas me deitei nos lençóis grudentos durante a noite úmida, pensando sobre o que Savva tinha me dito. Ele parecia tão seguro sobre a história de Uzra, mas como? Não tinha ouvido a história da própria odalisca durante o tempo em que eles viveram sob o mesmo teto; na época, ele ainda não falava árabe e, agora que ela se fora, não havia como confirmar a história.

Se a história de Savva era verdadeira, não conseguia imaginar por que Adair mentira sobre o passado dela para mim. Contou-me as histórias sórdidas dos outros — Dona, Tilde, Alejandro —, então, por que não a de Uzra também? Pensei sobre meus primeiros encontros com Uzra, os que tinham acontecido antes de minha transformação, e todo o tempo que passamos juntas depois que passei a ser um membro da família. Eu era a única companhia que ela buscava; será que era por isso que me identificava com ela em minha mente, por que ela me aceitava?

Eu a vi somente uma vez antes de ser transformada: na noite em que tentei fugir da casa de Adair. Doente, morrendo (como descobri depois), encontrei-a nos degraus da mansão e desmaiei aos pés dela. Só me lembro que depois eu estava deitada em uma cama, com Adair e Alejandro em pé ao meu lado, Adair decidindo se me deixaria morrer — ou viver com ele para sempre. Ainda conseguia me lembrar do rosto dele, tenso com a indecisão. O que o fez me manter viva? Será que havia uma marca negra em minha alma que só ele conseguia enxergar?

E então me lembrei de algo totalmente novo: Uzra estava lá também, ajoelhada ao pé da cama como um gato, com os olhos brilhando. Enquanto os homens me observavam, ela pressionava Adair para lhe chamar a atenção, ficou na ponta dos pés e disse algo a ele naquela língua que eu não entendia. Mas ele a entendeu; ele sabia que ela queria que ele me salvasse.

Será que ela realmente esteve lá? Não era assim que eu me lembrava dessa cena antes, mas agora era impossível vê-la de outra forma. Uzra estivera no quarto, cuidando de mim. Ela pedira a Adair para me salvar. Mais tarde, ficamos amigas: eu era sua *única* amiga. E Adair não me contou a história de Uzra até muito tempo depois, após Jonathan se juntar a nós — como se quisesse evitar que eu soubesse a verdade.

Queria culpar o narcótico por estar tonta e agitada. Fragmentos do passado passavam sobre mim como uma constelação de estrelas; ao final, talvez nossos destinos não sejam determinados. Escondendo a história dela de mim, será que Adair estava tentando me poupar? Será que não queria que pensasse mal dela? Talvez estivesse me lembrando de tudo errado. O que era a memória e como poderia ser confiável, se era tão fácil de ser alterada? Talvez fosse tudo por causa de Savva e a maldita teoria que colocara em minha cabeça, de que não havia a verdade. Parecia-me blasfêmia considerar, mesmo que só por um momento, que não havia algo como a verdade; poderia ser dito, da mesma forma, que não existiam coisas como gravidade, dia e noite. Ou que o tempo acabaria um dia, que todos envelheceríamos e morreríamos. Apesar da evidência, segurei-me à promessa de que havia *algumas* verdades das quais dependíamos, verdades que nos sustentavam solidamente, como uma parede de pedra. Não queria ser deixada à deriva no cosmos inexplicável. Minha cabeça rodava, meu coração doía. Queria que minha punição terminasse.

X

BOSTON

Adair estava em pé na sala da frente do sobrado de Jude, olhando para a rua. Durante as semanas que estivera morando ali, aprendera a odiar aquela casa; odiava sua mesmice imaculada, seu vazio monumental. Odiava as janelas gigantescas. Era como morar em uma caixa de vidro. Observava as pessoas andando na calçada apressadamente para cima e para baixo, sem notar a presença dele — como deveriam —, e, mesmo assim, ele fervilhava com um ódio indescritível ao olhar para elas. Estava zangado o tempo todo. Jude disse que isso era natural, dado a tudo pelo que tinha passado. Chamou-o de um nome pomposo: doença do estresse pós-traumático. *Não acredito nisso*, Adair retrucou. *Não acredito em nada dessa sua loucura*.

Estava começando a perceber que deveria haver algo relacionado a esse estresse pós-traumático. Mesmo com todas as coisas que conquistara nos últimos dias depois de sua fuga, continuava frustrado e agitado. Seus olhos estavam sempre na próxima conquista. O desejo, ele ponderou, parecia ser uma força constante do universo, uma condição básica do homem, ainda que a capacidade de satisfazê-lo, quase sempre, não existisse.

Tinha emergido de sua prisão profunda sem nada, nem sequer um centavo no bolso, e, no entanto, semanas depois, tinha conseguido dinheiro suficiente para ficar em pé novamente e recuperado os dois livros do conhecimento secreto, a fonte de seu poder. Deveria estar agradecido por ter conseguido isso tudo em tão pouco tempo, mas não era o caso. Sentou-

-se na casa de Jude, perguntando-se como faria para encontrar Lanore. Jude não tinha conseguido encontrar uma só pista sobre ela. Ele não poderia descansar até que estivesse em posse dela novamente, para fazer o que bem entendesse.

O paradeiro de Lanny não era a única coisa que incomodava Adair. Ele não queria admitir, mas estava começando a sentir uma crise de confiança. Ao voltar e encontrar o mundo tão mudado, começou a duvidar de si mesmo. Tudo acontecia muito rápido, e a ideia de acompanhar o ritmo o paralisava. Como poderia encontrar Lanore quando havia tantas pessoas a mais no mundo, mais cidades e vilas, mais vilarejos distantes, mais lugares onde ela poderia estar se escondendo?

Só sabia que Lanore estava *longe* o bastante para que mal conseguisse sentir a presença dela.

Observando os pedestres de uma cadeira na sala de visitas, Adair percebeu que todos estavam grudados em seus equipamentos eletrônicos — computadores, celulares, *tablets* —, assim como Jude. Aparentemente, esse equipamento complicado era a única maneira de saber o que estava acontecendo à sua volta, os olhos e os ouvidos colocados em um nível inferior. Nos velhos tempos, era muito fácil encontrar um homem, e Adair possuía uma enorme capacidade de descobrir o paradeiro de um adulto ou criança, seja seguindo pegadas e grama amassada pelo campo ou pela floresta, ou nas cidades e vilarejos, onde podia fazer perguntas dissimuladas sobre prostitutas e donos de lojas. Mas receava que agora esses talentos não o levassem muito longe no mundo de hoje, quando todas as pegadas eram eletrônicas.

Sentava-se na sala da frente da casa espartana de Jude, remoendo o problema na cabeça. Não demorou muito para Jude se juntar a ele — como ele sempre fazia, ansioso por não deixar Adair sozinho durante muito tempo, como se ele fosse um velho caquético ou uma criança sem noção do perigo, que pudesse se meter em encrenca a qualquer momento — e Pendleton vinha apressado atrás dele. Adair percebia que o uma vez poderoso empresário não estava se sentindo muito bem desde sua transformação. Agitado e cheio de trejeitos, ele ainda estava em estado de choque e sem entender nada. Passou a observar Adair constantemente e a segui-lo como se fosse um cachorro. Escondia-se nos cantos, parecendo mais uma sombra do que um homem. De todas as pessoas que já transformara, Pendleton parecia ser o que mais tinha dificuldades para se adaptar. Adair se perguntava se isso teria a ver com a Idade Moderna, se alguma coisa nos tempos de hoje tornava mais difícil aceitar o sobrenatural.

— Qual o problema, Adair? — Jude perguntou enquanto se jogava em uma poltrona. — Deveria estar feliz. As coisas não estão saindo exatamente como você queria?

Adair ergueu uma sobrancelha antes de falar:

— Ainda não tivemos nenhum progresso com relação a encontrar Lanore.

— Tenho pensando muito nisso. — Jude respondeu excessivamente entusiasmado. Toda vez que Jude estava assim, falsamente otimista, Adair sabia que não deveria confiar nele. Seu entusiasmo o incriminava. — A questão que temos nas mãos é qual a melhor maneira de seguir o paradeiro de Lanore desde quando saiu de Boston, no início de 1800, até hoje. Poderíamos contratar um investigador particular... sabe, como um detetive. — Jude ofereceu.

— Conhece um investigador que poderia aceitar um mistério de duzentos anos? — Adair perguntou com desdém.

Uma voz baixa veio do fundo da sala:

— *Eu* conheço.

Adair virou a cadeira. Quase se esquecera da presença de Pendleton. Com os olhos reduzidos a pontos vermelhos e mexendo nervosamente a ponta do nariz, ele lembrava a Adair um animal agitado, andando de um lado para o outro no pasto.

— O que você disse? — Adair bufou.

O homem cerrou os lábios com força, parecendo pensar se deveria falar novamente, mas, depois de passar um minuto, e mais outro, e de sua cabeça ainda não ter sido arrancada, ele finalmente se aventurou:

— Pode não ser nada, mas conheço alguém que poderá ajudá-lo. Já o usei no passado quando precisei encontrar informações sobre uma empresa para, uh, dar um empurrãozinho em um negócio. — Pendleton fez uma pausa, como se ponderando a legalidade do que acabara de revelar. — Ele consegue encontrar tudo, se tiver a ver com a internet.

De novo — e sem novidade — a resposta era se voltar para a internet. Adair estava cansado do jeito que as pessoas falavam da maldita coisa, a caixa mágica com seus tentáculos fantásticos aparentemente conectados a qualquer informação do universo. Mesmo assim, até agora, tudo o que Adair conseguia ver era uma toca de coelho feita pelo demônio para desperdiçar o tempo e alimentar a esperança dos homens.

Jude inclinou-se na direção de Adair com um ar confidente.

— Essa é a especialidade dele; se fosse você, ouviria o conselho. O pessoal do Jack conseguiu resolver alguns dos casos mais espetaculares de roubos de informação. Informações internas tão privilegiadas e compartimentalizadas que as pessoas juravam só poder terem vindo do contador-chefe ou do chefe da gerência de informação. Era como se ele pudesse fazer as coisas surgirem do ar.

Fazer as coisas surgirem do ar — não era isso o que ele fazia antes? Adair pensou, melancólico. Fazer o impossível aparecer com nada mais do que alguns gramas de minerais e algumas poucas palavras? O significado da frase mudara. Também servia para alertar Adair em relação a confiar demais no computador para se comunicar com os outros, já que podia revelar segredos tão facilmente. Ele ainda tinha informações que gostaria de proteger, uma fila de confidentes que plantara em diferentes localizações, mecanismos de proteção com os quais poderia contar em casos desesperadores de emergência. Era informação ligada à memória, e, naquele momento, jurou não confiar esses detalhes a um computador.

Olhou de volta para Pendleton.

— Esse homem vive aqui por perto? Consegue marcar uma reunião com ele?

Hesitante, Pendleton concordou com a cabeça, como se estivesse se perguntando se fora sensato sugerir aquilo; afinal, se não funcionasse, com certeza haveria sérias repercussões.

— Então, faça isso. Marque logo com ele.

Talvez Pendleton acabasse sendo mais útil a ele do que Jude, que não era capaz de levantar um só dedo a não ser para encher os próprios bolsos, enquanto fingia prestar serviços devotados ao seu mestre. Adair achava a transparência de Jude quase encantadora — certamente previsível —, mas, como súdito, ele tinha limitações. No final das contas, Pendleton poderia ter sido mesmo uma boa adição ao grupo.

❖

O contato de Pendleton apareceu na noite seguinte. Era um homem baixo, de pele escura, vestido com camadas de roupa amarrotada. O cabelo, que parecia não ser lavado há dias, estava grudado na cabeça, combinando com as lentes oleosas de seus óculos de armação preta. Ele fumava um cigarro amassado, quebrado ao meio, e seu olhar mudava rapidamente de Adair para Jude enquanto caminhavam até a sala de jantar mal iluminada.

— Qual é o seu nome? — Adair perguntou ao estranho.

O visitante pensou o que responder por um momento.

— Pode me chamar de Maurice. Sou estudante de graduação do MIT, fazendo mestrado.

Jude interrompeu.

— Ph.D. no MIT. Isso tudo é muito bom, mas sabe o tipo de trabalho que estamos oferecendo. Pendleton sempre disse que você era o melhor, e foi por isso que o chamei. Queremos apenas saber se consegue fazer o trabalho e se pode guardar um segredo. Quanto geralmente cobra por seus serviços?

Maurice deu de ombros, deixando cair a cinza da ponta do cigarro.

— Depende do que querem. Um trabalho grande e de natureza confidencial pode chegar até — o olhar dele se alternava entre os dois homens olhando para ele, e sua respiração ficou ofegante enquanto calculava quanto risco tomar —, talvez, $50.000,00? — Engoliu em seco e esperou.

— Esse seria um caso muito incomum. — Adair fixou o olhar nele enquanto explicava. — Imagino que o achará desafiador e, por isso, lhe pagarei $250.000,00 — disse, ciente de que Jude virara-se abruptamente, surpreso. — Assim, espero que ouça cada detalhe das instruções que lhe der. Sem perguntas. E segredo absoluto. Não pode falar a ninguém sobre seu trabalho. Absolutamente nenhum detalhe pode ser revelado. Porém, se dentro de duas semanas encontrar o que estou procurando, dobro o valor do pagamento. — Jude limpou a garganta, descontente com a liberdade que Adair tomava com o dinheiro deles.

Maurice olhou de volta para Adair, estupefato, uma fina camada de suor cobria seu rosto.

— Como poderia dizer não a essa oferta? Negócio fechado!

— Ouça atentamente — Adair continuou, inclinando-se em direção ao homem. Tinha pensado muito sobre como poderia descobrir o paradeiro de Lanore até os dias de hoje e chegara à conclusão de que, como uma mulher viva desde o início de 1800, pouca coisa estaria no nome dela. Ela estaria escondida sob a sombra de seja lá qual for o homem a quem se ligara — e era muito boa nisso, ele sabia por experiência própria. O único homem de quem ela nunca se distanciaria muito era Jonathan. Fortuitamente, quando decidira tomar o corpo perfeito de Jonathan como seu, logo após conhecê-lo, Adair já tinha providenciado uma nova identidade para ele, sob o nome de Jacob Moore. A conta aberta em nome de Jacob Moore deixaria os rastros necessários para descobrir o paradeiro de Jonathan, que, por sua vez, traria Lanore de volta para ele.

— Em 1823, uma quantidade de dinheiro foi transferida para o First Bank of Boston, da conta do conde Adair cel Rau para uma conta em nome de Jacob Moore. A conta de Moore, em Boston, recebeu depósitos de transferências vindas de bancos de São Petersburgo, Paris e de diversos outros lugares, todos provenientes da conta desse mesmo conde. O advogado, em Boston, que cuidou dessas transferências, chamava-se Pinnerly. Em algum momento, o dinheiro de Moore foi transferido para a conta de outra pessoa. Quero que descubra quem foi o beneficiário da fortuna dele.

O hacker tossiu e ergueu as sobrancelhas enquanto rabiscava tudo em um pedaço de papel.

— E então tem que descobrir o beneficiário da fortuna *desse* homem, e assim por diante, até os dias de hoje. — Adair terminou, sentando-se de volta em sua cadeira. — Em outras palavras, quero que descubra quem tem a posse do dinheiro de Jacob Moore *hoje em dia.*

— Parece uma espécie de problema de matemática tirado de um livro. — Maurice brincou, mas, quando nenhum dos dois homens que olhavam para ele nem piscaram, tirou o sorriso nervoso do rosto. — Me deixe entender direitinho: quer que encontre a trajetória do dinheiro começando duzentos anos atrás e o siga até os dias de hoje? Naquela época os bancos guardavam recibos?

— Com certeza sim — Adair replicou. — Me disseram que você é capaz de encontrar a mais obscura informação financeira, independentemente do quão bem estiver escondida. Se não conseguir encontrar a resposta, então ninguém conseguirá. É por isso que procurei você, e é por isso que estou lhe oferecendo uma recompensa tão generosa.

— Não sou historiador — ele disse modestamente. — Consigo encontrar dinheiro escondido, mas dinheiro de *hoje*. Não conseguirei encontrá-lo se estiver dentro de um livro de contabilidade em algum lugar.

— Então contrate especialistas, historiadores. Ou suborne as pessoas dentro do Bank of Boston, do Banco Central, ou seja lá o que for que precise fazer — Jude retrucou. — Imagino que seja exatamente isso que você faça: suborna o pessoal de dentro.

Maurice ruborizou.

— Vamos dizer que precise contratar consultores. Acabou de me dizer que não posso divulgar nada sobre esse trabalho...

— Não banque o engraçadinho — Jude falou. — Dê a eles só uma parte do trabalho ou esconda aquilo que você *realmente* procura. Sabe como fazer isso.

— Isso é problema seu. — Adair retomou a conversa. — Faça o que for necessário para conseguir a resposta para mim o mais rápido possível. Eu lhe pagarei $50.000,00 se falhar, $250.000,00 se tiver sucesso e meio milhão de dólares se me trouxer a resposta dentro de duas semanas.

— Só $50.000,00 se eu falhar? — Maurice franziu o cenho. Agora, seu cigarro já virara cinzas, espalhadas sobre a mesa sofisticada. — Gastarei a mesma quantidade de tempo e dinheiro conseguindo ou não a resposta.

— Não lhe pagarei a mesma coisa se descobrir ou não. Já percebi que alguns incentivos extras fazem toda a diferença entre o sucesso e o fracasso — Adair declarou, afastando-se da mesa. — Se quer um pagamento com valor alto, então o aconselho a conseguir o que quero.

A ousadia do hacker aparentemente desapareceu nesse momento, e ele olhava para baixo em vez de olhar nos olhos de seus empregadores.

— Devo admitir que esse é um pedido bem esquisito. Posso perguntar por que está fazendo isso? Se souber o que está procurando, o que realmente quer, terei melhores chances de encontrá-lo.

— Você já sabe de tudo o que precisa saber. A informação que tem vai levá-lo a uma incrível jornada. Quero que me diga aonde ela o levará — Adair continuou.

Mas tudo o que disse não ajudava em nada; o hacker pareceu ainda mais desencorajado. Adair parou, percebendo que este não era um momento para guardar em segredo nenhuma informação. Todos os seus esforços o tinham levado a essa situação estapafúrdia de um homem sentado à mesa à sua frente. Esse homem era a melhor chance de encontrar Lanore, e seria fútil contar meias verdades agora.

— Espere, há um detalhe que poderá lhe ser útil... — Olhou rapidamente para Jude, antecipando a objeção, antes de continuar. — Faça de conta que Jacob Moore nunca morreu; finja que ele está vivo por mais de duzentos anos e siga o rastro das transferências de fundos. Por último, o detalhe mais importante... esse Jacob Moore tinha uma beleza incomum, o tipo de beleza que desafia o tempo, que fica encravada na memória daquele que o vê.

O tipo de beleza que inspira o amor à primeira vista, Adair pensou com um toque de cinismo. Chegara tão perto de tomar Jonathan como seu invólucro, e a única razão — ele ria de sua ingenuidade agora — era agradar Lanore. Tinha se conformado com o fato de que ela sempre amaria mais Jonathan e pensara que, ao tomar a forma dele, poderia dar a ela o maior presente de todos: a experiência de ter um amor verdadeiro, das mãos confiantes de um homem de verdade, no corpo de seu primeiro amor. No entanto, quando Lanny descobrira o plano dele, calculou seu próprio plano de punição: duzentos anos atrás de uma parede. Era hora de lhe dar o troco... mas, mesmo assim, Adair sentia um quê de consideração no fundo de sua consciência. Distraído, saiu da reunião e deixou Jude despachar o visitante.

Caminhou até um canto, levado por uma voz que lhe cortava a fúria e a expectativa de vingança. Uma voz desolada lembrava-o de que *sentia falta* de Lanore. Ainda se lembrava de que ela, e ela somente, o fazia sentir isso. Por que essa mulher? Não que ele não tivesse escolha. Havia mulheres em todos os lugares, de todos os tamanhos, tipos, cores, idades, temperamentos, porém, nenhuma o interessava. Seus olhos passeavam sobre a multidão, sobre cada mulher, numa busca contínua por Lanore. Ficou alarmado ao perceber que somente ela poderia por fim à sua agitação.

Depois de acompanhar Maurice até a porta, Jude foi atrás de Adair.

— Qual é o seu problema? — ele quis saber.

Será que a melancolia era evidente em seu rosto? Adair se perguntou, tocando a face. Ele preferia morrer a ter que admitir a verdade a Jude.

— Do que está falando?

— Por que lhe ofereceu tanto dinheiro para fazer o trabalho? Ele teria ficado feliz com cinquenta mil. Poderia ter lhe oferecido setenta e cinco, no máximo cem. Você ofereceu muito dinheiro; vai fazê-lo querer saber o motivo.

Adair ficou feliz ao ver que Jude não fazia ideia do que o estava incomodando e, como sempre, estava focado no dinheiro. Tinha uma resposta pronta, à mão:

— Para impressioná-lo sobre a importância de encontrar a resposta. É simples: se sabe que será recompensado, tentará encontrar mais rápido, com mais afinco. Estou cansado de esperar: está na hora de encontrar Lanore.

❖

O hacker ligou nove dias depois para marcar um encontro. Parecia exausto e levemente perturbado, recusando-se a entregar as informações e insistindo que precisava explicar como tinha juntado toda a cadeia de informações para que Adair pudesse acreditar no resultado. Naquela noite, quando Maurice chegou, estava com uma aparência ainda pior do que esperavam. Parecia não ter dormido desde a última reunião; a pele estava estufada e inchada, como se estivesse vivendo à base de salgadinhos e cafeína. O cabelo estava ainda mais engordurado, se é que era possível, e exalava o cheiro forte de quem não toma banho. Até usava as mesmas roupas. Foi direto ao mesmo lugar à mesa de jantar e tirou um pequeno notebook do bolso, chamando atenção para as marcas de nicotina em seus dedos.

Parecia triunfante, até desafiador, quando olhou para Adair:

— Tenho que admitir, quando saí daqui naquela noite, achei você meio...

excêntrico. — Ele contou, escolhendo cuidadosamente as palavras. — Ninguém nunca me deu um caso como esse. Parecia algum tipo de pegadinha. Mas então comecei a pensar sobre o assunto e decidi: para o inferno! Gosto de desafios. Então, tive uma ideia logo de cara: o First Bank of Boston ainda existe. Passou por fusões ao longo dos anos, mas o fato de nunca ter ido à bancarrota significava que havia uma boa chance de as informações ainda estarem intactas. Não entrarei em detalhes, basta dizer que encontrei alguém com acesso aos arquivos históricos do banco, e você estava absolutamente certo: havia uma conta no nome desse tal Jacob Moore. — Maurice serviu-se de um copo de água da jarra que estava sobre a bandeja em frente a ele e engoliu-a antes de continuar. — Meu sócio conseguiu descobrir que todo o dinheiro foi transferido alguns anos depois para uma conta no nome dele, em um banco italiano. E isso continuou acontecendo durante aproximadamente uma década, por toda a Europa. Então, no início do século 20, Jacob Moore, que teria no mínimo cem anos de idade, transferiu todo o seu dinheiro para uma conta em nome de... — consultou seu caderno — ... Rolf Schneider, em Berlim. Isso aconteceu antes da Primeira Guerra Mundial. E é aqui que nos deparamos com um problema: os registros dos bancos na Europa ficaram todos confusos depois da guerra, especialmente na Alemanha, por causa do turbilhão político. As pessoas passaram a manter o dinheiro por perto, em caixas de sapatos e coisas do gênero... Não havia mais registros bancários em nome do sr. Schneider.

Ele dedilhou o caderno de novo, nervoso.

— Por isso, deixei os registros financeiros e fui procurar em outro lugar: certidões de casamento, registros de propriedades... um de meus sócios encontrou um registro de um Rolf Schneider matriculado em uma faculdade de medicina em Heildelberg. Fiquei me perguntando: será que era o mesmo homem? E foi aí que me lembrei de seu conselho. — O hacker encarou Adair. — Então, contratei alguém que falava alemão para olhar os microfilmes de velhos jornais, notícias da sociedade, todo tipo de coisa e mais um pouco que podemos imaginar, e, obviamente, ela encontrou essas menções sobre um belo estudante de medicina, Rolf Schneider, nessas festas sociais.

Adair quase se arremessou sobre a mesa.

— Tem uma foto desse homem, o Schneider?

Maurice fuçou no bolso e tirou uma folha de papel dobrada várias vezes. Alisou-a com a palma das mãos antes de deslizá-la sobre a mesa.

Era mais um desenho à mão do que uma fotografia. Um desenho a carvão de formas humanas — manchas de preto sobre uma superfície branca —, a imagem tão imprecisa quanto as inscrições de metal em uma lápide destruída pelo tempo. Adair conseguia distinguir alguns dos ambientes onde as figuras estavam reunidas na fotografia, mas observava os rostos desconhecidos com um ar de futilidade, reticente a poder ver alguma coisa claramente através do cinza... Mas não, não havia dúvidas sobre aquele rosto, mesmo que fosse só a sombra do maxilar ou o sulco do olho no rosto virado, emoldurado por um cacho de cabelo caído. Era Jonathan.

Adair sentou-se e deixou escapar a respiração que estava segurando.

O hacker continuou:

— Então continuamos procurando menções sobre Rolf Schneider nos registros alemães. Encontramos o cara na lista de plantão de um hospital, e de outro... E então ele desapareceu por algum tempo. Não é tão incomum. Muitos registros se perderam na Alemanha pós-guerra. Mas tentei de tudo. Tinha até um cara dentro do Departamento de Defesa para olhar os registros profissionais. Mesmo assim, a pista ficou fria e achei que o tivesse perdido. Então, por diversão, tentei acessar Rolf Schneider em todas as bases de dados que consegui. Há muitas bases de dados por aí. É por isso que as empresas estão colocando tudo o que têm em depósitos de informações, há dinheiro nelas. Vendas de bilhetes aéreos, avaliações de crédito, registros de seguros, registros escolares, registros de votos, você ficaria surpreso. Bom, encontrei uma combinação, mas a guerra já terminou há décadas. Um tal médico de nome Rolf Schneider está trabalhando para uma organização de ajuda voluntária, o tipo de lugar que envia equipes de médicos para zonas de guerra ou onde existe uma epidemia de doenças, sabe? Então, encontrei uma foto do cara em um dos panfletos informativos. — Com as mãos tremendo, o hacker enfiou a mão em outro bolso e puxou um segundo pedaço de papel, passando-o para Adair com ar de satisfação.

Essa fotografia era muito mais definida que a primeira. Era uma foto de um grupo de pessoas enfileiradas atrás de uma mesa ao ar livre, em algum lugar ensolarado. Adair viu três pessoas brancas e cinco mouros; os brancos parecendo derrubados pelo calor, os mouros sorrindo ou com expressões sérias. O homem alto e de cabelos escuros ao final da fila tinha a cabeça virada, tentando enganar a câmera e manchar a imagem. Mas não havia como confundir Jonathan com outra pessoa: não poderia haver dois deuses Sol em toda a história. A legenda dizia: "A equipe da Mercy for Peace International vacina duas mil pessoas contra sarampo, campo de refugiados de Serrat, no Chade". A data era de um ano antes.

— Só pode ser o descendente do cara. Quer dizer, é o cara cuspido e escarrado... — O hacker mostrou a primeira fotografia. Pelo tom da voz dele, um misto de encanto e medo, ele precisava ter certeza de sua suposição.

Ao longo dos anos, Adair descobrira que toda vez que alguém chegava muito perto de seu segredo, normalmente essa pessoa poderia ser demovida de continuar com o assunto: a ideia de alguém viver para sempre era muito fantástica, muito etérea. Homens comuns tinham medo de seguir essa linha de pensamento até o fim, independentemente do quão fortes eram as evidências; parecia levá-los à loucura. O hacker não iria querer saber que Jacob Moore tinha, de fato, vivido durante séculos; ele queria uma explicação lógica.

— Claro que é um descendente dele. — Adair assegurou. — Quem mais poderia ser?

Maurice olhou de Jude para Adair, e então abaixou os olhos, aliviado. Adair voltou-se para ele.

— Então, onde está o descendente de Moore agora? Ainda está em... Chade?

Maurice deu de ombros.

— Não sei. Você me disse para seguir o dinheiro. A trilha esfriou em 1914. Preciso verificar o paradeiro dele, ou sua morte, mas ainda tenho cinco dias — respondeu rapidamente.

Adair não podia fazer outra coisa exceto sorrir quando se voltou para Jude.

— Pague-o. Quinhentos mil dólares. Dou valor ao bom trabalho, e você fez um excelente trabalho. — Ele elogiou Maurice, que tremia, sem poder acreditar. — Mas, não se esqueça, não pode dizer uma só palavra sobre isso a ninguém. Se eu descobrir que contou a alguém sobre isso, ou que aguçou a curiosidade de alguém sobre Rolf Schneider, ou que alertou quaisquer autoridades...

— Ei, não se preocupe! Sei que você quer discrição.

Adair pegou as duas fotografias, deixando Jude finalizar o acordo, e foi até o escritório. Tentava ignorar os sentimentos de triunfo crescendo dentro de si, tentava não deixar sua mente se acelerar com otimismo. Estava um passo mais perto de capturar sua presa, mas sabia que deveria esperar mais obstáculos pela frente, alguns que não podia nem imaginar.

Mas primeiro tinha que encontrar Jonathan. Fechou a porta e foi até o computar procurar por Mercy for Peace International, e então discou o número do telefone informado no site.

— Alô? Estou tentando encontrar um velho amigo que trabalha para vocês... Sim, aguardo... — Ele girava na cadeira enquanto segurava o celular na orelha (diferentemente dos computadores, ele instantaneamente vira a utilidade dos telefones celulares, uma mágica que nunca pensara ser possível). — Alô? Sim, estou procurando um amigo que trabalha para sua organização e me disseram que poderiam me ajudar. O nome dele é... — Adair disse o nome cuidadosa e precisamente, então ouviu enquanto a mulher do outro lado da linha explicava que tinham uma política de não passar informação sobre seus funcionários.

Outro obstáculo foi colocado em seu caminho. Estava cansado de ficar desanimado. Para encontrar Lanny, encararia qualquer desafio — tinha testemunhado os sacrifícios que esse Maurice, esse genial ladrão de informações, tinha enfrentado para fazer Adair chegar até aqui, e agora fora tolhido por uma atendente insignificante. Ser atrapalhado dessa maneira o deixava maluco. A fúria se alastrou sob sua pele, tímida e certeira feito um trovão no horizonte. Poderia quase jurar que sentiu faíscas no ar, e a conexão entre ele e a voz do outro lado da linha se acendeu como fogo.

De repente, voluntariamente, a mulher prosseguiu, dizendo que o médico tinha tirado uma licença prolongada e não poderia ser contatado, mas que ele dissera a um colega que iria visitar uma velha amiga na cidade onde tinham crescido. Mal se lembrando de agradecê-la, Adair desligou o telefone, surpreso por sua sorte. Será que tinha feito a mulher falar simplesmente por seu desejo ou fora um lapso? Ou ela era uma fofoqueira?

Pensou sobre o sentimento que tomou conta dele e sobre a eletricidade no ar, e resolveu refletir sobre isso mais tarde.

Porque agora teria que fazer uma viagem. À casa de infância de Lanny, por que não pensara nisso antes? Já tinha visto isso tantas vezes naqueles que transformara: o impulso de voltar ao lugar de origem e encontrar o aconchego de casa novamente, mesmo sabendo que será somente uma sombra do que fora um dia. Todos os seus súditos sentiam isso, uma vez ou outra; alguns, sobrepujados pela grandeza do mundo, não foram capazes de escapar do passado, e Adair fora obrigado a matá-los, para o próprio bem deles.

Estava decepcionado que a mulher que sempre pensara imprevisível tivesse se comportado de maneira tão previsível. Porém, Adair podia entender o quanto Lanore se sentia atraída a ir para casa com Jonathan, em uma viagem aconchegante. Ele os imaginou voltando aos lugares em que costumavam ir quando eram amantes adolescentes, recriando aqueles momentos apaixonados, e a ideia o deixou levemente irritado.

A caminho da cama, Adair disse para Jude comprar uma passagem para St. Andrew, no Maine.

XI

CASABLANCA

Ao final de minha terceira semana em Casablanca, estava pronta para partir. A ideia de viajar me deixava nervosa, como se qualquer movimento pudesse atrair a atenção de Adair e colocá-lo no meu encalço, mas viver com Savva tornara-se irritante o suficiente para me fazer querer correr o risco. Não queria ser cruel ou mal-agradecida, mas acho que me esquecera de como era lidar com ele no dia a dia ou, talvez, tinha fantasiado o tempo que passamos juntos.

A verdade é que ele fora uma pessoa muito difícil de conviver naquela época, sempre nos arrumava problemas com seu temperamento inconstante. Fazia julgamentos instantâneos quando conhecíamos estranhos, amando-os como se fossem irmãos que não se viam há muito tempo ou odiando-os tão intensamente quanto um inimigo jurado de morte. Tinha surtos de loucura durante dias antes de desabar em exaustão. Gastava nosso dinheiro compulsivamente, sem se importar como conseguiríamos mais, e eu ficava furiosa, achando que a mudança dependia dele. Deveria saber que havia mais alguma coisa naquele comportamento descontrolado, pois os sinais estavam todos lá. No entanto, na época, não sabíamos nada sobre distúrbio bipolar. Em vez disso, deixávamos pessoas como Savva chegar a uma exaustão emocional e física, dopando-se com láudano ou álcool, até cometerem suicídio ou serem trancados em uma prisão ou em um hospício.

Savva estava muito pior agora, viciado demais para se medicar com responsabilidade; tinha demônios muito maiores que seu desequilíbrio químico com que brigar, e muito pouca força de vontade na qual se apoiar. Seu humor oscilava de uma hora para outra, e ele geralmente estava furioso, irracional e paranoico, apesar de ficar um pouco menos hostil quando estava dopado. Injetava-se drogas com tanta frequência que era mais eficiente com uma agulha que uma enfermeira. Engolia quaisquer pílulas que lhe caíssem nas mãos, e álcool era o único líquido que ingeria. Tinha medo de ficar perto dele, mas, ao mesmo tempo, tinha pena de deixá-lo nessa condição. Terapia antidrogas poderia ajudá-lo com seja lá qual for o distúrbio que tivesse, mas não conseguia ver um modo de colocá-lo sob cuidados médicos. Ficava furiosa ao pensar que Adair tivesse visto essa fraqueza em Savva e o escolhera mesmo assim, condenando-o a uma eternidade de sofrimento em troca de algumas apresentações a aristocratas russos.

Após essas semanas na presença de Savva, entendia por que ele vivia daquele jeito. Raramente saíamos do apartamento. Ele dava uma fugidinha quando precisava fazer sexo, ainda que, de vez em quando, fôssemos visitados por um jovem de olhos escuros e desconfiados, e os dois iam até o corredor para conduzir a transação, murmurando em árabe. Às vezes, um amigo passava por lá, um jovem belo ou algum brutamonte mais velho, e eu saía para lhes dar mais privacidade. Ao voltar, encontrava-o dormindo sobre o colchão podre que lhe servia de cama.

Dessa maneira, foi compreensível o meu alívio quando, um dia, Savva veio dizer-me que pensava ter a solução para a minha situação. Concluíra que, já que viera porque precisava de ajuda, não tinha escolha a não ser procurar aqueles que serviram como súditos de Adair.

— Precisa de um conselheiro melhor que eu, Lanny. Adair nunca me amou o bastante para me querer por perto, muito perto — ele explicou. — Ele nunca me contou segredos. Você precisa de alguém que tenha passado bastante tempo com ele. Acho que deveria procurar Alejandro.

Meu coração se apertou diante da recomendação dele.

— Alejandro? Ele não falará comigo. Ele acha que Jonathan e eu afastamos Adair dele.

— Bem, você não tem escolha a não ser contar a verdade e convencê-lo a ajudá-la. Preferiria ir até Dona? Alej é o único com quem terá uma chance. Além disso, de todos nós, ele sempre foi o mais conciliador, o que colocava panos quentes em qualquer conflito do grupo. Era ele quem sabia lidar com Adair.

Pensei em Alejandro. Ele tinha sido o mais gentil de todos os membros da família de Adair, isso era verdade. Mas o pecado que o condenava era a traição: tinha entregado a irmã aos inquisidores para salvar a própria pele. Esperava, para o bem dele, que tivesse mudado e, quem sabe, encontrado a redenção. Em meu coração, certo ou errado, não confiava dele.

— Não sei, não, Savva. Nunca soube o que pensar de Alej. Com Tilde e Dona, pelo menos, sempre soube como me posicionar. Alej mantinha suas verdadeiras intenções para si mesmo. Não sei se ele irá me ajudar depois que souber que fui eu a responsável pelo desaparecimento de Adair; ele o idolatrava.

Savva manteve-se resoluto.

— Eu não presumiria que ele se sinta do mesmo jeito agora. Você se lembra do que é viver com Adair: é como ser uma vítima de sequestro, sempre tensa, sempre amedrontada. Faz-se qualquer coisa para evitar ser o objeto da atenção dele ou deixar que a raiva dele recaia sobre si. Alejandro teve um longo tempo para se curar, para analisar o que aconteceu naquela época. Ele é uma pessoa diferente agora. — Savva beijou-me a mão e deu um tapinha carinhoso nela. — Sou inútil para você agora. Principalmente na condição em que me encontro. Vá procurar Alejandro. Sei onde ele mora. Vou dizer a ele que você irá vê-lo. Mas teremos que ir até cidade para fazer isso. Aqui não há sinal de celular, nenhum. Precisaremos ir até o hotel onde ficam os turistas.

O hotel era um lugar muito exclusivo, do tipo onde se hospedam estrelas do rock e ricos mimados durante a temporada na cidade. Sinto dizer que me senti envergonhada de ir lá com Savva, que parecia estranho com sua miscelânea de roupas sobrepostas. Fiquei com medo de não nos deixarem ficar ali — os funcionários com olhos de águia tentaram nos expulsar enquanto tentávamos nos acomodar no saguão —, mas eu pedi para servirem um chá com biscoitos, bem caro, e isso pareceu assegurá-los de que nos encaixávamos naquele lugar, de que Savva era apenas um excêntrico, não um vagabundo.

Savva saiu sozinho para fazer a ligação, enquanto eu checava meus e-mails. Esperava meu computador reiniciar, depois de uma longa dormência, quando o meu celular voltou à vida, tocando e vibrando. Olhei a pequena tela e vi vinte recados de Luke na caixa postal.

— Pelo amor de Deus, onde você está? Por que não atende? — Era a voz dele, no entanto, mais vulnerável do que eu jamais ouvira antes, e me atingiu o estômago como uma bola de beisebol.

"Atenda, Lanny. Não faça joguinhos comigo..." "Não tive a intenção de perder o controle..." "Me ligue. Pelo menos para saber se você está bem, que nada lhe aconteceu." E a voz dele se engasgou no silêncio, como se tivesse se lembrado do que lhe contara sobre Adair, imaginando se meus medos se tornaram realidade. A pausa doentia quase foi o suficiente para me fazer ligar para ele, para dizer que estava tudo bem, para me desculpar por deixá-lo tão preocupado. *Quase*.

Havia e-mails também. Um, particularmente longo, me chamou a atenção, obviamente escrito depois da enxurrada de ligações, quando já tivera tempo de pensar em como me persuadir a voltar para ele. Era clínico, como se o profissional — dr. Findley — tivesse me analisado e estivesse pronto para me dar o diagnóstico. Expôs minha motivação psicológica para deixá-lo, explicando que eu estava agindo por causa do medo e que fugira porque, no inconsciente, tinha medo de que ele fosse me abandonar como Jonathan o fizera. Indo embora, ele escreveu, estava o testando, mas eu tinha que perceber que ele não era Jonathan e que nunca faria aquilo comigo. Podíamos discordar e discutir, mas, se confiasse nele, eu voltaria e juntos resolveríamos nossas diferenças. Para uma carta de amor, parecia estranha, desprovida de paixão.

Naquele instante vi que ele, assim como tantos homens, se mantinha distante das emoções. Era incapaz de se entregar à paixão, como se tivesse desistido disso há muito tempo. O mais perto que tinha se aproximado desse sentimento foi quando fugira comigo, mas a anomalia perigosa fora corrigida e o velho Luke estava de volta. Ele não era perfeito, como eu pensara no início: tinha seus defeitos, uma parte da psiquê amputada, e deve ter sido essa a razão para me sentir tão atraída por ele. Não por sua estabilidade, mas porque estava arrasado e eu queria protegê-lo.

A essa altura, eu estava chorando e alcancei o guardanapo da bandeja de chá para limpar minhas lágrimas. Mesmo assim, não liguei para ele nem respondi ao e-mail.

— O que foi? — Savva me perguntou quando voltou do canto do saguão, colocando seu celular no bolso.

— Existe um homem... — Funguei, muito abalada para explicar toda a história, e meio com medo do que Savva diria. — Deixei-o assim que senti a presença de Adair, assim que soube que Adair estava livre.

Savva me ouvia enquanto eu lia o e-mail de Luke para ele.

— Que romântico da parte dele! — Seu tom era ridículo, como se achasse a análise de Luke nada além de romântica. — Mas você está certa: com Adair vindo atrás de você, não pode se dar ao luxo de mantê-lo por perto apenas pelo prazer da companhia dele. Precisa viajar com pouca bagagem. Ele só vai atrasar você. Tudo isso faz parte da maldição: estamos fadados a ficar sozinhos.

Esfreguei o guardanapo despedaçado sob meus olhos, apesar de minhas lágrimas terem parado assim que a realidade do que ele estava dizendo começou a fazer sentido. Não poderia me esconder para sempre e não toleraria viver em um estado perpétuo de medo — ou fugir para sempre —, enquanto Adair pudesse encontrar todas as pessoas importantes para mim e tornasse nossas vidas um inferno até conseguir o que realmente queria: eu.

— Encare a realidade, somos fadados à infelicidade — Savva afirmou, inclinando-se em minha direção. — Claro que queremos ter alguém conosco, para nos afastar da solidão. Para nós, pode até ser necessário, já que estamos trancados nesses *recipientes* sem idade, invólucros, Adair os chamava, com a memória das coisas horríveis que fizemos. Viver por alguém deve ser a única maneira de seguir em frente.

Ele estava certo: foi dessa maneira que tinha conseguido sobreviver durante todos esses anos sem Jonathan. Era a esperança de vê-lo de novo que me fazia não perder a cabeça.

— Se é assim que pensa, por que não encontra alguém? Por que não faz isso em vez de viver sozinho e ficar se drogando para conseguir sobreviver?

— O amor nunca funcionou para mim. — Ele pegou minha xícara de chá e deu um gole. — Consigo achar alguém que me ame, esse não é o problema. Só que eu não consigo amá-lo de volta. Não consigo deixar de magoá-lo. Sempre pensei em mim mesmo como aquele escorpião daquela história infantil, sabe qual? — Um sorriso triste surgiu no rosto dele. — Um escorpião pede ao sapo para ser carregado em suas costas para atravessar o rio. O sapo recusa, dizendo que o escorpião irá picá-lo e matá-lo. O escorpião argumenta que isso seria absurdo: se matasse o sapo, o escorpião se afogaria e morreria também. Conhece o final, é claro: o escorpião pica o sapo, e, enquanto os dois boiam na água, o sapo pergunta ao escorpião por que matou os dois. E o escorpião responde porque sim. Fazia parte da natureza dele. — Savva mantinha os olhos azuis e frios em mim. — Também está na minha natureza. É o que Adair procura, eu acho. Está em sua natureza, Lanny, caso contrário, nunca o teria atraído.

As palavras dele atingiram o meu peito como tiros de chumbo. Não queria acreditar em Savva, mas, obviamente, ele estava certo. Preferia acreditar que tínhamos uma chance de salvação se brigássemos contra nossa natureza com toda a nossa vontade, e que o verdadeiro merecedor seria premiado com o amor perfeito. Savva zombaria dessa futilidade sentimental, uma ideia bela que era impossível de ser colocada em prática. Mas não fazia diferença em que eu queria acreditar agora: com Adair à solta, era muito improvável que eu tivesse a chance de amar alguém novamente.

Savva ajudou-me a levantar da cadeira, colocou meus braços sob os dele e deixamos o conforto e a segurança do hotel, o ar-condicionado e o Wi-Fi pela terrível realidade das ruas marroquinas. Enquanto estávamos na calçada, esperando o tráfego parar, ele falou:

— Por sinal, Alejandro concordou em encontrar você. Precisamos parar em uma agência de viagem para marcar um voo para a Espanha.

— Tudo bem. — De repente, estava com medo de pensar em ir embora de Casablanca. Viajar significava me tornar vulnerável, como um coelhinho colocando a cabeça para fora da toca quando sabe que a águia está sobrevoando o céu. Não sabia se estava pronta para isso.

— Há uma coisa que preciso lhe perguntar, Lanny. — Savva continuou, guiando-me pela rua sem olhar para mim. — Quero que me prometa que, se Adair *realmente* pegar você, quando tiver a oportunidade, peça a ele para me encontrar. Quero pôr fim à minha existência. Por razões óbvias. — Abri a minha boca para fazer uma objeção, mas ele puxou meu braço para me silenciar. — Não discuta. Você fez o mesmo por Jonathan, então, sei que compreende. Seria uma bênção. Por favor, Lanny. Me prometa que, se tiver a chance, fará isso por mim. Me prometa isso.

❖

Com reservas feitas para viajar a Barcelona na manhã seguinte, tinha só mais uma noite para passar em Casablanca. Ansiava por sentar-me na varanda e fumar um cigarro atrás do outro até o dia amanhecer, mas uma voz no fundo de minha mente lembrou-me de que tinha parado de fumar para agradar Luke. Tinha que rir de mim mesma: se não conseguia nem acender um cigarro, claramente ainda não tinha me livrado dele completamente, não em meu coração.

Chegava a ficar enjoada pelo que tinha feito a ele. Assim como Savva, eu parecia destinada a magoar aqueles que me amavam. Todas as vezes em que me encontrava em situações emocionais complicadas, tentava passar por cima da mágoa. Dois séculos atrás, eu fugira em vez de ser mandada para um convento e abrir mão do bebê de Jonathan. Fugira de Adair e, ao longo dos anos, também deixei outros homens para trás, por diferentes razões; e agora, no meio de uma briga com Luke, entrei em pânico e fugi.

Esperava estar fazendo a coisa certa abrindo mão dele. Queria acreditar que não éramos feitos um para o outro e que o teria deixado um dia, de qualquer forma. E, já que ele se protegia da verdadeira paixão, de querer muito alguma coisa, não achei que a minha partida o deixaria arrasado. Era melhor partir agora, eu o magoaria menos... será que algum dia o magoaria menos?

E, acima de tudo, tinha que levar em consideração as filhas de Luke. Durante duzentos anos evitei me envolver com homens que tivessem filhos. Destruir o coração de um homem era uma coisa, tirá-lo da vida de uma criança era outra completamente diferente. Por minha causa, era difícil para Luke ver as meninas, já que sua ex-mulher, Tricia, não queria, com razão, que as garotas soubessem que o pai estava vivendo com uma assassina fugitiva. Mesmo que os temores de Tricia fossem superados, haveria um dia quando o pai delas estaria muito velho e eu continuaria a ser muito jovem — até mais jovem do que as próprias filhas —, e não haveria nada a ser feito exceto desaparecer. Contei a Luke sobre minha imortalidade, mas sabia que não poderia dividir esse segredo nem com suas filhas nem com a ex-mulher. E sabe lá Deus o que aconteceria se um dia Adair descobrisse que Luke conhecia nosso segredo. Não, não poderia envolver ele e as filhas nesse tipo de perigo.

Para nossa última noite, Savva insistiu em me levar a um café, onde comemos um *tagine* de carneiro maravilhoso, temperado com gengibre, açafrão e coentro, e relembramos nossas viagens juntos pelo norte e centro da África. Naquele tempo, escolhemos esse lado do mundo por ainda ser, em grande parte, dominado por tribos e líderes locais, e era mais fácil manter-nos desconhecidos sem um governo respirando em nosso pescoço. Em um ambiente tão sem regras, também encontramos maneiras de fazer dinheiro sem o incômodo de encontrar trabalho legítimo, que exigiria nomes e histórias, o tipo de coisa que nos enlouqueceria.

Durante o jantar, Savva me lembrou da época em que vendíamos armas que roubávamos do posto militar britânico para os próprios afegãos com quem estavam lutando: típico de Savva, ele enchia os bolsos enquanto colocava o dedo no nariz dos comandantes. Nossa aventura tomou um rumo inesperado, mas Savva, em sinal de lealdade, permaneceu ao meu lado e, no final, cuidou de mim como só um verdadeiro amigo poderia fazê-lo.

Como era de se esperar, ao pegar no sono naquela noite, sonhei com aquele incidente e o sonho me levou a uma epifania que gostaria que tivesse ficado escondida de mim para sempre.

TERRITÓRIO AFEGÃO, 1841

Lembro-me de que os ventos vindos da Passagem de Khyber, naquele dia, eram diferentes de tudo o que já sentira antes, mais cortantes e ásperos do que os ventos quentes e fortes vindos do Saara. Lembro-me de ficar em pé sob o Sol a pino, sob camadas de roupas masculinas, calças e um tecido parecido com o *keffiyeh*, o turbante usado pelos homens árabes, protegendo meu nariz e minha boca da areia. Mantinha meu rifle longo apontado na direção dos homens com quem praticávamos escambo.

Savva estava na bacia do vale barganhando com um comandante pashtun, nosso intérprete ficava ao lado dele. Ele usava roupas brancas masculinas, com a cabeça enrolada em um tecido igual ao meu, e parecíamos ingleses enrolados em farrapos. Embaixo de tudo, eu estava ensopada e tentava fazer com que o suor não desencadeasse um ataque de nervos; mantinha minhas mãos firmes sobre o rifle e procurava manter os olhos, semicerrados e banhados de suor, nos vinte homens da tribo que permaneciam ao redor de Savva e do comandante.

Os pashtuns eram conhecidos por serem excelentes cavaleiros, sujos como a própria poeira, quase sem dentes, e serem extremamente violentos. Não gostariam de saber que eu era mulher. Não estava surpresa por não haver nenhuma mulher no grupo que viera barganhar conosco. Aparentemente, homens e mulheres não se misturavam, a não ser que fossem uma família. Uma vez, durante uma visita a um vilarejo afegão, consegui dar uma olhada rápida em uma figura vestida de preto se escondendo entre os casebres de lama, cuja vestimenta diáfana me fazia lembrar de Uzra, que tinha o hábito de enrolar-se dos pés à cabeça em um tecido comprido e torcido. Parecia o meu próprio vilarejo, pouco tempo atrás, e como nós, mulheres, também éramos presas sob camadas e camadas de saias, espartilhos, cachecóis, lenços de cabeça e todo tipo de roupa, para proteger nossa virtude. E também ficávamos separadas dos homens. Em algum momento do tempo, não éramos assim tão diferentes.

As negociações começaram animadas, dava gosto de ver. Savva desenrolou um cobertor no chão e colocou alguns rifles à mostra. O jovem comandante levantou um rifle desarmado e começou a investigar os mecanismos, perguntando se eram tão bons quanto os dos soldados ingleses, seus olhos negros e pequenos indo primeiro para o tradutor, depois para Savva.

— Claro! — Savva ria. — De quem você acha que os consegui? — Era descarado de nossa parte vender as armas roubadas dos britânicos aos seus próprios inimigos, mas Savva, russo que era, achava praticamente patriótico da parte dele atrapalhar a tentativa britânica de colonizar o Afeganistão, dado que os próprios russos também tinham interesse na área. De qualquer forma, nossa principal razão para repassar armas roubadas era ganhar dinheiro.

Sob o céu sem nuvens, enquanto reposicionava o rifle para amenizar a dor de meus ombros, não conseguia parar de pensar por que esses homens destemidos simplesmente não nos dominavam e levavam as armas. Tanto eu quanto Savva éramos minúsculos comparados até mesmo aos mais jovens entre os afegãos e, com certeza, não tão perigosos quanto os mais velhos, que, apesar de enrugados e de cabelos grisalhos, pareciam capazes de partir criaturas ferozes ao meio com as próprias mãos. O comandante líder, que conversava com Savva naquele momento, era uma figura particularmente impressionante. Era pelo menos meio metro mais alto do que meu amigo, de ombros largos e pernas longas, e eu o comparava a um daqueles atletas gregos sobre quem o velho professor em St. Andrew costumava contar histórias.

Enquanto o observava, o homem, impaciente, afastou o tecido para beber de seu cantil de couro de cabra, revelando um rosto escuro e belo. Ele imediatamente me lembrou de Adair, pela mistura de selvageria e intelecto em sua expressão, e pelos longos cachos de cabelos escuros caindo sobre os ombros.

Farrar, o intérprete, com a cabeça baixa em sinal de deferência, conduzia a negociação com os afegãos, mas, a essa altura, estava tão agitado que ficava evidente que as coisas não estavam indo bem. Os membros da tribo começaram a olhar uns para os outros desconfiados.

— Uma caixa de pedras? — A voz de Savva ecoava pelo chão duro onde eu estava. — Ele quer nos dar uma caixa de rochas em troca de bons rifles britânicos?

O intérprete gesticulou vigorosamente em direção à caixa de estanho arranhado perto dos pés deles.

— Não são simples pedras: são lápis-lazúli. Muito preciosas para essas pessoas. Eles estão oferecendo uma fortuna.

Savva agachou-se perto da caixa e tirou uma das rochas. Cuspiu na mão e tentou limpar a sujeira encrustada, mas aquilo não parecia outra coisa além de um pedaço de pedra extraída diretamente da terra. No entanto, quando a colocou em outra posição, o Sol iluminou um veio azul.

— Pode vendê-las em Cabul. Sei que lhe pagariam um bom preço. — O intérprete explicou a Savva enquanto assentia com a cabeça para passar confiança aos membros da tribo, com os rostos sem expressão.

— Isso é ridículo, querer trocar pedras por armas. Eles acham que somos idiotas. Eu quero ouro. Eles não têm ouro? — Savva rugia.

Reposicionei as minhas mãos úmidas sobre o rifle, mas meus braços não estavam mais aguentando.

— Sem ouro. Mas se lembre de que têm as nossas vidas em suas mãos. — O intérprete avisou, puxando Savva para mais perto. — Acredite, você será muito bem recompensado na cidade.

Savva jogou as mãos para cima e enfiou a caixa embaixo dos braços enquanto escalava a colina em minha direção.

— Muito bem... se isso é o melhor que podemos fazer... diga a eles que o negócio está fechado. Vamos lá, Lanny, vamos mostrar a eles como se usa essas porcarias de rifles, conseguir o que queremos e sair daqui.

Usávamos qualquer coisa à mão como alvo. Melões da terra, abóboras, carcaça de bode colocados nas rochas a distância, e então demonstrávamos como mirar e atirar. Entre nós dois, Savva era de longe o melhor atirador, e a maioria dos homens se aglomerava ao redor dele, mas o comandante a quem eu observara antes veio até mim, com os braços cruzados. Mais uma vez, seu comportamento prepotente me deixou um pouco tonta, e lutei contra meus nervos enquanto ergui o rifle, fechei um olho e fixei-me na longa fila de melões a distância, quase da mesma cor da rocha na qual foram colocados. Respirei fundo, segurei o fôlego e puxei o gatilho o mais suavemente possível. Entre a nuvem de fumaça e o barulho assustador de um trovão, o melão explodiu quase instantaneamente, a polpa se espalhando pelo ar. Não pude conter o sorriso de alívio por baixo de meu lenço, por não ter errado o alvo, e, quando olhei para o líder, ele também sorria.

Não adiantava nada tentar mostrar-lhe como segurar o rifle corretamente, já que era muito mais alto e eu tinha que levantar as mãos por cima da cabeça para posicionar seus braços. Assim, fiz o melhor que pude:

peguei meu rifle, fiquei em pé ao lado dele e comecei a imitar o passo a passo. Muitos outros homens vieram nos assistir e bater nas costas do companheiro quando, após os primeiros tiros, ele mandou pelos ares uma das abóboras, como um gato escaldado.

Quando terminamos, o céu tinha mudado de azul-água para o azul--índigo que caía no topo das montanhas, e, enquanto os dois grupos empacotavam suas coisas, o intérprete veio até nós.

— Por já ser muito tarde, o líder convidou vocês dois para jantar com eles e passar a noite no acampamento — disse, olhando de soslaio por sobre os ombros de volta para os afegãos.

— Está fora de questão — Savva respondeu.

— Você não entende; seria um insulto não aceitar.

— Primeiro você nos fez trocar boas armas por uma pilha de pedras; agora, quer que passemos a noite nas tendas deles, para que possam nos assassinar enquanto dormimos. Não — Savva retrucou. – Eu sabia por que estava tão rabugento: o ego fora ferido por ter sido obrigado a aceitar o que achou ser um pagamento menor pelo nosso precioso carregamento de armas britânicas. Savva. Na companhia dos afegãos, ele ficaria irritado a cada minuto.

— De acordo com nossos costumes, ele deve lhe oferecer hospitalidade. — Havia algo de súplica nos olhos do homem.

— Tudo bem com essa conversa de honra e costumes, mas estamos lidando com um bando de selvagens. Eu, por exemplo, não vou passar a noite no acampamento deles. Você, faça o que quiser. Nós vamos embora.

Eu já vira aquela expressão no rosto de Savva antes: ele era impulsivo e teimoso quando achava que tinha sido passado para trás. Era impossível forçá-lo a fazer algo uma vez que estivesse resoluto, e parecia que, quanto mais pressionado, mais ele resistia.

— E se não aceitarmos a oferta? — perguntei, verificando a pistola que guardara em meu cinto.

O intérprete deu de ombros.

— A passagem da montanha é bem difícil, viram com seus próprios olhos, e é ainda pior no escuro.

— Não sei — eu disse com as mãos nos quadris. — Farei o que você decidir, Savva, mas acho que deveríamos ouvir Farrar. O que é uma noite?

Savva coçou o queixo.

— É mais uma noite perto *deles*. Se formos embora, estaremos livres e, não sei quanto a vocês dois, mas eu me sentiria infinitamente melhor. — Decidido, ele bateu a mão no ombro de Farrar. — Diga a eles que agradecemos o convite e que não queremos parecer desrespeitosos, mas teremos que declinar a hospitalidade deles — ele disse.

Savva e eu fomos embora a cavalo, a caixa de lápis-lazúli amarrada à sela dele, sob os olhares intensos dos homens da tribo. Eu sabia que nada de bom viria daquilo.

Cavalgávamos há uma hora quando ouvimos o barulho alto e rápido de cascos na trilha atrás de nós, pontuado pelo estalo do chicote nos flancos dos cavalos. Savva, que tinha a audição de uma raposa, imediatamente bateu as esporas na anca do cavalo. O alazão, provocado, quase saltou de debaixo dele e rasgou a galope por um caminho quase invisível. Agarrei o pomo da sela enquanto meu cavalo disparava atrás do dele, deitando-me sobre o pescoço do animal e cravando as esporas nele com toda a força.

Os pashtuns eram excelentes cavaleiros e estavam familiarizados com essas passagens: conheciam todos os atalhos, quais trilhas não tinham saída, quais acabavam em um precipício. Com a escuridão chegando, eu me perguntava quando a estrada terminaria repentinamente e eu cairia no vazio, montada em um Pégaso sem asas.

A trilha começou a atravessar passagens, serpenteando cegamente à esquerda, depois à direita, e eu não conseguia ver nem Savva à minha frente nem os cavaleiros atrás de mim, apesar de ouvir o barulho deles sobre o som dos cascos de minha própria montaria. Assim que a trilha emergiu de dentro de uma clareira e pude ver Savva na minha frente, duas figuras montadas em cavalos me cortaram à esquerda, repentinamente, tiraram Savva da trilha e o levaram com eles. Os cavaleiros aparentemente pegaram um atalho e conseguiram nos alcançar, e, no momento em que pensei em sair do caminho e me esconder no mato, fui pega por trás.

Rolei no chão com meu agressor, em uma profusão de tecidos voando e nuvens de poeira, e me desvencilhei dele antes que ele pudesse ficar em pé e ir atrás de mim. Na escuridão, muitos outros cavalos passavam apressados quando meu perseguidor pulou sobre mim, me jogando no chão novamente; dessa vez, ele me prendeu colada ao chão e esticou a mão para arrancar meu cachecol. Um ar de surpresa escapou dele ao ver meu longo cabelo louro surgir, e ele relaxou um pouco a pressão em volta do meu braço, permitindo que eu puxasse a pistola de minha cintura e pressionasse a ponta da arma embaixo de seu queixo.

Ficamos parados no lugar enquanto eu tentava calcular rapidamente se havia mais cavalos vindo pela trilha ou se o restante dos homens tinham ido atrás de Savva. Ao mesmo tempo, o homem me soltou e manteve as mãos longe do corpo, parecendo indicar que desistira da caça. Quando ele se afastou, vi que era o líder a quem eu ensinara a atirar, segurando um sorriso.

Ainda estávamos em pé do mesmo jeito, nenhum dos dois fazendo qualquer tentativa de diálogo, quando os outros cavaleiros surgiram, juntos, de dentro da escuridão, em um trote lento. Savva estava no meio deles, puxado por uma corda em volta do pescoço e com as mãos amarradas para trás, parecendo ter passado por uma briga.

— E agora? — perguntei a Savva, minha pistola apontada para o líder.

— Eles podem trocá-lo por mim, mas infelizmente nunca saberemos porque eles não falam inglês e nós não falamos a maldita língua deles. — O grupo parou ao ver uma mulher apontando uma arma para o peito do líder. — Eu desistiria — Savva retrucou. — Não dá para atirar em todos eles.

— Talvez, se eu atirar em alguns, os demais nos deixarão partir.

— Ou atirarão em nós e pegarão as pedras de volta.

Armei o gatilho, por precaução. Não queria atirar no homem, mas ele era o único que conseguiria atingir sem problemas, por causa da escuridão. Nesse momento, o restante do bando surgiu de uma trilha vinda de outra direção, dois bandidos traziam Farrar com as mãos amarradas com uma corda.

— Farrar! — Savva gritou bem alto. — Diga a esses demônios para deixarem Lanny ir embora.

O intérprete grunhiu algumas poucas palavras ao líder para quem a arma estava apontada, mas, antes que ele pudesse responder, um dos anciãos cuspiu palavras duras ao líder e, em seguida, a Farrar.

— O ancião diz não. Ele não gosta da maneira como você desrespeitou o pagamento deles. Ele acha que menosprezou a amizade deles quando lhes recusou a hospitalidade. — O intérprete explicou com desânimo.

— Eles podem ter as malditas pedras de volta; é só nos deixarem ir embora! — Savva gritou.

— Sugiro, srta. Lanore, que entregue sua pistola. Será pior para nós se insistir em desafiá-los — Farrar disse.

Como se quisessem provar o que estavam dizendo, o homem que segurava a corda amarrada ao pescoço de Savva deu um puxão violento, fazendo-o cair de joelhos.

Ergui a pistola para cima, com o cano para o ar, e levantei as minhas mãos, em rendição.

❖

De volta ao acampamento pashtun, fomos colocados em uma das tendas, e havia um soldado para nos vigiar. Ouvia vozes do lado de fora da tenda, que fora construída com tapetes *kilim* esticados sobre varas fincadas no chão. Também sentia o cheiro de fumaça saindo da fogueira e o aroma agradável de carne cozinhando.

— Consegue ouvir o que eles estão falando? — perguntei a Farrar.

— Só imagino que estejam resolvendo o que farão conosco — o intérprete respondeu. — Eles não têm apreço por estrangeiros, mesmo que tenha lhes trazido armas para usar contra os britânicos. Aprenderam a não confiar em forasteiros. Sinto dizer que acho que as coisas não terminarão bem para nós.

— Eles já têm o tesouro de volta e as armas, então, por que seriam vingativos? Deveriam nos deixar ir embora, se têm tanta preocupação com a honra — Savva comentou.

— Você não entende a honra sob o ponto de vista deles. Como pode ver, essas pessoas são nômades e pobres, e lhe ofereceram o pouco que tinham, o que é obrigação deles como anfitriões, e você recusou.

— Se tivesse me explicado dessa forma — Savva retrucou, um pouco na defensiva —, não teria recusado o convite.

— Isso é muito ruim. — Farrar abaixou a cabeça.

Ficamos em silêncio por um momento. Savva, sentado de pernas cruzadas no chão, soltou o corpo para frente, desmoralizado.

— E quanto... à honra de Lanny? Será que eles vão machucá-la?

Farrar pareceu confuso por um segundo, e então conseguiu acompanhar a linha de raciocínio de Savva.

— Não sei. É possível. Geralmente atos como esse vão contra nossos costumes. Respeitamos as mulheres, mas ela é estrangeira... O ancião desse grupo é conhecido como um homem religioso, talvez ela esteja a salvo. Veremos.

— Diga a eles para a deixarem em paz, pelo amor de Deus. Diga a eles que ela tem alguma doença, que os pintos deles cairão se a tocarem...

— Savva! — Eu não queria ouvir mais nada vindo dele. Era culpa dele nos encontrarmos naquela situação terrível. Não queria nem pensar no que poderia acontecer comigo naquela noite. Adair já me tratara brutalmente, e achei que pudesse aguentar qualquer coisa, mas não fazia ideia do que aqueles homens planejavam.

Ficou tudo quieto do lado de fora. Então, a frente da tenda foi puxada para trás e o jovem líder entrou, ficando de cócoras. Em voz baixa, disse algumas palavras para Farrar.

— Ele levará você para a tenda dele — Farrar me explicou. — Disse que estará a salvo com ele. Tem medo de que os homens possam vir atrás de você se ficar aqui.

Savva fungou.

— Um cavalheiro selvagem. Que novidade!

— Savva, já basta! Vou me arriscar. — Tinha sentido que o líder era um cavalheiro: ele não tinha tentado abusar da força comigo quando lutamos na trilha, apesar de obviamente haver uma boa chance de ele se aproveitar de mim. Deixou-me apontar a arma para ele, ainda que afrontasse sua dignidade. Esforcei-me para ficar em pé, esticando as mãos amarradas para não me desequilibrar, mas o líder pegou em meu cotovelo para me ajudar.

Savva falou em voz alta:

— Tenha cuidado, Lanny. Não gosto da ideia de nos separarem.

Mesmo já tendo ouvido o suficiente, era gratificante saber que ele ainda se preocupava comigo.

A tenda do líder não era diferente das outras, exceto pela cama feita por uma pilha de tapetes *kilim* e do cobertor do lombo do cavalo. Ele apontou para a cama e desamarrou as minhas mãos. Saiu da tenda e voltou com um espeto de carne, a gordura de cima ainda pipocava e faiscava por causa do fogo. Depois de ter comido, abracei-me, esperando que ele se deitasse ao meu lado na cama, mas não. Ele pegou um dos cobertores e espalhou-o no chão na frente da abertura da tenda e, então, virou as costas para mim. Fiquei aliviada pela consideração dele.

Fiquei acordada durante um tempo, me perguntando como Savva e Farrar estavam se virando e o que aconteceria conosco no dia seguinte, mas logo o meu olhar recaiu sobre o líder, e fiquei observando seu peito subir e descer. Vê-lo dormir era tão natural quanto qualquer outra coisa. Mas por quê? Era como se já tivesse feito isso antes. Meu olho passou pelo contorno alto de sua mandíbula, foi até a curva de seu lábio superior, que, de repente, me pareceu muito convidativo à luz da Lua. Saí do estado de sonhar acordada antes que me entregasse à tentação, saísse de cima dos *kilim* e me jogasse sobre ele, que estava dormindo. Virei-me, decidida a ficar onde estava até a manhã seguinte.

De manhã, esperei que o líder acordasse e o segui até o lado de fora. Quando olhei para onde a outra tenda deveria estar, fiquei surpresa ao ver que não estava mais lá, já fora desmontada, as estacas haviam sido viradas de cabeça para baixo e jogadas no chão.

— Onde está Savva? — perguntei, apesar de saber que ele não entenderia.

— Srta. Lanore! Aqui! — A voz de Farrar chamou de cima de uma colina, e o líder e eu caminhamos até lá; encontramos o intérprete sentado sobre uma pedra embaixo de uma árvore, olhando para uma planície distante. Várias marcas de poeira se levantavam no ar. Pelas nuvens empoeiradas pude discernir as figuras de vários homens apostando corrida a cavalo, num galope constante e rápido, fazendo truques. Um deles tinha que ser Savva: ele montava cavalos feito um cossaco.

— O que está acontecendo? — perguntei a Farrar, que rangia os dentes com alegria diante da demonstração de sua habilidade como cavaleiro.

— O sr. Savva desafiou os homens para uma corrida a cavalo. Se conseguir fazer tudo o que eles fazem, nos deixarão ir embora.

— E?

— Até agora eles não conseguiram superá-lo em nada — Farrar informou.

— Acha que eles nos deixarão partir?

Farrar meneou a cabeça, semicerrando os olhos sob a luz do Sol.

— É claro. São homens honrados.

Assistimos aos jogos a cavalo um pouco mais, Savva brincava de "Siga o líder" com os afegãos, inclinando-se até o chão durante um galope mortal, para arrancar um punhado de grama do chão, ficando em pé nas costas do cavalo enquanto segurava a extremidade das rédeas. E então, apontando para o líder, perguntei a Farrar:

— Sabe o nome desse homem?

— Sim, é Abdul.

Ao ouvir seu nome, o líder virou-se em nossa direção, curioso.

— Por favor, poderia perguntar se ele é casado?

Os dois homens trocaram palavras curtas e agradáveis, e tentei me familiarizar com os sons de algumas delas, mas eram muito estranhas, muito diferentes do inglês. Farrar virou-se para mim:

— Não. Ele não tem esposa. Tem alguma coisa em mente, srta. Lanore?

Olhei Abdul de cima a baixo novamente. Havia algo muito atraente nele. Talvez fosse por me lembrar de Adair, lindo, porém selvagem. Talvez fosse por estar viajando com Savva há anos, o que significava que os homens que levara para a cama eram poucos e raros, pois achavam que Savva era meu amante e até meu marido; para a segurança de Savva, eu raramente os dissuadia desse pensamento.

— Por favor, diga a Abdul que gostaria de agradecê-lo por sua hospitalidade. — Pedi a Farrar antes de pegar na mão de Abdul. Ele olhou surpreso da minha mão para o meu rosto, mas não resistiu nem um pouco quando o levei de volta para a tenda.

Dessa vez nos deitamos juntos sobre os tapetes. Ele hesitou em me despir, então tomei a iniciativa, abrindo com pressa os botões da minha jaqueta até que Abdul assumiu a função; havia algo de emocionante ao ver o tremor naquelas mãos fortes e confiantes. Abdul estava fascinado por meu corpo, ansioso para explorar minha pele feminina macia, causando-me arrepios nos braços e na nuca. Ajudou-me a manusear as camadas de tecido de sua roupa até descobrir seu membro, inchado e aparentemente pronto para explodir ao toque, com uma pérola sedutora de seu fluido esperando para ser saboreado.

Coloquei seu membro em minha boca, o que, a princípio, o surpreendeu, mas logo em seguida passou a gemer baixinho, emitindo sons animalescos e guturais de prazer. Ele gozou bem rápido, e, então, eu carinhosamente peguei sua cabeça e o guiei até embaixo, para um lugar no corpo de uma mulher que ele provavelmente nunca vira. Mais uma vez, Abdul pareceu surpreso com a sugestão, mas, sem a menor dúvida sobre o significado daquilo, mergulhou faminto e me deixou cansada e tremendo num piscar de olhos. A essa altura, ele estava excitado de novo, duro feito madeira petrificada; agora, em território mais conhecido, subiu confiantemente sobre mim e me puxou para bem perto dele, para que pudéssemos apreciar um ao outro em um ritmo mais prazeroso.

Naquele tempo, pensei que teria só uma manhã nos braços de Abdul, que daria vazão à minha curiosidade e ao meu desejo, iria lhe dar uma demonstração da minha gratidão e que seria apenas isso. Mas não foi o que aconteceu. Um dia se tornou sete, então uma semana tornou-se um mês, e em pouco tempo Savva e eu tínhamos nos juntado ao bando de Abdul enquanto eles planejavam um ataque contra os britânicos.

Às vezes me perguntava se nosso tempo juntos tinha sido pacífico porque não podíamos falar um com o outro sem um intérprete. Sobrevivíamos através de olhares e gestos, longas horas nos braços um do outro, e a paixão aparentemente inesgotável de Abdul. No entanto, sabia que o dia chegaria — e logo — quando ele teria que ter filhos: esperavam isso dele, assim como esperavam que sustentasse seu modo de vida, exatamente como tinha sido em St. Andrew na minha época. Não podíamos ser um casal. Eu teria que seguir em frente ou ficar de lado, enquanto ele escolhia outra esposa. Além de Jonathan, Abdul era o único homem a quem eu ficaria feliz em dar um filho, se pudesse. Há muito tempo tinha ficado claro que isso não aconteceria; era outra das coisas que Adair tinha tirado de mim e eu tentava não pensar nisso. Era somente em momentos como esse que eu sentia o peso de um remorso que era impossível amainar.

Além disso, a longo prazo, eu estava fadada a frustrar Abdul, e a frustração magoaria menos se ele tivesse outra esposa, uma mulher que pudesse aceitar o peso de comportar-se de uma maneira aceitável diante do restante da tribo de Abdul. Minha inevitável separação dele seria mitigada por uma esposa que envelheceria com o marido, que o ajudaria em todos os estágios da vida, que lhe daria filhos e uma vida plena. Mais do que isso, assim que voltássemos à tribo, era inevitável que tivesse que escolher uma noiva adequada, alguém de seu próprio povo, uma virgem respeitável que nunca tivesse aparecido em público sem um xador. A reputação dele perante seu povo poderia ser manchada para sempre pela escandalosa ligação com uma mulher estrangeira e independente. Não queria ver Abdul mentindo porque tivera o azar de se apaixonar por mim.

Eu pretendia estimular Abdul a escolher uma noiva quando visitássemos seu vilarejo, mas esse dia nunca chegou. Ele foi morto em um confronto não muito longe de Jalalabad, em uma batalha feroz vencida pelos britânicos, que então foram atrás dos afegãos fugitivos. Graças a Deus, Savva tinha ficado comigo. Ele me protegeu e me afastou de tudo durante o meu luto. Cabul estava próxima e era lar de um contingente de expatriados entre os quais eu poderia me esconder. Passei meses consumida pela perda de Abdul, certa de que nunca encontraria outro homem tão gentil ou tão corajoso. Assim que me recuperei, Savva nos levou para o oeste, rumo à Turquia, e então para a Grécia. Mesmo com a distração de garotos belíssimos na Ilha de Minos, ficamos só um pouco, até o ponto de Savva gastar grande parte do nosso dinheiro com jogos e entorpecentes, incapaz de ficar quieto, e querer sair em busca de uma nova aventura.

CASABLANCA, DIAS DE HOJE

Acordei do sonho desorientada. Há muito tempo não pensava em Abdul e, pela primeira vez, ao me lembrar de seu rosto, de seu jeito de andar, de sua presença marcante, surpreendi-me ao perceber o quanto ele me fazia lembrar não de Jonathan, mas de Adair. Abdul tinha sido mais generoso que a maioria dos homens jamais foi em termos de tentar realizar meus desejos.

Nunca mostrara remorso ao exibir sua verdadeira essência: cortava o pescoço de um oponente em uma batalha, tão resoluto quanto outro homem mataria uma ovelha, por exemplo. Éramos diferentes em muitos pontos, Abdul e eu, no entanto, eu era inexplicavelmente atraída por ele.

Quanto mais pensava em Abdul, mais começava a ver que ele não tinha sido uma anomalia. Quando comecei a me lembrar dos homens por quem já tinha me apaixonado, percebi, com horror, que todos eles tinham mais coisas em comum com Adair do que com Jonathan. Todos tinham sido objetivos e sinceros com relação à sua natureza. A maioria deles gostava de um pouco de violência na cama.

Mas a percepção mais assustadora era que todos me amaram, mesmo que isso não fosse o melhor para eles, mesmo sabendo que sofreriam perda de prestígio; um título de nobreza, um cargo ou a independência, a separação de uma esposa respeitável; cada um deles tinha feito algum sacrifício para ficar comigo. Diferente de Jonathan, nenhum desses homens tinha mostrado a menor dúvida sobre nosso relacionamento. Nem mesmo Adair.

Eu amara Jonathan antes mesmo de saber o que significava me entregar a alguém. A alegria que senti no início fora a mais doce de todas, mas, ao longo do tempo, havia azedado. Durante grande parte de minha vida, sentia tristeza e amargura quando pensava em Jonathan. Ainda me magoa quando penso em suas ofensas contra mim. Sei que é possível o amor e a dor coexistirem — qualquer pessoa que tenha se casado sabe disso —, mas quando é que a mágoa e a decepção passam a ser um fardo muito pesado? O que carreguei comigo todo esse tempo? Estava apaixonada por um fantasma, um homem que deixara de existir?

Ao mesmo tempo, quando pensava em Adair, sabia que deveria ter pavor dele, sabia que ele era capaz de fazer coisas horríveis, mas também não conseguia deixar de ser tomada por uma grande excitação. Era como se tivesse sido cortejada pelo demônio, emocionante e intoxicante. Sentia frio no estômago ao me lembrar disso. Tinha sido amada por um homem que faria qualquer coisa por mim: mentir, trapacear, roubar. Matar. Quantas mulheres poderiam dizer a mesma coisa? Por mais assustador que tivesse sido, também fora um amor único.

Exatamente da maneira que eu, um dia, me senti com relação a Jonathan.

Sentei-me ereta, segurando um travesseiro no estômago como se ele tivesse poderes mágicos para evitar que minha bile subisse pela garganta. A crença mais sagrada da minha vida, a estrela que iluminara meu caminho, fora uma ilusão. Ainda que tivesse tido um amor perfeito com Abdul e com alguns outros, cada um acontecera porque, no meu inconsciente, eu buscara recriar o que um dia tivera com Adair. A percepção dessa verdade se encaixou como os dentes de uma fechadura. Esse tempo todo fora Adair, não Jonathan. Adair, o monstro, era aquele a quem eu sempre amei.

Isso não podia ser verdade. Por um momento, o interior de minha cabeça girou como um pião; talvez fosse meu mundo virando de cabeça para baixo e se despedaçando ao meu redor. Sempre me orgulhei de seguir meu coração, mas eu não iria, não podia aceitar isso. Era um desejo desvairado ou algum tipo de atração doentia fantasiada de amor. Era algum truque, um dos feitiços dele para me fazer pensar que o amo. Era a insanidade trazida pela morte de Jonathan. Não podia estar apaixonada por um monstro. Não me permitiria estar apaixonada pelo demônio.

PARTE DOIS

XII

MARQUETTE, MICHIGAN

Para Luke, o melhor remédio do mundo era ver a porta de tela da casa de Tricia se abrir e suas filhas voarem para fora, correndo direto até ele enquanto saía de seu carro alugado. Ele as acomodou em um abraço de urso, balançando-as e girando-as do jeito que fazia quando ainda eram bem pequenas, como uma volta de chapéu mexicano em um parque de diversões; a ex-mulher os observava da varanda. Sentiu-se bem enquanto as segurou, mas, assim que as colocou no chão e elas saíram correndo, animadas feitas cachorrinhos, a tristeza tomou conta dele novamente. Olhou para cima e encontrou os olhos de Tricia analisando-o com preocupação, e, ao ver o sorriso desanimado dele, ela sorriu de volta.

Tricia abraçou-o com carinho no topo da escada.

— Como foi seu voo?

— Tudo bem, sem problemas.

— Bom, entre e fique à vontade. — Ela levou-o rapidamente até o vestíbulo, onde Richard, de camisa de flanela e jeans esperava para cumprimentá-lo. Eles já tinham se encontrado antes, mas Luke se esquecera de que o homem era como um urso, inclusive por causa da barba cheia. Richard fez um cumprimento respeitoso com a cabeça quando Luke entrou na casa. Luke apertou-lhe a mão.

— Ei, obrigado por me deixar vir desse jeito, sem avisar...

Richard deu de ombros.

— As garotas só sabiam falar disso. Estamos muito felizes por poder passar um tempo conosco.

Luke quis não gostar de Richard logo de cara, por ter atraído sua esposa de volta à sua cidade natal quando ainda estavam casados. Porém, não foi possível: Richard era muito tranquilo, muito pé no chão. Luke tinha que admitir que a partida de Tricia não fora culpa dele: o casamento já havia terminado há muito tempo. Pelo menos ela tinha encontrado um cara legal.

Luke estava em pé na cozinha, com uma xícara de café fresco na mão, e observava as filhas pela porta enquanto elas ajudavam Richard a arrumar as mesas e cadeiras para a festa de aniversário de Winona, que aconteceria no final do dia, no jardim. Tricia estava na bancada do meio da cozinha decorando o bolo de aniversário — limonada rosa com cobertura de baunilha — num silêncio concentrado, cada letra espremida com a mão experiente de uma calígrafa. A familiaridade do momento — exceto por Richard, é claro — lembrava a Luke dos aniversários que comemoraram quando viviam na cada da fazenda de seus pais, fazendo-o sentir-se momentaneamente sem rumo.

Ele tinha contado a verdade para Tricia quando ligara do aeroporto em Londres: disse que Lanny o havia deixado e que precisava de um lugar para ficar a fim de organizar seus pensamentos. Apesar das diferenças entre eles e do casamento ter ido por água abaixo, Luke podia sempre contar com a fidelidade de Tricia. Sem perguntar nada, ela lhe disse para pegar um avião e que o sofá-cama no porão estaria arrumado, esperando por ele.

Depois de um dia todo voando e dirigindo, Luke ainda não conseguia entender o que acontecera desde a noite em que Lanny entrara no Pronto-Socorro. E então, mais uma vez, tentou sem parar tirá-la de seus pensamentos enquanto viajava, com medo de ter uma crise sozinho ou em público. Tinha desligado o telefone e o colocara na mala para evitar a tentação de verificar as chamadas perdidas que nunca vieram.

— Mais café? — Tricia perguntou, tirando-o do sonho acordado.

— O quê? Não, obrigado. — Ele sempre havia bebido muito café, precisava dele para conseguir passar pelos plantões no hospital, mas hoje achou melhor não ficar ligado à base de cafeína.

— Vai ficar bem? — ela quis saber.

— Eu? Sim. Claro. Foi um choque ela ter me deixado, do nada.

— Ela não deu nenhuma pista? Nenhum sinal do que estava por vir?

Havia uma certa aspereza nas perguntas de Tricia. Logo de cara ela não tinha gostado de Lanny e agora não haveria como redimi-la aos olhos dela. Conversar com a ex-mulher seria mais complicado do que Luke tinha imaginado: não podia contar a verdade sobre Lanny e, sem saber o que a tornava singular, não havia como Tricia compreender por que ele estava tão deprimido com a partida dela.

— Não. Foi do nada mesmo — ele respondeu.

— Ela era muito jovem para você, Luke. Muito imatura — Tricia disse áspera, porém gentil. — O que iria tirar disso a longo prazo? Foi melhor essa história não ter se arrastado por muito tempo. Será mais fácil de deixar para trás. — Ela transferiu o bolo para a prateleira na sala de jantar e então ficou atrás dele para lhe massagear as costas. — Sinto muito que tenha se magoado, Luke, de verdade. Mas ela não era a pessoa certa para você.

— Você não a conheceu, Tricia. Não fui embora com ela por estar em uma crise de meia-idade. Não tinha nada a ver com sexo. Quero que saiba disso.

— Ok. Acredito em você. Mas que tipo de futuro você teria com ela? Ela não me parece equilibrada, estava envolvida com todos aqueles problemas...

Ela não me disse *O que estava pensando*?, mas, depois de sete anos de casamento, podia ler os pensamentos dela. E, depois de ter sido bombardeado com suas perguntas durante os últimos três meses, sabia o que ela pensava sobre Lanny. Tricia acreditava que Lanny o tinha seduzido com a vida glamorosa no exterior, o atraído até lá com promessas de nunca mais ter que se preocupar com dinheiro de novo, fazendo-o abandonar um emprego estável no hospital. Luke podia sentir que Tricia estava se segurando e agradeceu pelo comedimento dela. Sabia que ela queria chacoalhá-lo e perguntar-lhe: *Como pôde deixar suas filhas para trás? Como pôde escolher aquela mulher em vez de suas próprias filhas?* Talvez admitir uma loucura temporária seria *realmente* sua melhor defesa.

— Não, acho que não era mesmo tão equilibrada — ele concordou para fazer Tricia pensar que não tinha ficado completamente louco.

Tricia ficou ao lado dele e também olhou para a porta dos fundos.

— Não que o esteja apressando, mas... já pensou no que vai fazer daqui para frente? — Luke balançou a cabeça. — Joe Duchesne ainda liga aqui procurando por você — ela prosseguiu, mantendo o mesmo tom de voz. — Disse a ele que não sabia onde você estava, claro, mas ele me pediu para lhe dizer, da próxima vez que conversássemos, que precisa se entregar. Ele só quer fazer algumas perguntas.

Luke fungou.

— Não vejo razão nenhuma para voltar a St. Andrew. Tenho certeza de que o hospital suspendeu meus privilégios. Seriam obrigados a fazer isso, dadas as circunstâncias. Não há nada para mim lá agora.

— Isso pode ser mudado, assim que conversar com eles e explicar o que aconteceu. Todo mundo entenderá. — Aquilo parecia bem impossível, mas Tricia insistiu. — O hospital, sua profissão, a fazenda... essa é sua vida, mesmo que não fique em St. Andrew. Tem que lidar com as perguntas e com a polícia, mesmo que não seja muito agradável. Você não pode simplesmente deixar tudo para trás e recomeçar como uma pessoa diferente, Luke.

Se Lanny tivesse ficado comigo, eu poderia, Luke pensou. *Poderia deixar essa vida despedaçada para trás. Exceto as garotas...* Ele precisava ser um pai para suas filhas.

— Me desculpe... é muito cedo para estar trazendo isso à tona. — Tricia deu um tapinha no ombro dele e foi até a pia, abrindo a torneira em cima da tigela de mistura e dos medidores de bolo. — Pode ficar aqui o tempo que quiser. Passe um tempo com as garotas. Antes que possa perceber, tudo vai se encaixar em seu devido lugar. Saberá o que precisa fazer e os meses que se foram parecerão uma memória distante. Terá a impressão de que foi algo que aconteceu com outra pessoa, não com você. Vai se esquecer dela.

A presença de Tricia se dissolveu no ambiente enquanto ela lavava a louça, perdida nos sons comuns da domesticidade, os estalos de vidro e metal e da água escorrendo. Luke sabia que nunca esqueceria Lanny. Ela podia tê-lo expulsado de sua vida e ele estava magoado, mas não poderia fechar seu coração para ela. Preocupava-se com ela e pôs-se a imaginar se haveria alguma razão para ainda não ter notícias suas. Percebeu que não poderia parar de pensar em Lanny; sempre imaginaria onde estaria e o que estava fazendo, se estava feliz, se estava segura. Ela o assombraria para o resto da vida.

XIII

BOSTON

Paciência. Adair estava cansado de Jude lhe pedir para ser paciente, cansado de sua fila interminável de desculpas por não saber o paradeiro de Lanore e de seu hábito irritante de mandá-lo relaxar. Como poderia relaxar até encontrar a mulher que lhe tirara duzentos anos de vida? A única pessoa — homem ou mulher — que havia tirado vantagem dele? Também estava frustrado por sentir-se perdido navegando neste mundo estranho e apressado no qual de repente caiu. E essa falta de controle o deixava incomodado.

Adair nasceu impaciente; sabia disso desde a mais tenra idade, quando jogava brinquedos nos empregados e chutava os cachorros da casa para que saíssem de seu caminho. Foi só na adolescência que aprendeu com o pai, um duque e senhor feudal de um pequeno reino, o valor de esconder os sentimentos. Era raro um senhor que não fosse alvo de espionagem, constantemente sob o escrutínio dos cortesãos, servos e arrendatários de terras. Com o pai, Adair aprendeu que os senhores mais efetivos eram aqueles que tinham mais autocontrole e, por observá-lo, passou a compreender o valor de controlar seu temperamento.

No pouco tempo desde que havia se libertado, notou que o ritmo da vida nessa nova era tornava difícil ser paciente. Imaginou que tivesse a ver com a instantaneidade oferecida pela tecnologia. A vida era mais fácil antigamente, quando a informação viajava devagar: as notícias vinham por um mensageiro a cavalo ou envolta em fofocas passadas de boca a boca pelos mercadores ou por romeiros que se refugiavam à noite sob o teto de um desconhecido bondoso. A adaptação mais difícil aos tempos modernos não era ser capaz de pensar antes de agir: informações novas chegam sem parar, tornando cada decisão equivalente a um jogo de apostas. Essas coisas intangíveis — notícias, sentimentos, mentiras, opiniões — eram digitadas em teclados por milhões de mãos e lançadas em números tão impressionantes que ele podia, literalmente, sentir a urgência arranhando o ar. A energia pulsava ao redor dele, espetando-lhe a pele, perfurando-o. *Há muito mais do que jamais imaginou escondido no etéreo*, ela parecia lhe dizer.

Adair esfregou os olhos, frustrado e exausto. Estava agitado: viver com Jude nessa casa de vidro era como ser mantido em uma caixa, só um pouco melhor do que estar preso atrás da parede. Precisava se mexer para sentir-se fazendo algum progresso, caso contrário, o ódio pulsante sob sua pele acabaria encontrando uma maneira de explodir.

Saiu apressadamente de casa sem comunicar a ninguém, juntando-se à horda de gente na calçada. Os pensamentos se tranquilizaram enquanto caminhava sem olhar para o rosto das pessoas que passavam por ele, com medo de entender mal o menor dos gestos — uma sobrancelha erguida, um sorriso no rosto de algum idiota — e ter um ataque de fúria, incapaz de controlar a tempo seu ódio mal canalizado.

Começou a trilhar o caminho que fizera no dia em que se libertara de sua prisão, indo, caminhando, ao final, os muitos quarteirões pela cidade, até o lugar onde um dia fora sua mansão. O lugar estava interditado com fitas brancas e vermelhas, e cavaletes, com sinais informando que aquele era um lugar em obras. A mansão tinha sido destruída e em seu lugar havia um terreno vazio, cada pedaço de pau e pedra removido. Uma grande escavadeira de metal estava parada ao lado do início de um poço parecido com um túmulo aberto. Adair ficou atrás da fita tremulante, com as mãos enfiadas nos bolso, o vento carregando suas madeixas encaracoladas sobre os olhos, como se quisesse poupá-lo da visão do que um dia fora sua prisão. Mas não era mais uma prisão. Engraçado pensar que esse lugar, um dia maldito, o cenário de sua perseguição, era agora... nada. Não havia nada em que pudesse descontar sua raiva: nem casa, nem rachadura na terra, nem mesmo um buraco fundo o bastante onde pudesse despejar seu ódio. Não significava mais nada.

Nesse momento, de canto de olho, notou uma mulher do outro lado do terreno, também olhando fixamente para o local onde a casa um dia estivera. Não conseguia enxergá-la muito bem a distância, mas sentiu algo familiar nela. Usava um casaco de lã verde com um capuz que lhe escondia o rosto tal qual um monge, mas ela parecia ser esguia, e madeixas louras onduladas escapavam para fora do capuz, como samambaias selvagens.

A distância ela se parecia com Lanore, mas ele sabia que isso era impossível: teria sentido a presença dela, ou assim ele imaginava. Havia uma chance de ela ter achado uma maneira de isolar sua presença, de cegá-lo com relação a ela. Tinha sido bem-sucedida em levantar aquela parede e escondê-lo de seus seguidores durante séculos, não tinha? Ela poderia ser a mulher de verde ou ele estava desesperado para vê-la de novo?

E, se fosse Lanore... Adair só conseguia imaginar o profundo sentimento no peito dela enquanto olhava para o terreno desolado e percebia que ele se libertara como um gênio malevolente da lâmpada e que não havia mais nenhuma proteção entre eles — absolutamente nenhuma. Deveria ter um nó na garganta e dificuldade para engolir, à medida que a seriedade da situação tornava-se completamente evidente. E então, como se a mulher de verde tivesse lido os pensamentos de Adair, ela virou-se e se afastou com pressa, seus passos tilintando alto pela rua vazia, como se estivesse tentando ultrapassar o julgamento que a esperava.

Adair manteve uma boa distância entre eles enquanto a seguia. As ruas eram desertas àquela hora do domingo: as crianças estavam dentro de casa para jantar cedo, as cortinas, baixadas devido ao pôr do sol e as luzes estavam acesas. A mulher entrou em uma rua da qual Adair se lembrava do dia em que tinha se libertado, pois as casas estavam todas marcadas para serem demolidas. No meio do quarteirão, ficava o armazém onde se escondera aquele dia. Pensando rápido, ele viu que, se ela continuasse em frente, acabaria saindo em uma área cheia de casas habitadas e as ruas movimentadas com o trânsito; mas, se ela virasse à esquerda, iria diretamente para o armazém. Ele deixaria nas mãos do destino. O destino decidiria se lhe entregaria Lanore naquele dia.

Adair atravessou o prédio em um passo rápido e, depois de procurar um pouco, encontrou a porta que dava para o lado da rua deserta. Ajoelhou-se atrás de uma fileira de latões de lixo enferrujados, se perguntando quanto tempo esperaria para vê-la passar por ali, quando ouviu passos no chão empoeirado. Ele esperou até a mulher passar pela fileira de latões — a visão inquestionável do casaco verde — antes de sair e agarrá-la, colocando cuidadosamente uma mão sobre a boca dela.

Ele a empurrou na frente dele para dentro do prédio. Seu olhar foi instintivamente para um canto escuro sob uma escadaria de metal do outro lado do armazém. A princípio, como se estivesse em estado de choque, ela não reagiu, mas, na metade do caminho, começou a lutar nos braços dele, a tentar fincar os pés no chão. No entanto, ela era uma fração do peso dele e sua resistência não era nada diante da fúria de Adair.

É claro que ele sabia que essa mulher não era Lanore. Sabia pelo cheiro, pela maneira como respirava, como se movia. Ela era jovem e bela como Lanore, mas a semelhança terminava aí. Sem problemas. Essa mulher teria que servir: não havia como parar o ódio crescendo dentro dele. A fúria por ter sido traído e seu coração partido rugiam dentro dele como uma avalanche. Ele jogou a vítima no chão enquanto ela gritava em terror e gaguejava incompreensivelmente, o som de sua voz encoberto pelo ódio dele.

Havia palavras que gostaria de dizer a ela: *Puta desleal*, *traidora*, mas elas não lhe saíam da garganta, presas como se estivessem enroscadas em espinhos. *Bruxa sem coração. Você me deixou no escuro. Duzentos anos de solidão, com medo de que nunca fosse acabar. Amei você como nunca amei mais ninguém, confiei em você e você me enterrou vivo para ficar com ele.*

Golpeou a figura embaixo dele com os punhos fechados até que as mãos levantadas que protegiam o rosto caíram e o próprio rosto era uma ferida aberta e sangrenta. A essa altura ele já tinha lhe arrancado o casaco verde; abriu a calça e penetrou-a, as mãos ensanguentadas segurando firme o corpo dela junto ao chão, para que aguentasse suas estocadas.

Desabou em cima dela ao chegar ao orgasmo, gozando tão violentamente que viu estrelas brancas diante dos olhos. Ainda estava enfurecido, mas envergonhado por ter sido incapaz de não destruir essa mulher. Ela ainda não estava morta, mas, com certeza, não havia mais como salvá-la;

então, com o que ainda lhe restava da fúria, alcançou um tijolo solto que estava por perto. O toque do tijolo, a nuvem de poeira e o cheiro de mofo trouxeram de volta à boca o gosto de giz de sua prisão no subsolo e o enfureceu o suficiente para arremessar o tijolo contra o crânio da mulher, duas, três vezes, até que o osso se quebrou como uma noz e ela ficou completamente quieta.

Adair sentou-se nos calcanhares, respirando com dificuldade. Quando olhou para a mulher, e a identidade dela destruída, seu estômago se revirou. O cadáver sozinho poderia fazê-lo acreditar que estava olhando para Lanore: *sua* Lanore poderia estar deitada inerte diante dele, destruída por suas próprias mãos.

Naquele momento horroroso, Adair percebeu que *não* queria que isso acontecesse. Não queria que Lanore morresse e estava assustado ao perceber que *era* realmente *capaz* de matá-la, que poderia estar completamente tomado de ódio, devastado, e ter sangue novamente em suas mãos. A ideia de perdê-la para sempre lhe apertava o coração, criando uma escuridão profunda na qual poderia mergulhar e nunca, jamais, alcançar o fundo.

Como podia ter feito aquilo com uma mulher inocente? Não havia maior evidência de que ele era um verdadeiro monstro. Ele próprio achava que parecia ser uma figura criada a partir do ódio, um vórtex de fúria proveniente de um lugar infernal e desconhecido. Não gostava de estar fora de controle: cheirava a fraqueza e fracasso, duas coisas que ele desprezava nos outros e não toleraria em si mesmo.

Adair ficou em pé e examinou as roupas, procurando por manchas de sangue, mas encontrou só algumas pequenas, imperceptíveis à inspeção casual. Podia esconder as mãos ensanguentadas nos bolsos. Olhou para o corpo uma última vez; atrás de uma pilha de plataformas, só os pés podiam ser vistos. Ela não seria encontrada imediatamente. Abalou-se para fora e começou a caminhar de volta para a casa de Jude, o ar frio bem-vindo sobre seu rosto quente. O ar tiraria o rubor assassino de suas bochechas e levaria embora o cheiro de morte impregnado nele.

O estômago de Adair revirou-se enquanto caminhava apressado, seus pensamentos ficaram confusos e virados de cabeça para baixo em quinze minutos violentos. Lanore era sua fraqueza, seu calcanhar de Aquiles.

Compreendeu que teria que encontrar uma maneira de controlar suas emoções, e, depois de tudo o que passara, isso não seria fácil. Parecia que sua natureza era de violência e ódio, e se perguntou se seria capaz de mudar. Teria que ser disciplinado; ele agora entendia que não conseguiria suportar a vida se a matasse.

Adair amava Lanore e também a odiava, mas era incapaz de se vingar dela; estava cada vez mais determinado a encontrá-la. Seu amor por ela era sublime e também uma maldição cruel, corria em suas veias como uma infecção. Não precisava de mais provas para saber que estava condenado, incapaz de ser redimido e amaldiçoado, e que não havia nada que pudesse fazer sobre isso.

XIV

MAINE

Em sua mente, Adair tinha uma imagem vívida da cidade natal de Lanore: ela a descrevera como um vilarejo isolado, separado do resto do mundo por uma floresta grande e intransponível, com um rio largo. Na ocasião, era 1816 e a América era jovem, com apenas alguns poucos colonizadores espalhados por tanta terra quanto o mundo conhecia — ou assim parecia —, e Adair menosprezou o relato dela como uma garota que vira muito pouca coisa e não sabia nada do mundo.

Contudo, depois de viajar a St. Andrew, Adair teve que admitir que era realmente muito difícil de chegar lá, até mesmo para os padrões modernos. Teve a primeira experiência do navio voador que Jude lhe contara, um pequeno avião de conexão que balançava durante o voo, aparentemente pronto para partir no meio a qualquer momento. O restante da viagem da Ilha Presque até St. Andrew tinha que ser feito de carro, seguindo uma rota longa e solitária que o levou por fazendas intermináveis e pastos vazios. Passou por florestas que o fizeram lembrar tanto da Saxônia e da Bavária que ele quase esperou um bando de bandoleiros surgir a cavalo do meio da floresta.

Na verdade, Adair estava ansioso para conhecer a cidade de St. Andrew. Queria ir ao lugar onde Lanny crescera e ver a cidade que moldara a mulher que ele amara. Ela lhe trazia à tona uma curiosidade jovem e quase saudosista e, embora não admitisse, estava ansioso para conhecer cada detalhe dela, o que incluía visitar os lugares das histórias de Lanny, se é que não foram destruídos e reconstruídos totalmente diferentes, assim como as cidades de seu passado.

Ao aproximar-se da cidade, Adair começou a sentir que provavelmente não encontraria muitas respostas nessa viagem. A sensação em sua cabeça era fraca, era improvável que Lanore estivesse por perto. Mesmo assim, o sinal ficara inativo durante tanto tempo que ele achou que não pudesse mais interpretar o que lhe dizia, e se apoiava na pequena chance de que Jonathan estivesse por lá. Poderia ser um sinal das forças do universo de que ele já tinha sofrido o suficiente, que entregariam um de seus torturadores a ele, e queria acreditar que o cosmos estava a seu favor.

Jude não estava tão otimista sobre o que poderia encontrar ali.

— Pelo que Maurice lhe contou e pelo que soube da agência de ajuda aos refugiados, aposto que Jonathan foi para o Maine com Lanny. — O holandês raciocinou. — Mas não há nada que indique que ainda estejam por lá. Vamos esperar Maurice procurar novas atividades financeiras desse tal de Schneider antes de viajar.

Adair esperou Maurice checar a atividade do cartão de crédito e as contas bancárias de Schneider, e descobriu que tinham ficado inativas de uma hora para outra, alguns meses antes. E St. Andrew era um ponto de início tão lógico quanto qualquer outro, dada a trilha de informações do hacker. A ideia de que Lanore pudesse estar por perto era irresistível.

— Pelo menos preciso satisfazer minha curiosidade de que ela não está lá. Tenho que *fazer* alguma coisa — Adair disse a Jude. — Esperar nesta casa está me deixando louco.

No entanto, Jude também tinha outras preocupações.

— Acha que está pronto para sair por aí sozinho? — perguntou depois de um minuto de hesitação. — Havia uma história no noticiário sobre uma garota que foi morta perto da velha mansão... A polícia disse que foi particularmente brutal, excessivo foi a palavra que usaram, algo que só um lunático seria capaz de fazer... Foi você, não foi? — O tom hesitante de Jude surpreendeu Adair, ninguém gosta de ser considerado louco, e ele parou a caminho do táxi que o esperava. — Mostraram a foto da garota na televisão. Ela se parecia muito com Lanore, tenho que admitir — Jude continuou, seus olhos cuidadosamente rebaixados. — Mas não pode sair por aí matando quem bem entender. E se chegar em St. Andrew e Lanore não estiver lá? O que fará depois?

Adair não podia admitir a Jude que o derramamento de sangue o transformara. Para manter sua sanidade enquanto estava preso atrás da parede, não tinha outra opção a não ser guardar seu ódio, espremendo-o cada vez mais até se tornar uma arma, engatilhada e pronta para atirar quando ele finalmente se encontrasse com ela. Porém, era como se tivesse espremido demais, e algo dentro dele se quebrara quando matou aquela garota. Tinha soltado seu ódio em um único ato de violência contra uma mulher inocente, que teve o azar de cruzar seu caminho. E para quê? Seu crime mal o preenchia com profundo remorso e vergonha. Ele jurou nunca mais se deixar levar por uma fúria cega como aquela. Uma pequena parte dele se preocupava irracionalmente que, de algum modo, Lanore tivesse sido atingida por essa crise de ódio, que sua intenção demoníaca a tocara. Supersticioso, sim, mas agora estava desesperado para encontrá-la, ou pelo menos obter alguma evidência dela, para ter certeza de que esse não era o caso.

Além disso, pensou em fazer um tipo de peregrinação. Não conseguia deixar de lado a sensação de que todos os seus problemas poderiam ter sido evitados se, duzentos anos antes, não tivesse enviado Lanore sozinha até St. Andrew para ir atrás de Jonathan. Se tivesse ido com ela, teria tomado posse do corpo de Jonathan e nunca teria dado a Lanore a chance de armar uma cilada para ele. Todo o sofrimento de dois séculos poderia ter sido evitado se não fosse por esse único momento de falta de visão da parte dele. Ele se obrigaria a fazer essa viagem agora, sem arrependimento, e, com sorte, o destino aceitaria sua oferta e estenderia a mão do tempo para lhe devolver Lanore.

❖

Quando entrou de carro em St. Andrew, Adair ficou surpreso ao ver que a cidade não era tão diferente daquelas que ele conhecera na época medieval. Filas de lojas de comércio alinhadas na rua principal. Vagabundos subiam e desciam as calçadas procurando algo para fazer enquanto senhores idosos, sentados nos bancos dos parques, tomavam banho de Sol. Uma taverna e uma igreja, as duas âncoras de qualquer cidade, ficavam uma em frente à outra, na praça. Adair encontrou um quarto em um estabelecimento público chamado de *Bed and Breakfast*, um tipo de pousada barata, com acomodações mais presunçosas e claustrofóbicas do que ele gostaria, mas estava bem no centro da cidade e parecia um bom lugar para conseguir informações.

Carregou a mala até o quarto e trancou a porta para tirar seus dois livros de feitiços de dentro dela. Passando a mão sobre as capas surradas pelo tempo, colocou-os embaixo do colchão, trancando a porta novamente ao sair do quarto. A mulher na recepção indicou-lhe o único bar na região do centro da cidade, chamado Blue Moon, que, de qualquer forma, era impossível de não ser notado, pela brilhante Lua crescente e azul na janela. Adair começou uma conversa de meio de dia com o atendente do bar e alguns fregueses.

Dois deles reconheciam o nome Rolf Schneider como o do homem que passara pela cidade com uma garota, aparentemente só outro casal de turistas perambulando por St. Andrew. Mas todos se lembravam da história da garota: ela assassinara o companheiro e deixara o corpo na floresta, e então conseguira escapar do hospital da cidade, levando um dos médicos com ela. Adair absorveu cada detalhe, incluindo os nomes da ex-mulher do médico e das filhas, e a cidade onde viviam agora.

Será que alguém tinha visto a garota? Adair perguntou. *Será que conseguiam descrevê-la?* Os fregueses balançaram a cabeça, contando a Adair que as únicas pessoas que a viram foram a polícia e a enfermeira do turno da noite no hospital. Adair comprou uma rodada de bebidas e deu um gole na cerveja aguada enquanto remoía a série de eventos curiosos que nunca teria imaginado por conta própria, nem mesmo se um oráculo tivesse cochichado pistas em seu ouvido. Jonathan estava morto, e isso significava que Lanore o matara, pois isso não seria possível de outra forma. Adair era incapaz de imaginar o que teria persuadido Lanore a abrir mão de Jonathan depois de centenas de anos juntos. Será que tinha se cansado dele? Ele queimava de curiosidade para saber o que tinha acontecido entre os dois.

Tendo coletado toda a informação de que precisava, Adair deu boa-noite aos fregueses, colocou o dinheiro sobre o balcão e voltou para a hospedaria.

Retirou os livros de feitiço do esconderijo e começou a folheá-los. Apesar das pistas de Lanore terminarem na cova de Jonathan, Adair não recuaria. Precisaria de uma mágica muito forte, mas tinha ido até lá para encontrá-la, e isso queria dizer que não tinha outra opção a não ser trazer Jonathan de volta à vida e resgatar as pistas da memória de um homem morto. A tarefa era desafiadora: se os rumores sobre um feitiço de ressureição eram confiáveis, era um ato que exigiria o mais alto nível de habilidade e poder. Um ato considerado, por muitos, perigoso e blasfemo, e que, por várias razões diferentes — o profundo senso de mau presságio sendo a principal delas —, Adair nunca tentara antes. Mesmo que o feitiço funcionasse, ele não fazia ideia da condição em que Jonathan se encontrava, se a mente dele estaria em branco, se é que seria útil de alguma forma...

Mesmo assim, não queria nada neste mundo além de encontrar Lanore e, para fazer isso, aparentemente teria que ignorar seu desconforto e encarar o mais obscuro dos feitiços, o ato mais profano de todos. Ele traria uma alma de volta da terra dos mortos e teria que arcar com as consequências, pois, certamente, haveria consequências. Estava prestes a desafiar as forças que governavam o universo para possuir Lanore novamente e, assim que tomou sua decisão, começou a juntar a força que precisaria para fazer isso acontecer.

XV

O Sol já se punha sobre a Grande Floresta do Norte quando Adair encontrou a delegacia. O prédio ficava isolado em uma rodovia madeireira afastada da cidade, sempre silenciosa exceto durante a alta estação de turismo e mais perto dos acampamentos de lenhadores, onde a maior parte dos problemas acontecia durante o restante do ano. Uma SUV branca e preta estava estacionada bem na frente dele, manchada com a poeira da estrada, apesar de o verão estar se aproximando.

Dentro da delegacia estava vazio, sem sinais de que havia alguém trabalhando. A entrada estava abarrotada de arquivos e caixas empilhadas desordenadamente, e o ar, tão abafado quanto um porão fechado.

— Olá! — Adair chamou. — Tem alguém de plantão? — Sua voz soou solitária contra o zunido de um ventilador ao fundo.

— Aqui! — Um homem respondeu, e Adair seguiu a voz pelo corredor até chegar a uma porta aberta. Uma placa de latão manchada na parede dizia Xerife Joseph Duchesne. O homem atrás da mesa não parecia em nada com um xerife, nem mesmo em uma cidade atrasada como essa. Ele não tinha nem mente nem físico para o trabalho, e era um tipo estranho, só cotovelos e joelhos, com um pomo de Adão proeminente implorando para ser esmagado. Além disso, seu rosto não passava nem respeito nem confiança, era a face de um impostor incompetente, e o xerife deixou transparecer um pouco de medo ao ver Adair.

— Você é o xerife? — Adair perguntou em dúvida.

— É por isso que estou sentado atrás dessa mesa — o homem respondeu sem paciência. — Posso ajudá-lo? — Ele olhou para Adair de cima a baixo, desconfiado; era evidente que o xerife era reticente com pessoas de fora da cidade.

— Ouvi dizer que viu uma mulher que veio aqui uns meses atrás.

— Muita gente passa por aqui — o xerife respondeu friamente, mas era óbvio que sabia sobre quem Adair estava falando.

— Estou me referindo à garota que supostamente matou alguém: uma jovem loura, miúda. Linda — ele adicionou com um ar de melancolia.

— Sim. Ela mesmo. — O xerife sentou-se mais ereto, os olhos semicerrados. — O que sabe sobre ela?

Adair ignorou-o.

— E o homem que ela matou? Encontraram o corpo?

— Claro que o encontramos, mas...

— E como ele era?

O xerife afastou-se da mesa.

— Espere um minuto. Essa mulher sobre quem está perguntando está envolvida em um crime muito sério, assassinato em primeiro grau. O caso ainda está aberto e me parece que você sabe alguma coisa sobre isso. Vou precisar chamar um dos meus oficiais, vamos ter que fazer algumas perguntas, senhor...? — Duchesne segurou-se nas palavras, esperando Adair dizer o nome enquanto pegava o telefone para ligar. Adair deu um passo para frente e apertou o botão, desligando o telefone.

— Perguntei a você como ele era, o morto. — Adair respirou fundo para acalmar os ânimos e tentou não imaginar como seria quebrar esse homenzinho chato ao meio, com suas próprias mãos. Ele o partiria ao meio como a garra de uma lagosta; havia tão pouca carne sobre aqueles ossos... — Poderia dizer que era um homem bonito?

O rosto do xerife enrubesceu.

— Que tipo de pergunta é essa? O que você é... homossexual? — Ele se levantou cambaleante, como um homem não acostumado ao perigo, a mão pairando indecisa sobre o coldre. Adair andou para frente e arremeteu-o contra a parede, mantendo-o preso lá.

— Que diferença faz a você se eu faço sexo com homens, mulheres ou gado? Vai responder às minhas perguntas ou quebrarei esse seu maldito pescoço. Entendeu?

O xerife cuspiu e engasgou com as mãos de Adair em volta de seu pescoço, os olhares fixos um no outro enquanto buscava ar. Até onde Adair sabia, o xerife era como uma galinha cujo corpo ainda se mexia mesmo depois de a cabeça ter sido arrancada: era um homem morto, só não sabia disso ainda. Adair apertou as mãos com mais força e jogou-o contra a parede uma segunda vez.

— Onde está o corpo agora?

— O corpo?

Um terceiro golpe e a parede rachou embaixo dele.

— O homem morto. O que foi feito do corpo?

— Teria que dar uma olhada nos arquivos, estão bem ali. — O xerife Duchesne ergueu o queixo na direção do armário de arquivo. Adair deixou-o cair e lhe deu um empurrão. O xerife não tentou ir até a porta, talvez porque já estivesse no limite de sua coragem. Encontrou o arquivo na segunda gaveta, as mãos tremiam enquanto manuseava os papéis lá dentro.

— Geralmente cremamos os corpos que não são reclamados, mas os relatórios dizem que o crematório não estava funcionando e o mandaram de volta. De acordo com os arquivos, enterramos o corpo.

— Aqui? Na cidade?

O xerife assentiu.

Adair tirou a arma do xerife do coldre e empurrou-o em direção à porta.

— Leve-me até lá.

Adair encontrou uma pá na sala dos fundos, acomodou-a atrás de um grande saco de sal para a neve nas estradas e dois pares de galochas e jogou tudo no assento de trás de seu carro alugado. Colocou o xerife no volante com um aviso sobre o que aconteceria se ele tentasse escapar. O xerife, agora tão obediente quanto um professor universitário em um museu, cedeu a Adair. Dirigiram até um campo vazio na ponta de um bosque desgrenhado e, a pé, Duchesne levou Adair até o local do túmulo. Já escurecera, e a noite estava silenciosa e fria. Algumas moscas varejeiras zumbiam ao redor da cabeça deles. Uma placa de metal enfiada no chão dizia B17.

Adair passou a pá para o xerife.

— Comece a cavar.

Demorou bastante até alcançarem o caixão, e Adair passou esse tempo andando de um lado para o outro na beirada do lote, fazendo o passo a passo mental do feitiço que aprendera há muitos anos com o velho Henrik, aquele copiado em um pedaço de pergaminho e enfiado em seu livro antigo. Lembrou-se daquela sessão com Henrik, segurando a respiração enquanto o pássaro debatia-se de volta à vida, então o animal sentou-se inerte, e sua plumagem cor de manteiga tremia cada vez que tentava respirar. Ah, como quis colocar as mãos sobre ele e esmagá-lo, mandá-lo de volta para onde tinha saído, por *compaixão*... Mas, deixara aquele sentimento passar, pois, mesmo aos 14 anos, já era um homem da ciência e sabia que tinha que resistir ao sentimento de pena ou dor.

Estava com medo de passar pelo mesmo tipo de crise agora, mas não podia deixar que o medo o impedisse de tentar. De qualquer modo, a situação não era a mesma: o velho Henrik fora um amador, um fraco. Adair tinha certeza de que era muito mais poderoso do que seu tutor jamais fora. Se o resultado não fosse satisfatório — se a criatura que viesse de volta fosse um monstro —, Adair prometera a si mesmo que destruiria Jonathan com as próprias mãos, assim que conseguisse coletar as informações necessárias.

No entanto, a incerteza brigava com a determinação, fazendo seu estômago revirar. Ele queria o corpo de Jonathan para si — uma só olhada para a fotografia do campo de refugiados confirmou isso —, mas a ideia de tomar posse de um corpo que já estivera morto durante um tempo era, no mínimo, perturbadora. Vira muitos cadáveres decompostos e conhecia bem o estranho vazio de uma forma sem vida, mas um homem morto abandonado no campo de batalha para apodrecer era bem diferente daquele que se deteriorava dentro da terra durante meses. Também havia a questão de o que fazer com Jonathan depois de terem trocado de corpos; nem mesmo Adair seria capaz de libertar a alma dele através da morte. Adair sentiu uma ponta de compaixão por Jonathan (afinal de contas, eles um dia tinham sido amigos), mas a colocou de lado: era mais uma coisa sobre a qual nada podia fazer, e não seria a primeira vez que ele condenaria um homem ao purgatório para satisfazer seus próprios desejos.

A pá fez um barulho abafado ao bater na tampa do caixão de compensado de madeira. Quando o xerife a arrancou, os dois se encolheram diante do cheiro de cadaverina, o gás venenoso produzido dentro de um corpo em putrefação e não preservado. Adair mandou Duchesne trazer o saco mortuário para a superfície antes de matá-lo com uma pancada na nuca, com a pá.

Um saco mortuário negro dentro de uma caixa de compensado de madeira, enfiado em um túmulo sem marcação. Que final triste para o filho predileto da cidade. Como o trataram com tanto desprezo... Adair respirou fundo antes de abrir o zíper do saco mortuário.

O conteúdo se espalhou sob ele, de forma que Adair sabia que deveria esperar algum tipo de decomposição avançada. A carne não estava mais sólida, era uma massa negra e pesada, mantida firme pela roupa de Jonathan. O rosto, que um dia tinha sido a personificação da beleza, era agora apenas uma secreção pendurada ao crânio, os cílios rareados embebidos na podridão e os dentes começavam a saltar para fora. O resultado teria sido muito melhor se tivessem tratado o corpo como de costume, mas a cidade não iria gastar dinheiro para preservar um cadáver sem identificação.

Adair se recompôs e proferiu as palavras apropriadas sobre o corpo para reanimar a forma decomposta de Jonathan. Será que elas realmente tinham importância ou tudo dependia do desejo do interlocutor? Ele tinha que acreditar nesta última hipótese, pois as palavras em si eram conhecidas por praticantes da magia negra há centenas de anos, mas havia apenas alguns casos de sucesso. Sua convicção era de que só o mais forte dos Adeptos seria capaz de ressuscitar um morto e, naturalmente, se tivesse sido treinado. Havia a dúvida de que mesmo o mais preparado — ou talvez o mais sábio — dos Adeptos tentaria fazer o feitiço, dado o tabu em relação a remover o véu entre os dois mundos, mas esse era o tipo de moderação que Adair rejeitava. As verdadeiras descobertas eram feitas pelos destemidos. Se somente Deus poderia conhecer os dois mundos, o dos vivos e o dos mortos, Adair ousaria roubar um pouquinho do conhecimento de Deus.

Em segundos, uma força conhecida e bem-vinda tomou conta dele — a princípio suave, e foi então se apoderando de cada músculo e de cada nervo em seu corpo, atingindo-lhe os ossos e tirando-lhe o ar dos pulmões. O fluxo de energia uniu-o ao corpo de Jonathan, e, por um momento, conectou-se ao que parecia ser um resíduo da consciência dele nos últimos momentos de vida: remorso, tristeza e amargura enquanto aguardava para ser libertado. Outros pensamentos desagradáveis também surgiram: o abismo escuro de seu aprisionamento viera à tona. A sensação de força brilhante e gloriosa pairava envolvendo Adair, emanando perigo e solidão. Fazia sentido que essa presença colossal e negra pudesse estar associada, de algum modo, à força gloriosa que buscava tocar: afinal, ambas eram forças do universo. No entanto, a presença negra o preocupava; ela era, de alguma forma, ameaçadora.

O processo de recomposição foi dolorosamente vagaroso, para sua grande irritação, e Adair tinha certeza de que a escuridão não o impedia de ter uma visão rara. Mesmo sob a luz da Lua, podia dizer que a massa gelatinosa estava se solidificando, transformando-se em uma criatura branca e arenosa. Em seguida, os pelos da face começaram a nascer e as feições emergiram, mas o corpo continuava tão branco quanto um alabastro, com sulcos de lavanda ao redor dos olhos e da boca, como se estivesse exausto ou anêmico. Quando as pálpebras se abriram, a do lado direito ficou caída e então o canto direito da boca não se mexeu, como se Jonathan fosse vítima de um derrame. Graças a Deus, os olhos não estavam inertes e sem vida, mas, no conjunto, algo estava faltando. Adair não conseguia saber exatamente qual era o problema, mas algo estava muito errado.

— Ah! — finalmente Jonathan falou e, ao fazê-lo, um último sopro de cadaverina escapou no ar e pairou sobre a cabeça dele como uma baforada de fumaça. — Ahn? O que é isso? Onde estou?

— Jonathan — Adair disse. Ele estava reticente em tocá-lo, com medo de interromper o processo de regeneração antes que o corpo estivesse totalmente reconstruído.

— Sim, eu sou Jonathan, apesar de achar que tivesse deixado de ser Jonathan.

— Sabe quem eu sou?

Os olhos de Jonathan piscaram uma vez ao olhar para Adair e, apesar da imperfeição de seu rosto meio formado, ele piscou em sinal de reconhecimento. — Sim, eu me lembro de você, Adair.

— E de onde você veio, Jonathan? Onde você estava um momento antes? — Essa era uma pergunta que queimava na cabeça de Adair desde que o pequeno pássaro de Henrik voltara à vida.

— Estava... eu estava em outro lugar... diferente deste aqui. Escuro e frio, e tão sem sentido quanto as correntes do oceano.

— Diferente daqui? Então, onde você estava? — Adair perguntou, ansioso.

— Onde estou agora?

— Em casa. Está em St. Andrew. Consegue se lembrar de como veio parar nesse túmulo?

Ao ouvir o nome da cidade, o rosto do cadáver pareceu pinçar, e um arrepio de desgosto o percorreu.

— Sim, me lembro.

Adair tentou novamente, começando a perder a paciência.

— Você estava sonhando antes de eu acordá-lo? Era como um sonho?

— Não era... como aqui.

— E você estava sozinho, Jonathan? Havia alguém lá com você, talvez alguém que você conhecesse? Um ente querido?

O cadáver franziu o cenho de novo.

— Ninguém que eu conhecesse, não.

— E quanto... — Adair fez uma pausa, a humildade e a timidez retomadas para essa pergunta — ... e quanto a Deus? Encontrou-se com alguma divindade? Um poder maior? E quanto ao demônio? Conheceu o mestre da escuridão?

— Não vi ninguém — Jonathan respondeu —, exceto a rainha do submundo.

Adair sentou-se de novo sobre os calcanhares. Não esperava essa resposta. A rainha do submundo? Não fazia ideia do que Jonathan queria dizer com aquilo. Aparentemente, existia uma próxima vida, a julgar pelo fato de que a alma de Jonathan voltara de algum lugar, e nessa próxima vida havia algo que podia ser interpretado como a rainha do submundo. Adair sentiu um surto de pânico. Pensou em seus livros: precisava das velhas histórias e de referências materiais para encaixar as peças misteriosas desse quebra-cabeça.

Mas quando Adair virou-se para Jonathan para lhe fazer outra pergunta, viu que ele ficara inconsciente. Chacoalhou-o pelos ombros e puxou a pálpebra de baixo para analisar o olho castanho encoberto, no qual podia ver uma pulsação leve, uma centelha intermitente de vida. Satisfeito por Jonathan não ter sido levado de volta ao vácuo, Adair embrulhou-o, com a roupa malcheirosa e tudo mais, enfiou-o no carro alugado e saiu dirigindo, deixando os montes de terra e o corpo de Joe Duchesne ao lado do túmulo aberto.

XVI

Adair saiu da cidade com Jonathan deitado no banco de trás, um casaco foi jogado sobre o corpo para evitar que fosse visto. Nem precisava ter se incomodado: nas últimas horas da noite, nenhum veículo atravessara seu caminho durante todo o trajeto em direção ao sul, passando pelo território das madeireiras e de fazendas de batata. Só a meio caminho de Boston é que percebeu que deixara todos os seus pertences no *Bed and Breakfast*. Sem problemas: obsessivo, mantinha os dois livros com ele o tempo todo, era tudo do que precisava e as únicas coisas que não podia se dar ao luxo de perder.

Adair acelerou de volta para a casa de Jude, dirigindo só um pouco acima do limite de velocidade para evitar atrair a polícia. A última coisa de que precisava era de homens da lei se aproximando de sua janela e detectando o cheio de carne apodrecida. Em St. Andrew, as pistas se encaixariam tão facilmente que até uma criança seria capaz de segui-las: o xerife estava morto, o túmulo fora violado e o estranho, que estivera fazendo perguntas sobre o corpo perdido, havia desaparecido da cidade no meio da noite. Tinha usado uma identidade falsa para os arranjos da viagem, havia pouca chance de ser descoberto; mas havia o risco de ter deixado alguma pista para trás. Adair deixaria para Jude resolver quaisquer problemas que pudessem surgir. Ele era um burocrata sem criatividade, perfeito para lidar com minúcias.

Dirigindo na escuridão das ruas vazias, Adair voltou a pensar na cova rasa e no desconforto que sentira no túmulo de Jonathan. Ali em pé, olhando para o buraco profundo e cheio de terra, experimentou a mesma sensação que tivera durante seu próprio enterro, quando as paredes e o chão de sua cela minúscula desapareciam e o faziam sentir-se como se estivesse flutuando no vazio absoluto. Pior ainda, houve vezes quando não fora capaz de sentir os limites do próprio corpo, quando uma força constante, porém imutável, atingira sua consciência até ficar só um fio, desaparecendo e dissipando-se no vazio. Nessas ocasiões, sentia como se seu eu físico deixasse de existir e ele se tornasse nada mais do que um grão de areia no infinito oceano do nada. Teve exatamente a mesma sensação quando estava em pé ao lado do túmulo aberto de Jonathan.

Além disso, houve essa revelação desconcertante da rainha do submundo.

Enquanto se debatia com o conceito de uma divindade real, uma rainha que dominava a vida após a morte, sentiu o abismo negro puxá-lo mais uma vez, tão nitidamente quanto o aumento de seu próprio batimento cardíaco. Talvez a criatura sensível que aguardava no mundo do outro lado estivesse ligada ao abismo de alguma forma. Talvez ela pudesse não só controlar o imenso vazio, mas também comandá-lo. A possibilidade de estar perto de uma força dessa magnitude o assustava, pois conhecia suas próprias limitações: ele não era uma criatura sobrenatural, apenas um homem. Um homem extraordinário, mas não um deus.

ROMÊNIA E ARREDORES, por volta dos anos 1300

A principal razão de o médico ter escolhido tomar o elixir da vida eterna foi continuar seus estudos sobre as forças do universo, conhecido e desconhecido. Agora teria até o final dos tempos para estudar a sabedoria dos praticantes de magia que o precederam, e ultrapassar o conhecimento deles com suas próprias descobertas reveladoras.

No entanto, após tomar o elixir, descobriu que havia outro benefício, um pelo qual não esperava: começara a viver com mais intensidade. Estava mais forte do que nunca e podia correr tão rápido que parecia estar voando. Seus sentidos foram aguçados: as cores eram mais brilhantes, os cheiros, mais fortes. Era como se tivesse sido um doente a vida toda e, de repente, adquirira a saúde perfeita.

Mesmo assim, seu corpo tinha deficiências que não tinha como compensar. Era o corpo de um homem velho e, como tal, sujeito a todos os preconceitos contra os idosos. As pessoas presumiam que ele era vagaroso e frágil, e ou tentavam tirá-lo do caminho ou eram solícitos demais, tropeçando em si mesmos para tentar ajudá-lo, mesmo quando a ajuda não era necessária. Por mais que quaisquer das duas reações o irritassem, não contava a ninguém sobre sua condição, ainda que tivesse gostado de ignorar as ofertas de ajuda dos samaritanos ou socar os ladrões que acharam que ele fosse senil e tentaram furtá-lo. Adair controlava os nervos, percebendo ser melhor não corrigir as hipóteses desses idiotas e mostrar-lhes que era tão vigoroso e alerta quanto qualquer um deles, pois isso só geraria suspeitas sobre ele. Não poderia correr o risco de ser delatado aos inquisidores. Não tinha explicação a dar-lhes sobre seu rejuvenescimento e, assim, não havia alternativa exceto fingir-se de velho.

Ao mesmo tempo em que se sentia embasbacado por sua força restaurada e pelos sentidos aguçados, uma indesejada surpresa de seu renascimento fora a recuperação do desejo sexual de sua juventude. Ele se deu conta de que tinha o desejo insaciável que possuía aos 16 anos — não, dessa vez era muito pior, muito mais intenso e impossível de ser ignorado. Além disso, diferentemente de quando era adolescente, agora ele *sabia* do que sentia falta. Ele nunca se casara, no entanto, ao longo da vida, se satisfizera com prostitutas e serviçais condescendentes — talvez com uma frequência um pouco menor do que se tivesse uma esposa, mas esse fora um sacrifício que fizera por sua vocação. Ciência e alquimia eram tudo com o que ele se importava, e não lhe interessava nenhuma companhia que não compartilhasse dessa paixão. Agora, para sua frustração, não conseguia tirar a ideia de sexo da cabeça. Era como se o desejo tivesse se infiltrado em seu organismo através da corrente sanguínea e o corroesse de dentro para fora.

Mas de que adiantaria o apetite sexual voraz a um homem tão velho e feio que nenhuma mulher concordaria, de bom grado, em satisfazê-lo? Tornou-se tão repulsivo que até mesmo as prostitutas torciam o nariz para ele. Por sua audição estar mais aguçada do que nunca, conseguia ouvi-las sussurrando ao se aproximar: *Lá vem aquele velho sujo de novo! Ele nunca se satisfaz — e nessa idade! É uma desgraça.* Ah, se pudesse ser um homem jovem de novo, a história seria totalmente diferente. As prostitutas brigariam pela chance de irem para a cama com um homem tão viril. Nesse momento, ele não passava de um maluco com um apetite sexual incomum.

Ele jurou procurar mulheres de rua com menos frequência, mas isso significava que teria que encontrar outras saídas para seu desejo. Desesperado, procurou um garoto que estava se vendendo em um beco, de uns 12 ou 13 anos. Esperava se enojar com a visão e a sensação do corpo do garoto, mesmo com o rapaz de costas para ele, olhando para a parede, assim poderia satisfazer-se por trás, mas não foi o caso. A revelação de que poderia sentir prazer com alguém do mesmo sexo afetou-lhe tanto que o fez sentar-se no escuro com uma garrafa de vinho, tentando erradicar toda a memória do que acabara de fazer.

Enquanto se remoía, questionando a própria masculinidade, começou a ver que havia desejos dentro dele que nunca deixara vir à tona, pensamentos secretos que havia escondido. Mas, ele se perguntou, se negara *esse* prazer por medo de ser condenado, o que mais havia perdido? Não tinha nada a perder agora. Por que não dar asas a seus desejos mais obscuros? Certamente sua transformação o pusera em um patamar em que as leis dos homens não se aplicavam. Não a ele.

Aquele foi o momento em que se separou de seus companheiros: ele não se considerava mais ligado às convenções que o restringiram a vida toda. Ter essas habilidades extraordinárias e mesmo assim se comportar como uma pessoa qualquer — pedindo permissão para seus atos, autocensurando as vozes dentro de sua cabeça, controlando sua mão — era um desperdício de seu dom. Não, agora ele era imortal, e pretendia fazer o que bem entendesse, para ver até onde conseguia chegar. Deveria haver uma razão por ter sido escolhido para ter esses poderes incríveis, ele raciocinou; seria um erro e um desperdício esconder um dom como esse.

Foi só em 1349, quando voltou à sua terra natal, trabalhando para um conde romeno, que descobriu uma possível solução para seu aprisionamento no corpo de um homem velho. A posição de médico do conde cel Barin era um artifício tanto quanto seus outros compromissos; a verdadeira razão por ter ido trabalhar com o conde foi ter ouvido que um monge com poderes extraordinários um dia vivera nas redondezas. O número de alquimistas legendários era pequeno, e o mundo deles também. Uma vez que um homem atingisse certo de nível de proeza e fosse considerado um mestre da prática, ou se um dia fosse conhecido como um Adepto, seu nome se espalharia rapidamente entre os praticantes. Seus feitos seriam comparados aos de outros Adeptos. De aprendizes perambulantes a devotos de mágica, o médico tinha notícias de outros praticantes e das lendas de seus feitos maravilhosos. Ouvira falar de linhagens dos Adeptos que passavam suas habilidades especiais aos seus alunos — discípulos que poderiam ser encontrados através de gerações de treinamento.

As linhagens eram geralmente interrompidas pela intervenção da igreja — trabalhos importantes se perdiam quando um mestre e seus discípulos eram encontrados e executados por heresia. Inquisidores usavam as coleções de anotações de suas vítimas e os recibos para construírem as piras nas quais esses homens eram queimados vivos. *Tanto conhecimento perdido*, ele lamentou. *Quanto desperdício!* Era seu dever preservá-lo.

E foi assim que acabou como empregado do cel Bartin, tentando coletar o máximo de informações sobre o monge que praticara alquimia muitas gerações antes. O velho pensava que ainda haveria seguidores daquele homem vivendo nas redondezas, discípulos com cópias das receitas de seus mestres. O nome do monge era Nicodemus, e o médico ouvira rumores de que ele era capaz de realocar uma alma em outro corpo.

Por mais tentadora que fosse a ideia, o médico estava cético. Buscara muitas vezes criar a poção com esse propósito, baseado em seu conhecimento das propriedades dos elementos — tentara encontrar o peso da alma fazendo leituras cuidadosas dos corpos antes e depois da morte, por exemplo —, mas suas tentativas resultavam em nada. Para começar, como o monge conseguira tirar a alma? Será que as duas almas coexistiam de alguma forma ou a nova alma suplantava a antiga? Se este era o caso, o que acontecia com a original daquele corpo? Escreveu essas perguntas em pedaços de pergaminho, formulando-as em sua cabeça com precisão científica, mas não descobria a resposta.

Ele saía durante as noites para investigar o paradeiro do legado de Nicodemus, era melhor fazer essas coisas encoberto pela escuridão. Encontrou os moradores mais antigos do vilarejo e questionou-os meticulosamente, dissecando suas memórias em busca da menor pista que houvesse. Foi até os lugares onde o renomado mestre alquimista pudesse ter morado ou trabalhado, escavou cavernas em busca de minerais precisos, colhendo musgos e cogumelos no chão da floresta. Procurou nos cofres dos monastérios, perambulou pelas casas enquanto os ocupantes dormiam. Ele era como um fantasma noturno buscando segredos a serem desvendados.

Enquanto isso, comprara um garoto romeno, Adair, para ser seu servo. O garoto fora escolhido especialmente por sua beleza. O médico não tivera a intenção de roubar o corpo do camponês quando se conheceram, pois o garoto era muito jovem e ainda não se desenvolvera. Só quando o rapaz ficou mais velho e desabrochou totalmente foi que ele percebera seu potencial. Mas, a essa altura, já tinha desfigurado o garoto com cicatrizes de uma surra feroz — merecida, uma vez que o pegou fugindo com receitas roubadas —, mas nada poderia ser feito com relação a isso agora. O médico mantinha relações sexuais regularmente com o garoto, e isso teria que acabar também, já que sentia repulsa diante da ideia de estuprar um corpo que um dia habitaria. Para ele, o fator que encerrava o assunto era que o garoto tinha um membro enorme: não tão longo a ponto de ser um defeito — o médico imaginava que não deveria ser tão longo — mas grosso, como um bate-estaca pessoal. A ideia de ser dono dessa arma e usá-la com destreza deixava-o desnorteado.

Nesse meio-tempo, começara a ter pistas sobre o trabalho do monge e sentia que estava perto de encontrar alguém que pudesse lhe contar mais sobre seus trabalhos. Então, resolveu dar vida eterna ao camponês a fim de lhe preparar o corpo para receber a alma do médico assim que o feitiço fosse encontrado. Enquanto isso, esse procedimento protegeria o corpo contra acidentes. Quanto mais pensava nisso, mais sentido fazia: achava que o corpo do garoto era adequado, o rosto, agradável. Outros também pareciam achar o garoto bonito. Se o pior acontecesse, talvez ele tivesse que esperar meses ou anos antes de encontrar outro corpo aceitável.

Além disso, começara a sentir revolta no coração do garoto. Levara-o a uma peregrinação que fazia a cada dez anos, para discutir a contabilidade com o administrador de sua propriedade, e notou que a viagem tinha transformado o rapaz. Talvez fosse uma reação ao ver a imensidão da riqueza do médico, mas parecia ter relação com o fato de aquilo tudo ser muita coisa para um camponês que fora pobre sua vida toda, o que lhe deu algumas ideias. De qualquer forma, desde que tinham voltado, o garoto estava tão arisco quanto um gato escaldado.

Escolheu a noite em que chegaram de viagem para a transformação do camponês. Colocou droga na bebida da governanta para que permanecesse dormindo, caso as coisas ficassem feias ou barulhentas. Naquela noite, o médico fisgou o garoto para seu quarto no porão, usando como isca a promessa de que o ensinaria a ler. Apesar de cético, o rapaz estava tentado o suficiente para segui-lo, e, assim que se inclinou sobre as páginas para começar sua lição, o médico o agarrou e o forçou a engolir o elixir que mantinha em um recipiente amarrado em volta do pescoço em um cordão de couro.

O feitiço levava um tempo para fazer efeito, para o corpo morrer e permitir que a alma retornasse assim que tivesse se desvencilhado das exigências enervantes da mortalidade, pelo menos era assim que o médico pensava. Pela manhã, a transformação do servo estava completa, e ele acordou com a força do rejuvenescimento pulsando em seu corpo viril. Como o médico invejava aquele corpo jovem, lembrando-se de como se sentira ao tomar o elixir aos 87 anos! Podia imaginar o que faria a um homem na faixa dos 20 anos.

No fim, descobriu o trabalho do velho monge Nicodemus pelo caminho mais simples. A essa altura, conquistara a confiança do conde cel Batrin e tinha mais intimidade para fazer-lhe perguntas. O castelo e seus ocupantes eram loucos por magia. Não que declarassem abertamente a crença, pois a igreja caçava impiedosamente aqueles que adoravam Satã, e qualquer um, tolo o bastante para admitir essas tendências, poderia esperar ser torturado e morto como um exemplo para o restante do reino.

Não, o interesse do conde em magia parecia ser um entretenimento tanto para si quanto para seus cortesãos, e então o médico lhes ofereceu demonstrações inofensivas de truques distantes da heresia: pó mágico e profecias, poções para induzir alucinações, estados nos quais os homens ficavam suscetíveis à ideia de que estavam voando ou eram invisíveis. Claro que conhecia feitiços e poções que poderiam tornar alguém temporariamente invisível e coisas do gênero, mas não ousava contar isso a ninguém. No entanto, esses truques simples agradaram o conde e lhe conquistaram a confiança, permitindo ao médico andar mais livre dentro do castelo.

Foi em uma dessas andanças, enquanto exercitava sua liberdade, que descobriu haver um homem que tinha se tornado o mantenedor da história do reino. Durante o dia, mantinha o tesouro em ordem; ele sabia de cada utensílio de prata e de cada joia guardada, e mantinha as chaves dos cofres em um cinto ao redor da cintura, como um capelão. Mas durante os momentos livres — à noite em seu quarto, com a pena na mão —, escrevia todas as histórias contadas sobre o reino e seus arredores.

Então, em uma noite, o médico fez uma visita surpresa ao tesoureiro, levando uma bolsa com vinho consigo. O tesoureiro gostou tanto de ter alguém para ouvir as histórias que coletara meticulosamente através dos anos que o médico nem precisou da bebida para fazê-lo soltar a língua. Mesmo assim, o velho de olhos brilhantes bebeu o vinho com gratidão e contou ao médico tudo o que sabia.

Aparentemente, florescera no reino uma seita secreta de monges, que, diziam, tinha um interesse profundo e constante na magia negra. Na verdade, era um interesse perverso para uma irmandade de monges, mas, na época, todo mundo sabia que nem todos esses religiosos se juntavam à igreja porque queriam devotar suas vidas a Deus. Alguns só queriam uma profissão, e tornar-se monge era melhor do que ser um soldado, já que era menos cansativo e menos fatal. Outros o faziam porque teriam comida e moradia, e geralmente aprendiam alguma habilidade útil; outros ainda eram muito preguiçosos e fisicamente despreparados para administrar qualquer tipo de trabalho manual, mas se contentavam em fazer algo que exigia, em retorno, só um pouco de obediência. Como em todas as estradas da vida, alguns eram levados a uma profissão diametralmente oposta ao seu caráter inato: assim como havia homens da lei e xerifes que roubavam e mentiam, havia padres e freiras que flertavam com o demônio.

Para todas as aparências externas, tudo na abadia parecia normal, sem nenhuma indicação de que havia algo errado. A ordem era conhecida por se dedicar à apicultura e por manter o vilarejo e o castelo abastecido de mel e cera de abelha; as abelhas deles polinizavam os campos dos fazendeiros, e a interação dos monges com os moradores do vilarejo era cordial. Então, um dia, todos os monges desapareceram, exceto dois. Um estava lá há mais tempo do que qualquer um conseguia se lembrar: um homem desbocado, teimoso e tão velho que já encolhera pela metade e mal podia andar, de forma que tinha que ser carregado nas costas por um monge mais novo a maior parte do tempo. O segundo era uma adição recente à irmandade, um acólito. Ele não fora encontrado dentro dos muros da abadia, mas sim no meio da floresta com a túnica rasgada e cheia de espinhos por ter se escondido em uma moita para escapar da perseguição dos monges, assim ele dissera.

O jovem estava coberto de escoriações, e amarras tinham deixado marcas nos pulsos dele. Ele disse, para a surpresa de todos, que a irmandade se dedicava ao estudo da magia negra e tinham descoberto uma maneira de viver para sempre. Sabiam como enviar a alma para dentro do corpo de outros, trocando seus corpos envelhecidos pelos dos acólitos que chegavam. Então, livravam-se dos corpos dos velhos e aprisionavam as almas dos acólitos dentro deles.

O velho monge, ao que parece, recusara-se a seguir os outros, preferindo ficar em seu próprio corpo (apesar de ter conseguido prolongar seu uso, conforme confessou na época, ao ser capturado com 125 anos). Quando os monges descobriram que o rapaz fugira e não conseguiram encontrá-lo, abandonaram a abadia, antecipando a inevitável descoberta.

— E o nome do monge que desenvolveu esse feitiço era Nicodemus? — o médico perguntou sem fôlego.

— Acredito que esse era o nome pelo qual era conhecido — o contador de histórias disse, concordando com a cabeça antes de continuar seu relato. Só o velho monge tinha conhecimento sobre os feitiços e os poderes de Nicodemus, mas se recusava a divulgar qualquer informação, pois achava que nenhum bem poderia advir do contínuo interesse no assunto, particularmente se chegasse às mãos erradas, e tinha jurado levar esse conhecimento para o túmulo. — Então isso é tudo o que sei sobre a lenda — o tesoureiro continuou, bebendo a última gota do vinho e ignorando o olhar desapontado do médico. — Talvez seja por isso que esse vilarejo ainda tenha tanto interesse em magia negra — ele acrescentou —, pois, ao longo dos anos, sempre fomos atormentados por ela.

— Imagino que o velho monge não tenha algum parente ainda vivo — disse o médico, resignado por ter chegado em outro beco sem saída.

— Na verdade, a neta dele ainda vive no castelo — o tesoureiro comentou casualmente.

— Um monge com uma neta? — perguntou o médico, sobrancelhas levantadas.

— Bem, já tínhamos concordado que ele não era um religioso muito devoto, não é? — o tesoureiro respondeu. — O homem perdoava assassinatos e idolatrava o demônio, ou assim se diz; ter uma amante parece o menor de seus pecados. Ele teve uma amante que sobreviveu, e a amante teve um filho, e assim por diante. Dizem que a garota tem o dom da profecia e também um toque de loucura. Ela vive na parte mais baixa do castelo, perto das masmorras.

O médico agradeceu ao tesoureiro e caminhou apressadamente até o subsolo, passando pelos armazéns frios e pela despensa. Conforme se aproximava das masmorras, foi de aposento em aposento com sua lamparina, até encontrá-la. A sombra dele mal tinha atravessado o batente da cela quando a mulher rapidamente sentou-se ereta, como se ele a tivesse chamado pelo nome.

— Consigo sentir suas intenções daqui. Está procurando os segredos de meu avô — ela disse. — Não se aproxime. Eu lhe darei o que está procurando, sei que tem a intenção de levá-lo de qualquer maneira e consigo ver morte em seu coração.

A mulher não tinha mais do que 30 anos, ele imaginou, e parecia ter sido criada no meio da floresta. Vestia farrapos, estava descalça e seu cabelo acobreado estava desbotado e embaraçado como o ninho de uma besta selvagem.

— Por que mora no porão? — o médico indagou, segurando um pano sobre o nariz para não sentir o mau cheiro dos prisioneiros no corredor.

— Estou mais segura aqui, longe de tipos como aqueles — ela respondeu, jogando a cabeça em direção aos andares de cima. — Sou louca, ou assim eles preferem dizer. Em uma cidade obcecada pelas artes da magia, foi predeterminado que eu seria uma pária. Eles acreditam que eu tenha sido atingida pelo mesmo espírito demoníaco que dizem ter possuído meu avô.

Ela parecia tão lúcida que o médico imaginou que estivesse fingindo ser louca para manter os habitantes da cidade afastados dela. Ele sentiu uma força passando pelo ambiente e por ela também, e ela parecia incapaz de controlá-la, para seu grande infortúnio. O médico entendeu que seria bom vê-la como um exemplo a não ser seguido: se não conseguir controlar as forças que possui, *elas* controlarão *você*.

— Então sabe por que estou aqui? — ele disse, andando de um lado para o outro.

— Você quer o livro do meu avô — ela confirmou, tirando um grande volume de um esconderijo na parede, passando os dedos pela capa de madeira mofada. — Eu o mantive escondido, conforme minha mãe mandou, até agora. Ele contém uma magia poderosa que nem ela nem eu temos a força interior para comandar. Mas você tem. — Ela deslizou o livro pelo chão, e este veio parar exatamente sob os pés dele, como se o estivesse esperando. — Um pequeno conselho de meu avô para você: é melhor ser um pecador do que um hipócrita, especialmente se não há razão para obedecer às ordens ridículas da multidão. Não se esqueça disso. Dito isso, ela se enfiou de volta nas sombras.

Por um momento, ele pensou em levá-la com ele. A mulher evidentemente tinha uma conexão nata com o outro mundo, e com certeza deveria haver alguma utilidade nisso. Por outro lado, ela não controlava seus dons, e ele próprio não estava tão ansioso para descobrir se tinha poderes suficientes para controlá-los. De qualquer forma, a curiosidade dele terminou assim que sentiu o poder daquelas páginas, assim que suas mãos tocaram o livro. Ele sorriu para ela com a gratidão faminta de um lobo, enfiou o livro debaixo do braço e saiu da masmorra em direção à privacidade de seu aposento, ávido por explorar sua última aquisição.

XVII

MAINE

Quando o céu estava clareando com o nascer do Sol, Adair parou o carro no acostamento da estrada. Agora, com luz suficiente para enxergar, inclinou-se sobre o assento e puxou o casaco do rosto de Jonathan, esperando que uma grande transformação tivesse ocorrido nas últimas horas.

A pele de Jonathan estava um pouco mais escura do que a tonalidade normal, e a maior parte do cheiro tinha se dissipado; ficar com as janelas abaixadas durante a viagem, nesse aspecto, foi muito bom. No entanto, Jonathan não parecia saudável. A aparência dele fazia Adair lembrar-se muito das vítimas da Peste Negra, com aquele rosto lindo distorcido pelo inchaço e as bolhas de coloração arroxeada visíveis no colarinho da camisa.

Adair não tinha percebido, até aquele momento, o quanto queria que aquela manobra funcionasse — e que funcionasse perfeitamente. Ressuscitar um morto já era difícil; restaurar um corpo ao seu estado original, quando este um dia fora a absoluta perfeição, era provavelmente impossível. Ainda que houvesse uma chance de Jonathan melhorar, Adair resolveu preparar-se mentalmente para o fracasso e decidiu ver aquilo como uma experiência, uma oportunidade de observação na tentativa de fazer melhor da próxima vez que tentasse ressuscitar um morto, se é que algum dia usaria aquele feitiço novamente. Contudo, seu coração sentia a dor da frustração.

Adair estava olhando para Jonathan, perguntando-se se ele recobraria a consciência, quando os olhos dele se abriram de repente.

— Está acordado há muito tempo? — Adair tentou esconder a surpresa e o encantamento ao ver o cadáver de Jonathan de volta à vida.

— Não sei. Estou consciente agora? Isso não é um sonho? — A voz era de Jonathan, mas soava como se estivesse vindo de longe.

— Consegue se mexer?

Jonathan mexeu-se com dificuldade, usando as costas do assento para sentar-se ereto. Doía em Adair vê-lo tão deteriorado. Sentiu um nó no estômago diante daquela situação.

— É como vestir roupas que não usamos há muito tempo. Nunca imaginei que me sentiria desse jeito de novo, feito de carne e osso. — Jonathan comentou. E, da mesma forma, movia-se de um jeito estranho e desconjuntado, como se seu esqueleto tivesse sido encaixado de um jeito errado e fosse necessário aprender como seu novo organismo funcionava. Quando finalmente conseguiu se entender, continuou a reclamar com Adair.

— Por que me trouxe de volta? É uma coisa obscena a se fazer com um homem que já fez as pazes com o mundo.

Com relação a isso, Adair não podia discordar dele, pois sabia que tinha passado dos limites, ainda que não fosse admiti-lo a Jonathan.

— Preciso de você: tenho algumas contas a acertar com você e Lanore. Mas, primeiro, quero saber como foi parar naquele túmulo. Deve ter sido pelas mãos da própria Lanore, é impossível ter sido de outra maneira, mas, mesmo assim, *nunca* imaginaria que ela pudesse deixá-lo partir. Você a convenceu a matá-lo? Deve ter feito uma coisa absolutamente medonha para fazê-la querer se livrar de você.

Um lampejo de ódio clareou a nuvem que encobria os olhos de Jonathan.

— Não seja ridículo. Ela não acabou com a minha vida por ódio. Ela fez isso porque lhe pedi. Estava cansado de viver. Tenho certeza de que até mesmo você sentiu isso em algum momento. Achei que estava infeliz além do ponto de ser ajudado. — Ele balançou a cabeça melancolicamente diante de sua estupidez. — Queria fugir o mais rápido possível, então, procurei por Lanny e implorei a ela para me ajudar. Ela argumentou comigo feito o diabo, mas depois de um tempo desistiu. Era isso o que queria ouvir?

Apesar do arrependimento na voz de Jonathan, Adair ficou abismado com o egoísmo do ato dele; pedir a alguém que o amava profundamente para lhe tirar a vida. O que será que a convencera a concordar com ele? Será que era o amor infinito por ele ou a culpa por tê-lo feito imortal contra sua própria vontade? Em qualquer um dos casos, ela fora colocada em uma posição muito delicada e, mesmo assim, tinha concordado com ele.

— Vá com calma. Quero que me conte *tudo*. Pediu a ela que acabasse com sua vida, mas por que a abandonou? Cansou-se dela, depois de duzentos anos de convivência?

— Se me cansei dela? Não. Ficamos juntos só por alguns poucos anos, logo depois de escaparmos de você... Desde o início vi que não havia nada de bom entre nós e nunca haveria. Ela queria mais do que eu poderia lhe dar. Minha presença só fazia mal a ela, então pensei que seria melhor se eu fosse embora. Desde então, sempre estivemos separados. Eu só a procurei novamente porque precisava que me libertasse. E, para a minha vergonha, perturbei-a até me deixar partir.

Então eles *não* ficaram juntos, felizes, apreciando a companhia um do outro, rindo do truque cruel que perpetraram contra ele, como Adair temia. E, ao ficar satisfeito por Lanny não ter estado na cama de Jonathan esse tempo todo, também lhe doía — irracional e contraditoriamente — saber que Jonathan a abandonara. A agonia que ela deve ter sentido depois de perdê-lo. Deve ter ficado inconsolável, vivendo com a dor da rejeição dele durante todos aqueles anos. Como deve ter questionado a si mesma todos os dias, duvidado que alguém um dia pudesse amá-la. Pois ele próprio tinha tido essas dúvidas, depois que ela o traíra. Sentou-se e perguntou-se, pela primeira vez, se era tão monstruoso a ponto de não poder ser amado. A evidência parecia inegável.

Em vez de ficar contente ao ouvir sobre o sofrimento dela, Adair ficou surpreso ao perceber que estava *furioso* com Jonathan por magoar a mulher que ele amava. Como esse janota egoísta, esse idiota desqualificado, ousou tratá-la dessa maneira? Era o ápice da ingratidão: Jonathan poderia procurar pelo mundo todo e nunca encontraria alguém que o amasse tanto e tão verdadeiramente quanto Lanny o amara. Que arrogante da parte dele ter tão pouca consideração pela devoção dela! Adair, com a cabeça a ponto de explodir de raiva, controlou a vontade de agarrar o homem que acabara de ressuscitar e quebrar-lhe o pescoço.

Não fazia o menor sentido e, mesmo assim, era inegável: Adair amava tanto Lanny que não suportava pensar no sofrimento dela, independentemente da razão. Depois de acalmar-se o bastante para continuar a falar, fixou o olhar em Jonathan e disse:

— Como ela se apaixonou por você? Nunca entenderei isso... De todos os homens que ela poderia ter tido, por que escolheu um tão egoísta e insensível feito *você*?

Mas Jonathan não se ofendeu.

— Quer que eu discorde de você? — ele perguntou melancólico. — Desde que éramos crianças, eu sabia que ela estava errada em me amar. Mas, ao mesmo tempo, nunca lhe pedi isso. Ela me deu seu amor, Adair, colocou-o aos meus pés e esperou reciprocidade. E vou lhe dizer uma coisa: não foi fácil reconhecer que eu não a amava da mesma forma.

— Mesmo assim, conseguiu levá-la para a cama...

— Era o que ela queria, mas eu me sentia culpado cada vez que estávamos juntos. Cheguei a um ponto em que não conseguia mais conviver com a culpa e, então, fui embora. — A voz de Jonathan, que a princípio estava fraca e etérea, tinha engrossado pelo arrependimento.

Para sua grande surpresa, a misericórdia tomou conta de Adair. Misericórdia por seu rival, um homem que desprezara o amor de Lanny, e *ainda* não se apercebia do que jogara fora, ou de sua arrogância estúpida. Seria possível que o defeito estivesse em Jonathan? Adair se perguntou. Será que aquele homem não tinha necessidade de amar viva alma? Também sentiu pena de Lanore, que — Adair se deu conta com o coração partido — nunca deixaria de amar Jonathan, mesmo na morte. E sentiu pena de si mesmo, pois nunca se sentira tão sozinho.

— Ficará feliz ao saber por que fui procurar Lanny — Jonathan disse, hesitando durante um segundo antes de continuar com um suspiro. — Pode dizer que mereci o que recebi de volta. Veja bem, eu me apaixonei por uma mulher, e a perdi. Como sabe, três anos, cinco anos, é como um piscar de olhos para nós. Comecei a perceber o que era o amor e então ela se foi, morta em um acidente de carro. Fiquei louco de tristeza e, não sei por que, coloquei na cabeça que me juntaria a ela novamente no outro mundo. Sentia tanta dor... queria acreditar que havia uma maneira de consertar as coisas, de conseguir o que eu queria.

— E juntou-se a essa mulher de novo?

Jonathan virou-se.

— Não funcionou bem assim.

Bem feito, Adair pensou. Havia justiça no universo, apesar de tudo; nenhuma alma merecia mais infelicidade do que aquela.

— E o que encontrou na vida após a morte?

Jonathan só balançou a cabeça.

— Parece que não consigo me lembrar de nada concreto sobre a vida após a morte. É estranho: quando tento me lembrar, qualquer pensamento que surge desaparece logo em seguida, como uma bruma. É como se as lembranças não pudessem passar para esse lado. Pode ser que voltem a qualquer momento... mas todas essas questões sobre a vida após a morte... esse não é o verdadeiro motivo por ter me trazido de volta, né? Você quer encontrar Lanny, quer se vingar dela. Não vou ajudá-lo.

Adair esforçou-se a manter o autocontrole para não descontar sua frustração através da violência de uma vez só.

— Que cadáver galante você se tornou, hein? Sempre foi um vivo tão arrogante... Mas seus escrúpulos não se estendem a *mim*, não é? Se não estou enganado, ela teve sua ajuda para me aprisionar. Você deve tê-la ajudado a fechar aquela parede. Tenho direito de me vingar tanto de *você* quanto *dela*.

Jonathan não fraquejou diante da acusação.

— Lanny tinha as razões dela para fazê-lo parar. Para começar, estava tentando me proteger. Ela me disse que você tinha convencido todos de que era o garoto camponês, a vítima, mas não era. Ela sabia que você era o monstro horrível de sua própria história.

— Sei que ela descobriu meu segredo. Ela me disse, um pouco antes de me enganar. Ela é muito inteligente. Uma garota muito inteligente para você, Jonathan. Talvez até muito inteligente para mim. — Adair reconheceu.

— Ela me contou que você planejara trocar nossas almas, que queria tomar o meu corpo, e por isso teve que impedi-lo. A coisa mais irônica de todas é que eu teria lhe dado esse corpo de bom grado, Adair — Jonathan admitiu, quase rindo, não deixando dúvidas sobre sua sinceridade. — Não faz ideia de quanto ficava cansado de toda aquela atenção, da bajulação.

De ser tocado, olhado, procurado. Quando se é atraente, as pessoas acham que é um patrimônio público, como uma obra de arte ou uma estátua. Estava em exposição permanente. Se tivesse me pedido, teria trocado de lugar com você na hora. — Pela primeira vez, Adair não tinha palavras. — Foi por isso que me trouxe de volta do mundo dos mortos, não foi? Pensou em usar meu corpo para convencer Lanny a voltar para você. — O sorriso de Jonathan estava murcho e macabro, como o de um espantalho putrefato. — Imagino que agora deva estar pensando duas vezes sobre esse plano. Está frustrado com o jeito que eu fiquei? Pode ficar com esse corpo, se quiser. Não é muito atraente, mas, seja bem-vindo. Fique com o corpo e liberte minha alma.

Durante um tempo pareceu que Jonathan estava levando a melhor. Como isso tinha acontecido? Como um homem que tinha acabado de ressurgir dos mortos era capaz de repreendê-lo? Era muito irritante.

— Tanto falatório para nada — Adair disse em tom defensivo. — Você deixaria Lanore na mão para defender-se sozinha assim que conseguisse escapar. Será que é por que está ansioso para voltar aos braços da rainha do submundo? É outro caso de uma mulher fascinada com o magnífico Jonathan St. Andrew? Será que essa história nunca tem fim?

— Não tenho opção com relação a isso. E, se ela ficou fascinada comigo, como diz, se deve em grande parte a você.

— A mim?

Jonathan tocou o braço.

— A tatuagem, foi assim que chamei a atenção dela. Ela conhecia o desenho. Significava algo para ela.

Adair pensou na tatuagem original, que ficava em suas costas e que reproduzira de forma grosseira no braço de Jonathan. Precisava de espelhos para vê-la, e, com o tempo, à medida que a tinta vazara para dentro de sua pele, tornara-se algo sem forma. Quisera assumir que o desenho era insignificante, nada além de um rabisco romeno que um garoto camponês desenhara em sua pele como diversão, mas agora via que suas esperanças estavam perdidas: o desenho tinha um significado maior, como intuíra desde sempre. Na verdade, essa mesma intuição que o fizera tatuar o desenho em Jonathan.

— Então não foi o seu rosto lindo que chamou a atenção dessa mulher, mas a tatuagem... então, me conte, o que ela disse? O que significava para ela?

Jonathan afastou seu rosto desfigurado de Adair.

— Como lhe disse, enquanto ameaçar Lanny, não tenho nada a dizer para você. Não vai tirar mais nada de mim.

— Por sorte não preciso de sua cooperação, Jonathan, de verdade. Tudo o que preciso é de sua *presença.* — Adair virou-se de frente para o volante, mas não conseguia tirar os olhos do retrovisor e da imagem preocupante que ele lhe oferecia. — Por hora, só preciso que você volte a ser carne e osso, meu imperador dos vermes, e veremos se terá alguma utilidade no futuro.

Adair se perguntava se o corpo de Jonathan algum dia voltaria ao estado original. Se voltasse, não sabia se colocaria sua alma lá dentro, tomando-o como um caranguejo ermitão faz com uma concha. Com a mecânica de possuir um corpo, ele não se preocupava. Sabia que conseguia realizar o feitiço corretamente, pois já o tinha feito uma vez; uma só vez, mas o fato ficara queimando em sua memória para sempre, pois tinha sido extraordinário. O arrebatamento de se ter o controle de uma força tão poderosa era uma sensação da qual nunca se esqueceria.

TERRITÓRIO HÚNGARO, 1358

Com o livro do velho monge herege em segurança, o médico levou-o de volta aos seus aposentos e ocupou-se de procurar o feitiço que tanto desejava. Primeiramente, teve que desvendar o quebra-cabeça da escrita, que era o romeno arcaico da época do velho monge. Assim que as palavras começaram a fazer sentido, fora distraído pela abrangência da coleção, que lhe dava a indicação da capacidade de magia da seita. Riu de alguns feitiços cuja abordagem era errônea ou a execução deselegante, e sobre os quais qualquer pessoa de bom senso teria pensado em uma maneira melhor para realizá-los. Ficou se perguntando qual a utilidade daqueles feitiços. Alguns pareciam sem sentido, nem valiam a pena todo o trabalho.

O médico chegara à conclusão de que, longe de serem Adeptos, os membros dessa seita não passavam de um bando de amadores trôpegos...

até chegar ao feitiço em questão, aquele que o libertaria de seu próprio corpo. Leu a receita duas vezes, surpreso pela elegância e simplicidade do feitiço. Era realmente muito sábio e, sem dúvida, o melhor trabalho que os monges tinham realizado.

Agora que tinha os meios para fazer a troca de corpo com o garoto camponês, o médico começou a fazer planos. Aconteceria em seus aposentos e longe de Marguerite; não queria testemunhas para sua transformação, não queria que ninguém nem sonhasse que tomara a forma do camponês. Transferir sua fortuna em nome de Adair seria fácil, por causa da lei do selo: desde que carregasse o selo da família de volta com ele para a propriedade, não lhe questionariam a posse.

No entanto, convencer o garoto a descer até seu quarto provou-se um desafio. Agora que o corpo dele tornara-se insensível à dor, o jovem ficara arrogante: o médico percebeu que havia calculado mal quando resolvera torná-lo imortal. Oferecera a ele o dom prematuramente. Achou que ser o recebedor de um dom tão especial o tornaria fiel a ele, como sinal de gratidão, mas, em vez disso, o fez "colocar as mangas de fora". O garoto o estava testando, fazendo planos... já tinha passado da hora de colocar um fim naquela situação.

Com uma corda na mão, o médico esperou ao pé da escada.

— Adair, venha aqui — ele o chamou como chamaria um cachorro. — Preciso da sua ajuda.

A resposta foi curta e insolente.

— Por que deveria ir aí, velho?

No entanto, o médico estava preparado.

— Tenho algo que gostaria de dividir com você. Quero lhe mostrar onde guardo o selo de meu reino. Se alguma coisa acontecer comigo, quero que você o tenha.

O garoto conhecia a regra do selo de quando passaram um tempo na propriedade. Podia contar com a ganância do rapaz: aquela era sua fraqueza. No entanto, o camponês não era esperto: conseguia pensar um passo na frente, mas não dois ou três, e, quando havia algum tesouro ou riqueza balançando em frente aos seus olhos, toda a inteligência saía de sua cabeça e ele queria agarrá-lo, como um golpe de machado sobre uma corda fora de alcance.

Ao ouvir o Adair trotando escadaria abaixo, o médico aprontou a corda e, assim que ele apareceu no canto, agarrou-lhe pelo pulso e o amarrou. O garoto não facilitou, lutou enquanto o médico completava o passo a passo, untando a ambos com os óleos necessários enquanto pronunciava as palavras fundamentais. Mergulhou as mãos nos ombros do camponês e as manteve lá o máximo que conseguiu, incerto sobre o que aconteceria depois.

Foi a sensação mais espetacular que jamais sentira. Era como se tivesse caído sobre um milhão de grãos de areia, uma brisa lhe cortara a essência e o elevara, carregando-o no ar. Ao mesmo tempo, sentiu — mais do que isso, sabia — que o garoto estava passando pela mesma coisa, mas por um prisma de terror, pois não esperava por isso. Passaram um pelo outro — partículas de areia ao vento, voando, espalhando, rareando —, e o médico tornou-se parte da consciência do garoto, e o garoto, da dele. Naquele instante, tomou conhecimento de toda a vida do garoto: seu pai miserável, a camaradagem de seus irmãos, sua vergonha ao ser estuprado e o terror diante dos ataques de fúria do médico. Para seu embaraço, sabia que cada migalha e cada pedacinho de sua vida também eram oferecidos ao garoto, que podia conhecer cada fracasso e cada ofensa. Sabia tudo o que o médico sabia, cada feitiço e cada receita nos mínimos detalhes. Ele podia ser tão poderoso quanto o médico, sem a inteligência ou o temperamento para controlar tamanho poder. Até onde o médico sabia, aquilo selava o destino do garoto; mesmo com um garoto preso no corpo de um velho, não havia como deixá-lo viver.

A transferência terminou e o médico, mantendo os nervos sob controle, subjugou seu adversário rapidamente, algemando-o à parede. Que estranho algemar sua velha forma, encaixar as algemas aos seus velhos pulsos ossudos. Aquele rosto familiar olhou de volta para ele perplexo — e que cara horrorosa que era! Via como seu velho eu verdadeiramente parecia, agora que o tinha enrugado à sua frente. Era um grosso mapa de rugas; seus olhos estreitos como uma fenda. As marcas de idade salpicavam à superfície da pele, e os cabelos brancos surgiam dos lugares mais inapropriados. Suas unhas tornaram-se tão amarelas como as das patas de um velho cão. Mas a expressão no rosto mudara, e disso ele tinha certeza: eram os olhos do camponês que olhavam de volta para ele, indignados.

— O que aconteceu? — seu velho eu perguntou baixinho.

— Você agora está no meu lugar e eu, no seu. — Encantava-o ouvi-lo falar com a voz do garoto. Tudo no corpo do garoto o agradava. Se tinha se sentido bem quando experimentara o feitiço da imortalidade em São Petersburgo pela primeira vez, agora era cem vezes melhor. Naturalmente, isso se devia ao fato de o garoto ser mais jovem e ágil e, por ser um trabalhador braçal, era também mais robusto. Sentia-se tão forte quanto um titã, como se pudesse derrubar as paredes de pedra do aposento com um simples empurrão. Tinha certeza de que era capaz de correr durante horas sem se cansar, e que nunca precisaria dormir novamente. A força do sexo também era mais forte, e viu agora o quanto o garoto deveria ser frustrado, forçado a satisfazer as necessidades de um velho e ter relações com uma serva feia, quando queria fazer sexo com todas as mulheres do vilarejo.

Seu velho eu levantou as mãos acorrentadas, implorando.

— O que planeja fazer comigo agora?

— Por hora, vou mantê-lo aqui. Pode gritar o quanto quiser. Sabe que Marguerite não pode ouvi-lo.

Verificou os cadeados das algemas antes de subir os degraus e sair do porão e, em pé no andar de cima, enquanto sua visão se ajustava à escuridão, seu olhar recaiu sobre a forma dormente de Marguerite. Seu desejo era tanto que precisava ser saciado imediatamente, e a governanta serviria para amenizá-lo.

Na manhã seguinte, ele disse a ela que o velho médico resolvera não servir mais ao conde e que ela deveria ir embora também. Porém, Marguerite viu que as prateleiras e a mesa ainda guardavam os livros e os suprimentos do médico e pareceu não acreditar nele. Então, ele colocou uma pequena bolsa de ouro em sua mão e a mandou sair, pedindo-lhe que voltasse para o vilarejo. Assim que a governanta se foi, trouxe seu prisioneiro do porão, com as mãos ainda atadas, apesar de parecer uma precaução desnecessária, pois a expressão do homem era vaga, provavelmente à beira da loucura. O médico selou os cavalos e voltou para buscar o prisioneiro.

Por acaso, seus olhos recaíram sobre os segredos alquímicos que estavam sobre a mesa, o manuscrito veneziano e o livro de feitiços do velho monge, e então decidiu, subitamente, levá-los consigo. De tudo o que havia na fortaleza, as únicas coisas insubstituíveis eram os livros e, mesmo tendo a intenção de voltar, conseguia imaginar facilmente os riscos de deixá-los para trás. Havia uma chance de Marguerite voltar, talvez trazendo os homens do conde com ela. Assim, embrulhou os livros em um pano, amarrou o pacote nas costas e arrastou sua vítima para fora.

Cavalgaram por mais de uma hora em direção ao oeste, seguindo a trilha até a grande cadeia de montanhas. Ele sabia que as montanhas eram como colmeias, perfuradas com cavernas e câmaras, tantas que nenhuma pessoa conhecia todas. Tinha ouvido dizer que os ciganos e os ladrões às vezes usavam as cavernas para se esconderem de perseguições, sabendo que estariam a salvo ali, pois os moradores dos vilarejos acreditavam que fantasmas e demônios residiam naqueles recessos profundos, e não chegariam nem perto deles se não precisassem. Ele uma vez passou por uma caverna muito profunda, como um túnel. Jogou uma pedra lá dentro e nunca ouviu o objeto tocar o fundo. Essa caverna era o destino deles agora.

Levou seu prisioneiro até a beirada da caverna.

— Dê uma boa olhada, esta será sua nova morada, e acredito que por muito tempo. Pois, veja bem, o corpo que habita é imortal, assim como esse que você me deu, então mesmo que esteja no fundo desse poço, com os ossos quebrados pela queda, não morrerá. Seus ossos irão se juntar e sarar. E, mesmo não tendo comida nem água, não irá morrer de fome nem de sede. Não, você viverá nesse buraco por toda a eternidade, se ninguém encontrá-lo ou tirá-lo daí, e duvido muito de que isso acontecerá. Portanto, olhe para a luz do Sol pela última vez e diga adeus a tudo o que conhece.

Antes que o prisioneiro pudesse dizer uma palavra, pedir perdão ou mandá-lo para o inferno, Adair empurrou-o e observou seu ex-corpo cair e desaparecer de vista. O garoto chorou muito pouco, a voz velha e fraca sumiu rapidamente, e, como da outra vez, não conseguiu ouvir o impacto no chão ao final da queda. Satisfeito, o médico montou seu cavalo, soltou o outro e voltou para a fortaleza.

Agora, em retrospectiva, Adair ficara chocado pela ironia de Lanore escolher aprisioná-lo quase da mesma maneira que ele aprisionara o camponês. Tinha que ser uma coincidência, pensou, pois não contou essa história a ninguém, a nenhuma pessoa em suas centenas de anos de existência. Sentia arrepios ao se lembrar de seu tempo naquele espaço escuro e estreito, e de como quase enlouquecera... E pensar no camponês passando por essa tortura durante um tempo três vezes maior! Ele enlouquecera, com certeza. Ou, se Deus teve piedade, ele estaria em um estado de suspensão, hibernando como um urso no inverno, mas, nesse caso, hibernando sem interrupção. Dormindo eternamente.

Ao retornar de sua jornada até a caverna, Adair descobrira o pouco apreço que os moradores do vilarejo tinham por seu antigo eu, pois a fortaleza fora saqueada e queimada, tanto quanto é possível para uma construção de pedra. Marguerite deve ter comunicado aos moradores do vilarejo que o velho médico partira, e então vieram descontar a fúria sobre as posses dele. Eles o desprezavam e tinham tanto medo dele que não roubaram nada da fortaleza, deixando tudo queimar. O médico pisou sobre o amontoado crepitante das cinzas ainda quentes, a mobília revirada e totalmente destroçada, todos os utensílios queimados ou jogados e amassados. Foi até o porão e descobriu que sua cama se transformara em uma pira. Não havia nada a ser feito além de desenterrar o selo e o restante do dinheiro do esconderijo atrás da pedra da parede, dar adeus à sua vida como médico e se aventurar em busca de sua nova vida como Adair.

XVIII

BARCELONA

Antes de eu ir embora de Casablanca, Savva me deu um presente: uma lista dos outros acompanhantes de Adair.

— Talvez haja muitos outros que eu não conheça, aqueles que vieram antes de mim, mas não tantos assim, eu diria. — Ele franziu a sobrancelha enquanto olhava os nomes uma segunda vez. Colocara-os em uma ordem cronológica complicada. Alguns deles eu conhecia — Alejandro, Tilde, Dona, por exemplo, e Jude —, mas a maioria, não.

— São tantos — murmurei, olhando de soslaio para a lista. Apesar de Dona ter me contado que havia mais de nós no mundo, nunca me ocorrera procurar nenhum deles, exceto Savva, claro. Achava que todos seriam maldosos e falsos como Tilde e Dona; até mesmo Savva, às vezes, era uma provação. Ao longo dos anos, meu mundo encolhera: quando é necessário esconder os fatos de sua vida secreta, é mais fácil se retirar da sociedade que controlar as mentiras que vai contar; no entanto, nunca tive vontade de ter a companhia deles.

Das doze pessoas na lista, Savva sabia do paradeiro só de três. Apontou para o nome de Cristobal Ramirez, um pseudônimo imediatamente seguido por Alejandro Pinheiro em parênteses.

— Falaria com ele primeiro. Provavelmente, Alejandro mantém contato com alguns dos outros. Poderia encontrar todos os que restam se informando com eles e, agora que Adair está livre, talvez haja algum benefício em fazer isso.

Parecia que Alejandro, o homem submisso e observador que eu conhecera na casa de Adair, era agora Cristobal Ramirez, um fotógrafo com endereço na Ciutat Vella, a qual os guias turísticos diziam ser uma parte "na moda" da cidade. Não era surpresa que Alejando tivesse se tornado fotógrafo: ele sempre fora observador e a ocupação parecia cair-lhe como uma luva. Havia um certo grau de exploração envolvido, uma vontade de olhar fixamente e nunca virar o rosto, de usar o que vê através das lentes. Entre todos os servos de Adair, o trabalho de Alejandro sempre fora o de informante, aquele que ouvia tudo em silêncio e reportava de volta a Adair, e a lembrança de seu sangue frio, de seu caráter dissimulado, me provocou calafrios.

Ele era um dos mais tristes do grupo: filho de uma família judia muito rica, nascera em Toledo, na Espanha, em uma época ruim, no auge da Inquisição. Preso e torturado, ele acusou a irmã de bruxaria para assegurar sua própria liberdade, e pagaria por esse ato de traição por toda a eternidade. Odiava a si mesmo. Renunciara a sua religião, chegando a fingir ser um padre sem rebanho e um simpatizante papista. Sua psiquê alterada não tinha a menor chance contra seus torturadores — nem os inquisidores, nem Adair.

O endereço do estúdio de Alejandro dava em uma fileira de prédios baixos em uma rua bem mantida, com lojas e um bar chique no andar térreo, feito para chamar a atenção de fetichistas e amantes do sexo. A porta pela qual eu estava procurando ficava perto do bar e nela havia uma placa que dizia Cristobal Ramirez Fotografia. Atrás da porta, havia degraus que levavam a outra porta, que se abria em uma pequena sala de espera com paredes brancas altas e um balcão branco sem recepcionista. A sala funcionava como uma galeria e exibia nada além de fotos enormes de homens: retratos de corpo inteiro, alguns *close-ups*. Os modelos eram jovens, velhos, belos, estranhos; cada imagem capturava algum segredo verdadeiro de cada indivíduo, imagens tão reveladoras quase a ponto de ser uma exploração.

Essas fotografias eram tão fortes que era quase impossível tirar os olhos delas, e, conforme eu passava de uma imagem a outra, maravilhava-me com a mestria de Alejandro, com sua visão apurada da alma das pessoas, uma habilidade que, sem dúvida, levara vidas para conseguir. Foi nesse momento que uma porta se abriu atrás de mim, silenciosa, seguida por passos macios.

— Posso ajudar? — perguntou uma voz conhecida.

Virei-me, sorrindo, apesar de minha ansiedade em vê-lo novamente.

— Alejandro!

Ele tinha mudado tanto que não o teria reconhecido na rua. Os cachos negros gloriosos e brilhantes dos quais me lembrava não existiam mais, e a cabeça dele estava totalmente careca, deixando uma marca negro-azulada na parte da frente, onde seu cabelo estava começando a crescer de novo. Usava óculos de armação fina e arredondada com lentes amarelas cobrindo-lhe os lindos olhos castanho-escuros, uma afetação esquisita. Abandonou o manto negro eclesiástico, obviamente, e o substituiu por equivalentes do século 21: um suéter de casimira preta e uma calça cinza solta. Um terço de miçangas se enrolava em volta de um dos pulsos.

— Meu bom Deus! É *você*, Lanny!

Descartei todas as minhas impressões: ele abriu os braços bem abertos e então nos abraçamos — mas não muito amistosamente —, então ele deu um beijo de ar em cada bochecha.

— Estava pensando em você outro dia e então, do nada, tive notícias de Savva, dizendo que você queria vir me visitar. Uma coincidência e tanto, não é? Como se o destino estivesse tentando me dizer alguma coisa.

Ele nos guiou até o estúdio. Sentamo-nos no canto oposto de onde ele tirava as fotos, a parede era forrada com panos de fundo longos e sem costura, pendurados em roldanas pesadas no teto. Fora isso, o espaço estava vazio. Sentei-me sobre a mesinha de centro encostada na parede enquanto Alejandro ocupava-se com a máquina de café *espresso*.

— Deveria ter entrado em contato com você antes. Me desculpe por demorar tanto.

Por que eu nunca o tinha procurado?, perguntei-me. Ele não tinha sido tão terrível comigo em Boston, tinha? Naquele covil de lobos, ele foi o único que me tratou bem, além de Uzra. Ele cuidara de mim quando tive problemas com Adair. Verdade seja dita, Alejandro tivera participação na minha ida até Adair, e me persuadia e me adulava para que eu realizasse os desejos de Adair, mas eu queria acreditar que aquilo estava além do controle dele, que todas aquelas coisas foram feitas sob pressão. Em seu coração, sabia que o espanhol era gentil e bondoso. E queria confiar nele. Precisava dele.

— Como tem passado? — perguntei. — Parece estar indo bem.

— Pareço? — Ele olhou sobre os óculos de jeito brincalhão. — A fotografia, você quer dizer? Devemos ter hobbies para nos manter ocupados, não acha? E você? O que anda fazendo para manter-se ocupada?

— Não muita coisa, para ser bem honesta — respondi secamente.

Alejandro continuou.

— Já sei que não está mais com Jonathan. Savva me contou um tempo atrás, e devo dizer que foi uma enorme surpresa. Não parecia que pudessem viver longe um do outro. — Uma mentirinha bondosa. — Então, me diga que você e Jonathan estão juntos de novo. Isso me deixaria feliz.

Tentei não esmorecer, apesar da pergunta me causar uma dor terrível.

— Jonathan se foi. Ele queria ser libertado, então eu... o ajudei.

Alejandro me olhou com curiosidade, vendo um lado meu que não sabia existir.

— Nunca pensei que você fosse capaz de uma coisa dessas. Até mesmo Adair pensaria com muito cuidado antes de tirar a vida de um de seus acompanhantes, você sabe.

— No meu caso, foi absolutamente por compaixão.

— Mas matar o homem que você amava! É um tipo de compaixão muito complicada, não é? Quantas pessoas no mundo conseguiriam fazer uma coisa dessas para seus amantes? Uma em mil, um milhão? — Pela maneira como ele disse aquilo, não havia dúvidas de que pensava que havia algo muito errado comigo. Mais uma vez, Alejandro me olhou duramente. — Que coisa terrível para ter em sua consciência. Sinto muito por sua perda, minha cara.

Minha pele se arrepiou de uma maneira desconfortável. Tinha que mudar de assunto.

— Conte-me sobre os outros! Mantém contato com alguém? Conversa com Dona e Tilde?

— Sim, tenho contato com eles, mas... por que está perguntando? Você realmente quer saber como eles estão? Não parecia gostar deles antes.

— É difícil gostar de alguém que não gosta de você — retruquei.

— É verdade. — Ele deu de ombros, mas levantando um ombro só. — Sim, sei onde os dois estão. Ficamos muito próximos depois que você partiu. Não tínhamos outra opção: precisávamos fazer as coisas funcionarem. Aquele advogado inútil nos informou que o dinheiro de Adair tinha sido transferido para Jonathan, mas vocês todos desapareceram: você, Jonathan, Adair. Ninguém voltou. Ficamos sem um tostão. Quer que lhe diga pelo que passamos quando ficou claro que Adair não retornaria? Vendemos coisas, dependemos da misericórdia daqueles bostonianos sem coração...

Houve um tremor de medo e raiva na voz dele por tudo o que acontecera naquela época, mesmo duzentos anos depois.

— Parece que passaram por maus bocados.

— Tilde e Dona também sofreram. Servimos Adair durante anos e anos e, àquela altura, estávamos acostumados a ter um mestre. Demorou um pouco até percebermos que estávamos livres, e ficarmos fortes o bastante para seguirmos nossas vidas, cada um por si. — Ele me deu um olhar zombeteiro. — Então, essa é a minha história. Agora é a sua vez, Lanore. Vai me dizer o que aconteceu com você, por que desapareceu? Nem mesmo Savva sabia como conseguira se livrar de Adair. Ele disse que você nunca lhe contou essa parte da história.

Confessar-me para Alejandro era mais difícil do que eu imaginava. Havia um certo tom de agressividade nele, uma leve amargura. Ele sabia que eu tinha algo a ver com o desaparecimento de Adair.

Ele mexeu seu café *espresso* e então continuou, como se não esperasse uma resposta minha.

— Veja bem, tenho tantas perguntas sobre o lhe que aconteceu naquela época terrível! Sabe o que acho interessante? Desde o dia em que você saiu da casa, nunca mais senti a presença de Adair. Parou na mesma época em que ele desapareceu, quando, conforme você disse, ele foi à Filadélfia e você e Jonathan foram se juntar a ele. Lembra? — Ele forçou um sorriso. — Não posso dizer que perder a presença de Adair foi ruim. Foi como ser normal de novo, não um esquizofrênico com uma voz em minha cabeça o tempo todo. Entende o que quero dizer? Foi um *alívio*. É claro que entende.

— Fez uma pausa e tomou um gole do café, deixando-me ver um pedaço dos olhos sob a armação dos óculos. — E então, algumas semanas atrás, a presença voltou. Tinha me esquecido completamente de como era e pensei que fosse uma dor de cabeça. — A mão direita dele tocou a têmpora. — E foi quando me lembrei de você. Não tinha essa sensação desde a última vez que vi *você*. Também a sente, não é?

— Sinto.

De repente, ocorreu-me que Alejandro pudesse saber mais do que eu pensava. Afinal, eu não sabia por que conseguia sentir a presença de Adair novamente. Não tinha noção do que acontera em Boston. Achava que alguém havia libertado Adair; se alguém realmente tivesse feito isso, eu não sabia quem era. Talvez procurar Alejando não tivesse sido uma boa ideia.

— Então, não acha que é uma tremenda coincidência que Adair esteja desaparecido há dois séculos, ninguém ouviu falar dele e então ele volta, e, de repente, você aparece na minha porta?

Aquilo foi dito como uma pergunta.

— Não, não é uma coincidência — admiti.

— Foi você, não foi? Você fez alguma coisa com Adair, duzentos anos atrás. Você o fez parar. Não o matou?

Abaixei os olhos.

— Nós dois sabemos que isso não é possível.

Ele respirou fundo.

— Eu procurei por ele, sabe. Não conseguia acreditar que ele tivesse nos abandonado daquela maneira. — A dor permeou-lhe a voz, e lágrimas brilharam nos olhos de Alej, atrás dos óculos. — Adair estava *tão* envolvido com você e Jonathan... Ele não fazia segredo disso. Isso acontecia toda vez que criava um novo acompanhante. O novo tornava-se a menina dos olhos dele. Você regozija-se da atenção dele, achando que nunca terminará. Então, um dia, ele traz para casa um novo bichinho de estimação e a presença dele passa a ser mais fria; ele não tem mais tempo para você como tinha antes. No entanto, nunca tinha nos desertado completamente por um novo favorito, nem uma única vez durante todo o tempo em que estivemos juntos. Foi por isso, claro, que fiquei arrasado quando não tive notícias dele. Não ficava sem ele há muitas vidas. Não me importava que tivesse fugido com vocês dois. Eu estava assustado. Não pode imaginar o quanto fiquei assustado.

— Claro que posso — respondi.

Durante os anos em que Jonathan e eu ficamos separados, o que evitou que eu entrasse em completo desespero era saber que ele estava em algum lugar do mundo. Carregava esse pensamento bem próximo ao coração, e isso me servira de conforto durante meus momentos de maior solidão. Desde a morte dele, esse espaço ficara vazio e eu ainda estava muito sensível.

Alej não se importou com a minha intromissão em suas lembranças, e estudava o meu rosto sem misericórdia, passando pelas minhas dores como se fossem folhas de chá.

— Ah, é mesmo, você perdeu Jonathan, não é? Então sabe o que é sentir dor. — Seu sorrisinho era enigmático, metade triunfo, metade mágoa. — Tudo bem, admito que você também sofreu, e meu coração é sensível a todos aqueles que sofrem — ele continuou. — Mas, você foi a razão de Adair ter desaparecido, e, por isso, não sei se consigo perdoá-la. Estou só sendo honesto com você — ele acrescentou, incapaz de se controlar. Savva estava certo: Alejandro não suportava ter assuntos pendentes com ninguém.

— Sinto muito se lhe causei sofrimento — eu disse. — Se lhe servir de consolo, houve muitas vezes em que fiquei tentada a desfazer o que tinha feito. Mas nós dois sabemos, Alej, que esse mundo é melhor sem Adair. Ele é um homem perigoso e imprevisível. Lembre-se do quanto foi cruel conosco! Não pensei que alguém fosse sentir falta dele. Achei que todos nós quiséssemos nos livrar dele, e que nos mantinha, eu, você e os outros, contra a vontade, assim como fizera com Uzra.

— Bem, claro que houve momentos em que não queria fazer as coisas conforme ele mandava, ou em que queria ficar livre dele, mesmo que só por alguns minutos. A vida com ele era tumultuada, você sabe muito bem disso, mas está lembrando só dos momentos ruins. Pense em todos os momentos agradáveis que passamos na companhia uns dos outros, nos bailes, nas festas. As noites quando nos reuníamos ao redor da mesa da cozinha, como uma família. Ele a vestiu com as sedas mais finas, deu-lhe joias para colocar no cabelo, tratou-a melhor do que jamais tratara outra pessoa. Ele também tinha qualidades, quer você queira lembrar ou não. Ele salvou cada um de nós quando poderia ter nos deixado morrer. Houve vezes em que tive medo dele, sim, mas nunca quis vê-lo sofrer. Eu o amava à minha maneira.

— Aquilo não era amor, Alejandro. O que você sentia era gratidão.

— Palavras diferentes para um só sentimento no meu coração. Eu sentia uma *espécie* de amor por ele. Nós todos sentíamos. Até mesmo você, Lanore. Lembre-se, houve um tempo em que você o amou.

Meu rosto enrubesceu ao lembrar-me de minha epifania alguns dias antes. Sim, não podia negar que eu o tinha amado. Ele era capaz de atiçar meu desejo como uma faísca sobre material inflamável, com o mesmo potencial para aniquilação. Mas eu duvidava de que aquilo fosse amor; seja lá o que fosse, era autodestrutivo e não poderia me colocar nesse caminho novamente.

— Talvez sim... Mas lembre-se de que eu era jovem quando tudo aconteceu. Ninguém nunca tinha me dado aquele tipo de atenção antes. Como você mesmo colocou, ninguém jamais havia me dado nem uma presilha de lata para prender o cabelo, quanto mais joias. Fui levada por aquilo tudo. Fiquei confusa e me envolvi.

Ele deu um sorrisinho como se não acreditasse em mim.

— E agora Adair voltou e está procurando por você para se vingar do que fez a ele, e você está me pedindo ajuda.

— Sim, isso mesmo, infelizmente. Ele vai querer se vingar de mim, Alejandro, e você sabe o que isso significa.

Os olhos escuros e expressivos dele passaram sobre o meu rosto com pena. Sim, ele sabia o que aquilo significava.

— Sinto muito, Lanore, mas não sei como ajudá-la. Não posso impedi-lo.

Inclinei-me sobre a mesa na direção de Alejandro, minhas mãos buscando por ele.

— Savva me disse que talvez conheça alguém que possa me ajudar, alguém que saiba algo sobre os poderes de Adair. Você está nessa situação há muito mais tempo que eu, desde quando esse tipo de magia fazia parte da vida de todo mundo. Hoje em dia, as pessoas não creem que exista magia, mas tenho que acreditar que ainda existam pessoas que a estudam e devem ter ido ao submundo. Savva me disse que você conhece essas pessoas, que poderia me colocar em contato com elas.

Ele mexeu o restante do café dentro da pequena xícara, franzindo o cenho diante do pó de café no fundo, como se o incomodasse.

— E o que pediria a eles? Quer alguém que lhe diga como acabar com a vida de Adair? Porque eu não teria, de jeito nenhum, parte nisso...

— Não, não estou querendo nada disso. — E então eu disse algo que surpreendeu a mim mesma, algo que nem eu mesma sabia estar pensando. — Quero alguém que *me* transforme, que me faça mortal de novo.

— E por que faria isso? — ele perguntou, mas nós dois sabíamos a resposta: assim poderia morrer e ser poupada do eterno sofrimento nas mãos de Adair. Para escapar do mesmo destino horrível de Uzra, sendo punida eternamente. Parecia mais com consertar a ordem das coisas, colocando o mundo de volta em seu eixo. E, talvez, inconscientemente, tinha sido essa a razão de ter abandonado Luke: estou procurando uma maneira de acabar com a minha vida e, com certeza, Luke tentaria me impedir de fazer isso.

Minhas palavras pareceram abrir uma porta no coração de Alejandro. Ele me estudou por um longo tempo, e podia sentir seus olhos sobre mim, procurando pistas em meu rosto, tentando avaliar minha sinceridade.

— Não posso lhe dar uma resposta assim, tão rápido. Preciso pensar um pouco — ele finalmente disse. — Fique na cidade por uns dias. Entrarei em contato.

XIX

BOSTON

Adair dirigiu direto até Boston, parando somente para abastecer o carro. Pensou em usar esse tempo para fazer algumas perguntas a Jonathan, mas o cadáver reanimado voltara a dormir no banco de trás do carro. Com um toque na pele dele — um pouco mais morna, com a textura inegável de tecido vivo —, Adair sabia que Jonathan não tinha morrido, mas também não podia ser acordado. Eles chegaram ao sobrado de Jude de madrugada, Jonathan acordou com o raiar do dia, e Adair o acompanhou apressadamente até a porta de entrada, esmurrando-a com fúria.

— Estou indo, estou indo... — Jude ficou parado na passagem da porta, os óculos no topo de sua cabeça. — Por onde você andou, pelo amor de Deus? Fiquei... — O holandês parou no meio da frase quando olhou para o homem ao lado de Adair. — Você o encontrou? — Ele olhou incrédulo para Adair, que confirmou com a cabeça enquanto batia o pé para tirar a lama dos sapatos. — Então, esse é Jonathan, o legendário príncipe do norte nevado... Não imagina quanto tempo esperei para conhecê-lo. — Jude estendeu a mão para seu convidado desgrenhado, mas pareceu pensar melhor assim que tocou a pele reconstituída de Jonathan. — Mas você não parece nem um pouco com o que imaginei...

— Porque até essa noite fazia três meses que ele tinha morrido. — Adair passou por Jude de raspão, levando Jonathan pelo cotovelo para dentro da casa. Jude olhou a rua de cima a baixo antes de fechar a porta, e então seguiu Adair.

— Veja, deveria ter me ligado antes de aparecer aqui. E se a governanta tivesse atendido a porta? O que ela pensaria de seu amigo? E aquele carro lá fora é o que alugou no Maine? Não era para ter dirigido de volta até aqui, era para você ter pegado um avião...

A voz de Jude soava como o zumbido de um mosquito, um ruído ininteligível martelando dentro do crânio de Adair, atrapalhando seus pensamentos. Era evidente que Jude fora afetado por duzentos anos de liberdade. Mais do que isso, Adair percebera que todos os seus servos podiam não valer mais nada para ele agora, tão ingratos e exigentes quanto o holandês. Por mais que precisasse de Jude, não teria outra opção a não ser livrar-se dele se continuasse agindo desse jeito, sem limites. Pelo menos havia Pendleton. Pendleton estava se adaptando e, tendo acabado de passar pela transformação, ainda sentia medo de Adair e dos poderes dele. Quem sabe ele não tomaria o lugar de Jude antes do esperado? Virou-se para o holandês.

— Você não está aqui para me dizer o que fazer ou como me comportar. Você é meu servo, está aqui para atender às minhas necessidades sem fazer comentários. Deve mostrar o devido respeito. — Adair deu as costas para Jude enquanto continuava — E cuide do carro. Não me importo como fará isso; só o faça e pronto.

— Estou tentando ajudá-lo, para que não chame tanta atenção da próxima vez...

Adair respirou fundo e agarrou Jude pela garganta. Então, pressionou com força a cabeça dele contra o aparador de pedra da lareira. Agiu com instinto animal antes mesmo de perceber o que estava fazendo. A ardósia rachou com a pancada, mas não antes de cortar ao meio a pele sobre o lado direito da têmpora de Jude, fazendo-o derramar gotas de sangue vermelho-escuro sobre o chão de madeira clara. Do cabelo emaranhado, os óculos de Jude caíram no chão com um ruído alto. Adair apertou o pomo de adão de Jude durante alguns segundos antes de soltá-lo, e Jude caiu contra a parede, esfregando a mão sobre a garganta com força, buscando ar.

— Estou cansado de sua condescendência, Jude. Ficar livre durante todos esses anos o deixou insolente. Quando chegar o dia em que eu não precisar mais de você, deveria torcer para que eu pense com gratidão pelos serviços fiéis que me prestou, e não com desdém por sua insubordinação.

Pendleton deu um passo para frente, preocupado.

— Adair, isso é mesmo necessário?

Adair lançou-lhe um olhar ameaçador.

— Você e Jude podem até terem sido amigos um dia, e pode sentir uma certa lealdade com relação a ele, mas não se engane: não tente se meter entre nós, especialmente quando se trata de questões de disciplina. Não é da sua conta e eu não permitirei isso. — Com isso, ele curvou-se para baixo e pegou Jude pelo colarinho, puxando-o para mais perto a fim de olhá-lo bem de frente. — Que essa seja a última vez que tenha que avisá-lo. Não tente me dizer o que posso e o que não posso fazer. Suas regrinhas insignificantes não se aplicam a mim. — Só de pensar nisso sua cabeça estremeceu com uma verdade há muito tempo esquecida. — E será melhor para você não se esquecer disso.

Jude não disse nada e ficou cuidando de suas feridas como um cachorro que tivesse apanhado. O jorro de sangue vindo do corte da cabeça diminuiu e, então, parou. Adair virou-se para Jonathan, que até agora tinha se mantido fora da confusão, seus olhos permaneciam vitrificados e distantes.

— Você e eu conversaremos daqui a pouco. Quero saber mais sobre essa rainha do submundo. Enquanto isso, termine de transformar essa podridão em carne e osso, pelo amor de Deus. Veja se consegue restaurar meu invólucro perfeito. — Adair apontou para Jude. — Coloque-o em um quarto no andar de cima e garanta que ele não consiga escapar.

❖

Adair esperou muitas horas até ir visitar Jonathan, secretamente feliz pelo tempo que tinha ficado longe dele. Não podia considerar que seu feitiço havia falhado — o fato de ter conseguido tirar o espírito certo do submundo e o colocado no corpo certo tinha sido um sucesso, até onde entendia —, porém não tinha sido como ele esperava. Ficaria feliz em dar tempo ao feitiço: talvez aquele corpo destruído só precisasse de mais tempo para se restabelecer, apesar de ele suspeitar que não fosse isso. A magia um dia contida na beleza de Jonathan parecia ter se perdido para sempre. Uma pena, mas a mudança era a natureza do cosmos, chegara a essa conclusão; tudo era suscetível à mudança, até mesmo ele.

Cansado de se preocupar com Jonathan, Adair resolveu dar uma olhada em Pendleton. Sabia que não deveria ter saído de perto dele logo depois da transformação: nunca era uma boa ideia dar-lhes muito tempo para pensar no que havia acontecido. Além disso, Adair queria saber das novidades sobre a transferência de suas contas para seu novo fundo na Suíça, sem falar no progresso de Pendleton em sua busca por Lanore. Também queria ter uma ideia do quão perturbado ele tinha ficado com a cena com Jude. Poderia ser bom ter uma conversa com ele e apaziguar quaisquer ressentimentos. Quebrar o gelo de um novo acompanhante era como treinar um cão desconhecido. Se no começo o tratasse com muita rigidez, ele poderia ficar completamente assustado; se lhe desse pouca atenção, poderia tornar-se muito independente e se irritar ao receber ordens, e depois ficar dissimulado, tão traiçoeiro e desconfiado quanto o holandês.

Mas, enquanto estava em pé do lado de fora do quarto de Pendleton, Adair escutou seu último servo falando ao telefone e, a julgar pelo tom de voz macio, conversava com um amigo. Essa possibilidade era preocupante, já que Adair deixara claro que ele não deveria entrar em contato com ninguém que conhecesse.

Pegou o telefone de Pendleton assim que entrou no quarto.

— Com quem estava falando? Sabe muito bem que não pode falar com ninguém de seu passado. Aquela vida terminou.

— Não era ninguém que me conhece, eu juro. E eu não disse meu nome... — Pendleton interrompeu a desculpa fervorosamente. — Veja, sei que disse que não dá para ser feito, mas estou lhe pedindo para reconsiderar e me deixar voltar à minha antiga vida. Minha reputação profissional é o ápice de uma vida inteira de trabalho. Estou no auge do jogo, um líder na indústria. Não posso deixar tudo para trás. Me dê mais um ano para curtir tudo isso, então irei com você de boa vontade. — Pendleton implorou.

Adair já tinha ouvido outros fazerem pedidos parecidos, e sabia muito bem que isso era impossível. Ele balançou a cabeça.

— Não funciona assim. Sua saúde melhorou, não está mais à beira da morte. Haveria muitas perguntas se você fosse visto agora, em seu estado atual, perguntas às quais não poderia responder. Até onde o resto do mundo sabe, Pendleton Kingsley está morto. Sua família e seus amigos aceitaram a situação, devido à gravidade de sua doença. Ninguém virá procurá-lo, tem uma nova identidade. Está na hora de você recomeçar.

— Não quero ser outra pessoa. Não entende? Nunca terei tanto sucesso. Me deixe continuar sendo Pendleton Kingsley. Serei mais útil a você dessa maneira. Meu nome tem muito peso.

— Eu sei, mas não conseguiríamos explicar a recuperação milagrosa de Pendleton Kingsley. Deve encarar o fato de que não é mais o homem que era e nunca mais poderá sê-lo. Sei que é difícil de aceitar, e vai levar um longo tempo para deixar tudo isso para trás, mas não há alternativa. Além disso, olhe para o que recebeu. Você conhece agora o maior segredo da existência humana, que há muito mais vida do que fomos levados a acreditar. Imaginaria que alguém com a sua curiosidade intelectual estivesse ansioso para explorar esse novo mundo e ficasse feliz em deixar o velho mundo para trás.

Adair disse aquelas palavras a todos os seus novos acompanhantes, mas pela primeira vez a promessa contida nelas pareceu não convencer. Ele sabia que o que disse era verdade — a melhor parte da transformação era no início, quando tudo era novo —, mas também sabia que o entusiasmo passaria logo. Não era avesso à situação de Pendleton: era difícil abrir mão do passado, deixar o sucesso para trás. O mais difícil de tudo era abandonar as pessoas que gostavam de você. Lembrava-se de sentir tristeza e arrependimento, apesar de saber que pouquíssimas pessoas o amaram. A mãe de Adair sentia carinho por ele, tinha certeza, e também o velho Henrik. E Lanore.

Adair ficou em pé abruptamente. Não queria destruir o espírito de Pendleton se não tivesse necessidade, mas tinha se cansado dessa conversa e sabia ter um problema maior para cuidar.

— Se não consegue aceitar o que eu lhe disse, a única alternativa para mim é acabar com a sua vida, exatamente o que tentava evitar quando fez esse acordo. Essas são suas duas opções. — De maneira mais gentil, ele continuou: — Não se esqueça de que, para começar, ainda tem as habilidades que o fizeram ter essa reputação. Elas não podem ser tiradas de você. E eu preciso delas, Pendleton.

Suas palavras de encorajamento entraram por um ouvido e saíram pelo outro.

— Você me escolheu pelo que podia fazer por você, não foi? Não vai me deixar ir embora nunca.

— Um dia deixarei. Quando não precisar mais de você e tiver provado que é capaz de se cuidar sozinho. Por hora, no entanto, prefiro que fique. — Melhor encorajá-lo e fazer sua participação parecer opcional... Adair não conseguia se imaginar lutando pela lealdade de mais alguém, não nesse momento. — E como andam seus esforços para encontrar Lanore? Teve sorte?

Pendleton balançou a cabeça.

— Preciso de mais alguma coisa para prosseguir... um nome, um lugar... Se conseguisse tirar qualquer coisa daquele... — Ele empalideceu ao pensar na criatura que vira, aquela no quarto ao lado do dele. — ... daquele *homem*, seria de grande ajuda.

— Vou tentar. Só mais uma coisa: o dinheiro que você me deve. Como está indo com isso? Não houve problemas com a transferência, imagino.

— Não, está progredindo. — Houve outra hesitação, um olhar sem jeito. — Sou grato pelo que fez por mim, não me entenda mal... mas... realmente precisa ser tanto? Se meus bens continuarem em meu nome, fará tanto bem para a humanidade... Já tinha feito provisões em meu testamento para que meus bens fossem doados a instituições de caridade. — Piscou reflexivamente, esperando um ataque de fúria de Adair.

Mas não houve nada.

— Quer dizer que essas instituições podem colocar seu nome em um edifício e garantir que sua memória viva? Não tenho interesse em satisfazer sua vaidade. Eu lhe dei um milagre. — Adair mencionou calmamente. — Um milagre que não poderia obter de ninguém mais. Dei meu preço, você o aceitou.

— Sei que aceitei... o que quero dizer é que... levei a vida inteira para ganhar esse dinheiro, e você não imagina o quanto tive que trabalhar...

— Mesmo? Acha que nunca trabalhei em minha vida? — A calma dele foi quebrada por um fio de raiva.

— Não foi isso que quis dizer... não o estou criticando... É que não parece que necessite de todo esse dinheiro. Não está administrando uma empresa, por isso não consigo entender. Qual o objetivo de tirar todo o meu dinheiro de mim?

A expressão de sofrimento no rosto de Pendleton quase provocou um sorriso em Adair. Às vezes, parecia que ele era uma criança; será que ninguém tinha lhe ensinado essas coisas quando era criança?

— Oras bolas, para lhe ensinar o que é ser humilde, é claro. O que é o dinheiro quando se pode perdê-lo com tanta facilidade? Uma reputação, destruída em um instante, não vale nada? Conhecimento e experiência, aquilo que tem dentro de sua cabeça, essa é sua verdadeira fortuna. Conhecimento é a única coisa que não podem tirar de você. Reflita sobre isso, Pendleton — ele disse ao sair do quarto.

E agora, com nada mais que pudesse atrapalhá-lo, parou do lado de fora da porta do quarto de Jonathan para juntar forças para o que certamente seria um confronto difícil. Era improvável que Jonathan concordasse em trair Lanny, e Adair não estava certo de que tipo de poder tinha sobre ele.

Encontrou Jonathan sentado na ponta da cama. Era difícil dizer, por causa da penumbra, mas aparentemente ele continuava passando por sua metamorfose, a substância viscosa original transformando-se em feixes de fibras musculares, as fibras se juntando à carne. A forma musculosa dele estava voltando, o inchaço sob o maxilar já desaparecera, as manchas roxas clarearam. Adair lembrava a si mesmo para não deixar que a impaciência pelo progresso o fizesse se esquecer de maravilhar-se diante do milagre da transformação de Jonathan. Os homens desintegravam-se ao pó todos os dias, mas quantas vezes na história alguém tinha feito o processo inverso?

Adair jogou algumas roupas sobre a cama, perto de Jonathan. As peças que ele vestia estavam nojentas, endurecidas pelos fluidos ressecados e cheirando a túmulo.

— Para você se trocar... não vão cair muito bem, mas por hora está bom. Também precisa tomar um banho; isso vai fazer com que se sinta mais humano de novo — Adair lembrou-o enquanto puxava uma cadeira para sentar-se mais perto da cama. — Como está se sentindo?

— Um pouco diferente da última vez que me viu. Em minha mente, sei que sou Jonathan. Está tudo igual. E então olho no espelho e sei que não é verdade. Eu estava morto, por Deus! Você deveria ter me deixado em paz! — ele disse com amargura.

— Tanta hostilidade, Jonathan. *Eu* é quem deveria estar bravo, não acha? Pelo menos você estava morto quando o enterraram: *você me* enterrou vivo. — A raiva começou a crescer como o mercúrio sobe em um termômetro, mas ele se controlou antes de prosseguir. — Veja, fomos amigos durante um tempo, não fomos, Jonathan? Quando você viveu em minha casa, eu o tratei bem. Me dói pensar que teria que machucá-lo agora. Só me diga onde encontrá-la e qual nome ela está usando. Isso é tudo o que preciso de você.

— Ou o quê? Vai me torturar? Me matar? Por favor, vá em frente — Jonathan disse. — Não faz ideia de como essas ameaças não significam nada para mim.

— Não deveria me subestimar tanto. Eu poderia quebrá-lo ao meio facilmente, Jonathan. Tenho a impressão de que nunca se machucou de verdade. A dor obriga um homem a fazer coisas que ele nunca imaginou fazer.

Jonathan olhou friamente para Adair.

— Nunca entendi você, Adair. Esse é o único jeito que conhece para conseguir o que quer, ameaçando e machucando. Você é estranhamente desumano.

— Desumano? Isso só mostra o quão pouco conhece seu companheiro. Não sou tão diferente de muitos de seus irmãos. — Adair puxou a cadeira perto dele. — Somos um bando de brutos, nós humanos, sempre brigando e nos engalfinhando pelo que queremos. Mas você não saberia como é isso, não é? Criado como um pequeno príncipe, sempre mimado, especialmente pelo sexo frágil. Você não foi muito exposto à violência, acho eu, mas o período no qual eu fui criado pode ser considerado muito violento se considerarmos seus padrões. Podia-se ser punido por qualquer coisa: por não agradar ao mestre, por ter pensamentos errados. Se pegasse um pedaço de pão que não lhe pertencia, poderia ter a mão ou o pé cortados, ou lhe marcarem com um corte de lâmina no lado do rosto, assim todo mundo saberia que era um ladrão. Poderia até morrer por causa de uma ninharia como essa. Não havia lei, não havia apelação. E a igreja era o pior agressor: eles aperfeiçoaram a prática da tortura, sabe, treinaram seu próprio grupo de torturadores para ajudar os inquisidores. Eu vivi nessa época, na era da crueldade. Então, pode achar que sou desumano, mas só estou aplicando o que conheço. Você sabia que eu inventei o equipamento perfeito para a punição? Chamei-o de "Reformador". — Adair encostou o rosto no de Jonathan, as bochechas raspando, assim poderia falar baixo e no ouvido dele. — Era um arreio para manter o corpo, a cabeça, os braços e as pernas em uma posição perfeita para a aplicação de certos tormentos *sexuais*. Como um freio e uma sela, era usado para "amolecer" uma besta. Só que, nesse caso, a besta era um homem, não um cavalo. Era o equipamento mais eficiente para aquebrantar os espíritos rebeldes. — Recostou-se de volta na cadeira e fixou os olhos em Jonathan. — Lanore foi colocada no Reformador uma vez, ela lhe contou?

— Não. Nunca mencionou.

— Não fico surpreso. Não é algo que queira que outras pessoas saibam sobre você: que fizeram todos os atos sexuais imagináveis com você enquanto estava amarrado e sem poder fazer nada. Mas ela aguentou, um pouco antes de mandá-la a St. Andrew para trazê-lo até mim. — Sentiu uma pitada de arrependimento ao revelar isso a Jonathan, por envergonhar Lanore dessa maneira. Fora um incidente do qual se arrependia muito e, se pudesse, faria qualquer coisa para desfazer todas as dores que tinha causado a ela. Mas sentia que tinha que contar a Jonathan para impressioná-lo sobre a seriedade de sua situação e convencê-lo a cooperar.

— Se soubesse disso, teria vindo a Boston por vontade própria; teria ido atrás de você e o quebrado ao meio com as minhas próprias mãos.

Adair deixou a ameaça de Jonathan pairar no ar. Empurrou a cadeira para trás e ficou em pé.

— Como lhe disse, não quero machucá-lo, Jonathan. Não gosto de ameaçá-lo, mas quero que entenda que há muitas formas de machucá-lo. Por exemplo, poderia esperar até o retorno de Lanore para humilhá-lo, se é que entende o que quero dizer. Para fazer o que fiz com ela. Ela testemunharia o ato como parte da punição *dela*. Afinal, *ela* é a responsável por isso.

Jonathan não se mexeu.

— Não vejo como pode responsabilizá-la por *suas* próprias ações. A escolha é obviamente sua se resolver me torturar.

— Não finja que não a culpa pelo que aconteceu a você. Você deveria amaldiçoá-la também, pois foi um fantoche dela tanto quanto eu.

— Nunca fui um fantoche de Lanny, a não ser que a considere uma péssima manipuladora de bonecos — Jonathan retrucou. — Tudo o que ela sempre quis de mim foi que eu a amasse, e, por mais que ela tentasse, foi a única coisa que eu jamais consegui fazer.

Era enlouquecedor conversar com esse homem. Adair conseguia entender a frustração de Lanore ao tentar fazê-lo entregar-se a ela. Ele era tão evasivo quanto uma cobra; não importava quantas vezes fosse golpeado, sempre se enfiava por entre os dentes do forcado. Jonathan não caíra na armadilha. Não, Lanny não conseguira fazer de Jonathan seu fantoche mais do que ele conseguira fazer Lanore lhe retribuir a afeição. *Somos todos subjugados pelo amor*, ele pensou.

Essa conversa com Jonathan estava longe de ser o que esperava. Deveria ter sido fácil, a maior parte das pessoas a quem ameaçara no passado sempre fizera o que ele lhes pedira, ansiosos para evitar a dor. Frustrado, Adair sentiu sua fúria aumentar e engoli-lo por inteiro, e teve que lutar rapidamente contra a vontade de agarrar o pescoço de Jonathan.

— Sei onde está querendo chegar com essa maldita passividade, Jonathan, e não funcionará. Está parecendo água, escorrendo entre os dedos de um homem, impossível de segurar. Mas não me incitará a matá-lo.

Jonathan deu-lhe um sorriso enigmático.

— Encare os fatos, Adair: não há nada que possa fazer para me persuadir a ajudá-lo. Não tem poderes sobre mim, nenhum. Mas há, *sim*, uma mulher com poderes extraordinários, poderes muito mais fortes e mais absolutos do que os seus, e devo acreditar que, assim que tiver passado seu estado de surpresa por meu desaparecimento, ela virá atrás de mim. Já pensou nisso?

XX

BARCELONA

Fiquei perambulando pela cidade à espera de notícias de Alejandro. Nossa conversa não tinha sido exatamente amistosa, e o silêncio dele fazia eu suspeitar que estivesse ganhando tempo para agir contra mim. Estava muito agitada para ficar parada, então, em vez de ficar em minha suíte à mercê dos meus medos, andei para cima e para baixo nas ruas do Parc du Mantijuic e analisei a minha situação.

Quando disse a Alejandro que queria me tornar mortal novamente, surpreendi a mim mesma. A percepção de que, tal como Savva, eu gostaria de acabar com a minha vida me pegou de calças curtas. Certamente já houvera vezes, durante minha longa existência, em que desejei que o feitiço fosse retirado ou, melhor ainda, que nunca tivesse se realizado. Geralmente me sentia dessa maneira quando havia uma pessoa em minha vida que não gostaria de deixar, um homem a quem amava que estivesse envelhecendo e começava a se perguntar por que eu não envelhecia com ele. Isso costumava gerar uma crise de fúria impotente contra minha condição, e eu ficava triste e abalada, mas, ao final, o desejo de viver retornava e eu seguia em frente. Desta vez, no entanto, estava motivada pelo medo. Sentia uma profunda desesperança em relação à minha situação, e lutar contra isso era exasperante. Estava desesperada para ser libertada — tão desesperada quanto Jonathan um dia se sentiu. Não fui capaz de lhe negar a liberdade; esperava que Alejandro também não negasse isso a mim.

Caminhei pela praia numa tentativa de acalmar a minha mente. Encontrei um banco com vista para o porto e me concentrei em afastar os pensamentos temerosos. *Pense em outra coisa*, dizia a mim mesma. O Sol forte da Catalunha fez-me lembrar de Pisa, o primeiro lugar para que Jonathan e eu fomos depois de fugirmos de Boston. Nossa nova vida juntos tinha começado de forma grandiosa, mas será que alguma coisa poderia resistir às complicações que pareciam seguir Jonathan onde quer que ele fosse? Torcia para que a atenção indesejada e as tentações que ele conhecera em Boston acabassem — estávamos no Velho Mundo, certamente um lugar mais sofisticado do que o que conhecíamos —, e nos tornamos o casal com que eu sempre sonhara. Era o que eu queria e pelo que havia esperado. No entanto, o começo de uma vida juntos, longa e feliz, acabou se tornando o início de nosso fim.

PISA, ITÁLIA, 1822

Não foi fácil convencer Jonathan a fugir para a Europa depois que aprisionamos Adair. Ele vinha até mim, vinte vezes por dia, argumentando por que deveríamos retornar aos nossos lares e às nossas famílias em St. Andrew. Mesmo depois de termos comprado as passagens para a viagem à Europa, marcado a data e empacotado nossos baús, ele trazia o assunto à baila novamente, quer estivéssemos no teatro para nos distrairmos de nossos problemas ou na janela de nosso hotel, invejando a paz da Lua.

— Por que não voltar, pelo menos por alguns anos? — ele perguntava toda vez. — No mínimo nos dará a chance de endireitarmos as coisas com as nossas famílias, de termos certeza de que conseguirão viver sem nós. Por eles, Lanny, não por nós. Por favor.

E então eu tinha que endurecer o coração, insistir que não podíamos voltar a St. Andrew depois de termos saído de lá naquelas malditas circunstâncias. Jonathan e eu desaparecemos da cidade na mesma noite, e as pessoas presumiram que tínhamos fugido juntos. A verdade era que eu havia usado a poção de Adair para trazer Jonathan de volta à vida depois de ele ter levado um tiro, e o tinha levado a Boston, conforme as ordens de

Adair. Sem dúvida Jonathan ainda se sentia culpado por ter abandonado sua esposa, Evangeline, e sua filha, mas o coração de Evangeline estava destruído e nossa reputação já manchada: voltar só traria toda a confusão à tona de novo, dando espaço a perguntas às quais só poderíamos responder com mentiras.

Além disso, por experiência própria, eu sabia que seria difícil ir embora novamente depois que tivéssemos voltado. Estar no aconchego familiar não é um conforto pequeno quando se acredita ser um monstro, e é muito difícil abandonar o lar, o lugar ao qual se pertence, para encarar o desconhecido. Seria impossível para Jonathan sair de St. Andrew uma segunda vez, mesmo se fôssemos condenados como bruxos.

Ao final, os argumentos de Jonathan não fizeram diferença: eram todos vencidos pelo medo de que Adair pudesse nos seguir até St. Andrew. Jonathan me perguntava todos os dias se eu sentia um sinal de Adair em minha mente, mas ele tinha definitivamente desaparecido quando o prendêramos atrás de camadas de pedra e tijolo.

Nosso navio atracou em Gênova, mas resolvemos continuar e acabamos em Pisa. Não conhecíamos nem sabíamos nada sobre a cidade, então alugamos um quarto na primeira hospedaria que encontramos, um lugar rústico abaixo de nosso padrão, mas bastante conveniente. O proprietário nos deu o melhor quarto — melhor, apesar das paredes sujas e dos cobertores ásperos, e das penas saindo dos travesseiros — e nos desejou boa-noite.

No dia seguinte, fomos até a cidade à procura de um banqueiro ou advogado que falasse inglês, que pudesse realizar a transferência de fundos de uma das contas de Jonathan e nos ajudar a organizar nossos assuntos. Voltamos à pequena hospedaria, onde encontramos o convite de um lorde inglês para jantarmos com ele no fim de semana. Não reconhecemos o nome, e as únicas pessoas que conhecíamos na Europa eram os outros passageiros do navio. Discutimos sobre aceitar ou não o convite, desconfiados de qualquer um que convidasse completos estranhos para jantar no minuto em que puseram os pés na cidade, e deixamos o assunto de lado naquele dia.

De manhã, encontramos um advogado que falava inglês, apesar de ele ter tanta dificuldade com nosso sotaque americano quanto tínhamos com seu sotaque italiano, e, depois de concluirmos nossas negociações, lembrei-me do convite e lhe perguntei se conhecia o anfitrião. O advogado torceu o nariz e chamou o lorde inglês de "homem ruim", dando-nos a impressão de que seríamos considerados de má reputação se jantássemos com ele. Não sabíamos o que pensar da reação do advogado, mas àquela altura estávamos desesperados por companhia, queríamos poder conversar com alguém. Resolvemos aceitar o convite, pelo menos aprenderíamos algo sobre a cidade e seus habitantes, e então julgaríamos por nossa própria conta se a companhia dele era boa ou não.

Na noite marcada, nos dirigimos até o endereço do convite. Vista do lado de fora, a casa parecia irretocável: era um pequeno palácio, maravilhosamente mantido, com roseiras de flor cor-de-rosa formando uma moldura baixa em um dos lados. À medida que o lacaio nos guiava até uma saleta escura, percebi que a casa não era tão bem mantida por dentro quanto por fora, como se os moradores não se importassem — ou não precisassem — em impressionar os visitantes: livros empilhados até o alto sobre as mesas e até mesmo no chão, em torres cambaleantes; flores esquecidas dentro dos vasos, perdendo as pétalas. Dois cachorrinhos de nariz amassado rodavam animadamente ao redor de nossos calcanhares, e, de dentro da saleta fria e escurecida, a voz de uma mulher, com um forte sotaque inglês, disse para não prestarmos atenção nos cachorros.

Ela saiu das sombras para nos cumprimentar. A dona da casa era ainda mais nova do que eu, pequenina e branca, e tão delicada quanto uma camélia. Mesmo sendo evidente que ela pertencia à nobreza, deu-nos a impressão de uma indiferença triste, como se a vida dela tivesse sido destruída para sempre e nada pudesse consertá-la.

— Sou a condessa Guggioli. Sejam bem-vindos à nossa casa. Por favor, sentem-se.

Depois do olhar arregalado ao ser surpreendida pela beleza de Jonathan, ela disfarçou admiravelmente bem seu interesse.

— Lorde Byron se juntará a nós em alguns minutos — ela disse enquanto se abanava para espantar o calor.

Acomodamo-nos em nossas cadeiras, impressionados pelos títulos de nobreza de nossos anfitriões, e ainda curiosos para saber por que nos convidaram.

— Que bom que puderam se juntar a nós esta noite — ela disse. Por causa do sotaque carregado, não consegui distinguir se estava sendo sincera ou sarcástica. Era evidente que a ela não interessávamos nem um pouco: mais do que qualquer outra coisa, a condessa parecia levemente irritada que tivéssemos aceitado o convite do dono da casa, dava a impressão que estávamos incomodando.

No silêncio incômodo que se seguiu, assistimos quando o lacaio voltou com uma bandeja, taças e um líquido dourado pálido borbulhante dentro de um decanter alto; a condessa estava prestes a forçar-se a fazer um comentário para nos entreter quando um homem entrou apressadamente na sala.

— Ah, vejo que conseguiram chegar! — ele disse, parando por um momento para beijar a condessa no rosto, e tive a impressão que teria que pagar caro caso não o fizesse. Depois de apresentar-se, ele nos instruiu para não nos preocuparmos em usar o título quando nos dirigíssemos a ele, e que devíamos chamá-lo pelo nome de batismo, George, ou Byron, se preferíssemos.

Fiquei imediatamente encantada por lorde Byron. Nem pintura nem palavras jamais poderiam capturar seu magnetismo. Ainda que não tivesse uma beleza clássica — e era difícil de julgar com Jonathan ao lado dele —, havia uma simetria em suas feições à qual era impossível ignorar. Os olhos dele queimavam com um intelecto perigoso, mas o que realmente encantava era a dissonância entre seu olhar frio e aristocrático com sua boca carnuda, quase selvagem. Até mesmo seu nariz, com uma leve protuberância aristocrática, tornava-o ainda mais exótico do que a média dos ingleses almofadinhas. Ele mancava de leve, mas não parecia se incomodar com isso, e foi só mais tarde que descobrimos que ele tinha o pé torto.

— Que bondade de vocês terem vindo, apesar das circunstâncias misteriosas — Byron falou, dando um sorrisinho dissimulado e cintilante, primeiro para a condessa, que devolveu com um trejeito, depois para nós. — Vocês não nos conhecem, nós não conhecemos vocês... quatro estranhos em uma cidade que não é a mãe de nenhum de nós... tem tudo para ser uma noite interessante, não acham? — ele perguntou, reclinando-se sobre um divã em um *robe de chambre* listrado, que usava sobre as mangas da camisa, os dedos manchados de tinta. — Sabiam que são os primeiros americanos a virem a Pisa depois de minha chegada? Já que a cidade desperta pouco interesse em seus conterrâneos, posso perguntar o que lhes trouxe aqui?

Jonathan e eu trocamos olhares cautelosos: ainda não tínhamos inventado uma história para Pisa. Presumi que continuaríamos com a ficção que construímos ao longo da viagem.

— Estão em lua de mel? — a condessa perguntou.

— Sim — respondi ao mesmo tempo em que Jonathan disse "Não".

— Deixe-me adivinhar — Byron disse, continuando o assunto. — São amantes rebeldes em fuga? Se esse é o caso, podem ficar tranquilos, pois estão em companhias na mesma situação, já que Teresa e eu estamos vivendo aqui em desgraça. Eu pelo menos sou devidamente divorciado, mas Teresa fugiu do marido, pobre coitado. — O rosto de boneca da condessa adquiriu uma expressão de horror, tanto pela prontidão ao relatar a situação delicada deles quanto pela expressão de simpatia pelo marido. Ele apressou-se a explicar. — Ah, todos na cidade sabem de nossas circunstâncias, a minha e de Teresa. Melhor escutarem essa história diretamente de nossa boca. Com relação ao conde... ele não é má pessoa, mas não animado o bastante para suprir os interesses da condessa, infelizmente. É isso que dá casar com uma mulher muito mais nova.

— George... — ela respondeu de maneira astuciosa. — Não deve fazer piada de mim dessa maneira na frente de nossos convidados. Eles não conhecem seu humor nem seu temperamento poético. Não sabem como gosta de brincar. — Tive a impressão de que, longe de ser do tipo que disfarçasse suas opiniões com o humor, Byron era direto, como se não fosse de sua natureza esconder o que pensava, independentemente do assunto.

— Claro, minha querida — Byron concordou, apressando-se em acalmá-la. — Com certeza nossos convidados sabem que estou brincando. Tudo o que têm a fazer é olhá-la uma única vez para saber que seria impossível um homem não se apaixonar verdadeira e profundamente por você.

Eu me contorci; não queria oferecer uma noite de diversão para o casal, muito menos ouvir suas discussões sem valor ou suas bajulações.

— Então, vocês diziam... como vocês dois...? — Byron retomou a conversa, apontando primeiro para mim e depois para Jonathan.

— Sim, sim, você nos descobriu. — Apressei-me em responder, para Jonathan não me contradizer novamente. Confessando que também éramos desgraçados e que vivíamos fora dos padrões da sociedade, o poeta se afeiçoou por nós, e até a condessa ficou um pouco mais simpática.

Durante o jantar, Byron contou-nos mais um pouco de sua história, explicando que fora exilado de sua terra natal, apesar de não ter explicado exatamente o motivo. Deu-nos pistas de suas realizações como poeta, talvez esperando que já conhecêssemos seu trabalho, e ficou visivelmente decepcionado quando Jonathan confessou que não encontrava muito prazer na leitura.

Ficamos na *villa* até tarde da noite, ouvindo as histórias da vida tumultuada de Byron, suas aventuras com outros jovens poetas ingleses, e as histórias ficavam cada vez mais picantes à medida que a noite avançava. Ah, como eu e Jonathan gostaríamos de ter contado a Byron uma história de nossas próprias aventuras! Mas seguramos nossa língua e fizemos o papel de tolos camponeses da América.

Quando estávamos de saída, concordando em nos reunirmos novamente na noite seguinte, percebi a expressão no rosto de Byron ao olhar para Jonathan. Era um olhar vindo de certos homens (e, para ser honesta, já o vira em alguns homens específicos em St. Andrew), uma combinação de admiração e desejo, com um toque de hostilidade também, como se tivessem ciúmes do que viam nele. Só mais tarde vim a compreender que a beleza intensa de Jonathan gerava desejos e medos em algumas pessoas, e estas, por sua vez, projetavam suas próprias expectativas ou ressentimentos sobre ele. Era um peso que estava fadado a carregar durante a vida toda.

Ali, na expressão curiosa de Byron, vi aquele olhar, ele dizia que o lorde britânico queria conhecer Jonathan de uma maneira mais íntima. Por Jonathan nunca ter mostrado qualquer inclinação por homens, preocupava-me que, algum dia, um de seus admiradores quisesse destruir aquilo que não podia possuir. Assim que vim a saber mais sobre o infame Byron — o que aconteceu rapidamente através dos moradores amantes de fofoca da cidade —, entendi que aquele era o olhar de um velho desejo reacendido e que Byron era todas as coisas que diziam que ele era.

Naquela noite, quando levantei minhas suspeitas para Jonathan, a resposta dele foi que aquilo era pura imaginação: Byron era um poeta e, por isso, um homem intenso, mas que não deveria imaginar que ele tivesse algum interesse de propriedade sobre nós. A resposta dele me fez pensar se Jonathan realmente não se importava com esse tipo de atenção. Talvez estivesse feliz por ter outra companhia além da minha ou impressionado com os títulos e os privilégios de Byron. No entanto, devo admitir que, quando estávamos sozinhos com o casal, tivemos as melhores noites; éramos os únicos espectadores do humor de Byron.

Retornamos na noite seguinte, e em outras vezes pelas duas semanas seguintes, e até Teresa começou a se descontrair. A dupla dava jantares íntimos para nos apresentar a pessoas importantes da cidade, ao menos àqueles cuja reputação poderia sobreviver à notoriedade de Byron. Devo admitir, no entanto, que as melhores noites aconteciam quando estávamos apenas os quatro, como únicos a quem a sagacidade de Byron era dirigida.

Eu sentia que nós quatro estávamos destinados a uma intimidade não ortodoxa, nosso destino guiado por Byron (por parecer compelido a levar cada aspecto de sua vida ao extremo, nós simplesmente o seguíamos). Tudo começou na noite de uma terrível tempestade de verão que despencou no momento em que Jonathan e eu estávamos indo embora da casa deles. Em questão de minutos, a chuva transformou as estradas em rios, e o vento batia nas árvores até fazê-las soarem como o mantra de um xamã tentando espantar maus espíritos. Como anfitriões preocupados, Byron e a condessa insistiram para que passássemos a noite na *villa* e, de algum modo — provavelmente por culpa da quantidade de vinho —, nós quatro acabamos no quarto de Teresa, onde nos deitamos na cama e escutamos Byron contar mais histórias e declamar versos de memória.

Acordei nos braços de Jonathan, como se ele tivesse protegido minha virtude a noite toda, enquanto Byron e sua amante dormiam sobre as almofadas. Obviamente que o período de corte de nossa amizade terminara, e Byron nos convidou a sair de nossa hospedaria decadente e ficar na *villa* o tempo que quiséssemos. Nós nos mudamos naquele mesmo dia.

❖

Ao final do verão, a sociedade de Pisa parecia ter nos perdoado, nós quatro — dois pares de amantes ilícitos vivendo sob o mesmo teto — ou talvez fôssemos um objeto de especulação delicioso demais para ser ignorado, e, de novo, passamos a ser convidados para as festas e coisas do gênero. Esses eventos me faziam lembrar como era estar em público com Jonathan, pois, em cada um deles, ele era caçado impiedosamente por maravilhosas italianas de olhos escuros. Elas flertavam com ele por trás dos leques; ousadas, puxavam conversa quando ele parava diante da poncheira e o arrastavam para a pista de dança. Até as mais tímidas iam atrás dele, como pintinhos, e eu não era a única a perceber isso.

Estávamos em uma dessas festas quando Teresa chegou sorrateiramente ao meu lado para observar o dom e o pecado de Jonathan em ação de novo.

— Minha cara, meu coração está com você — ela murmurou para mim atrás do leque. — A audácia dessas mulheres... é como se estivéssemos em Veneza ou Roma, onde as mulheres podem se comportar de forma chocante, tão mal quanto qualquer homem. — Ela suspirou em resignação; havia alguma coisa que precisava dividir comigo. — Veja bem, uma vez fui colocada em uma situação desrespeitosa como essa. É muito difícil viver com George, entende? Ele naturalmente chama a atenção, onde quer que vá. Mas há sempre mulheres que vão atrás dele, mulheres sem o menor interesse em sua poesia. Pobres coitadas, coisinhas confusas, levadas ao seu brilho como traças às chamas, apesar de não entenderem o porquê. Com Jonathan, o interesse delas não é tão misterioso assim. — Ela deu um sorriso com o qual agora eu estava familiarizada, e sabia ser um sorriso de dor. — As mulheres veem um homem belo. Têm seus maridos e suas famílias, mas, mesmo assim, querem saber como seria passar uma noite com ele. Uma noite é tudo o que elas querem; uma lembrança para mantê-las aconchegadas quando estiverem velhas e feias e seus maridos velhos e feios estiverem atrás de garotas jovens — ela disse.

As palavras dela me fizeram imaginar se era por isso que estava com Byron, para que um dia pudesse encontrar conforto em suas lembranças da época em que fora amada por um poeta legendário.

— Somos fadadas a dividir a mesma dor, Lanore — ela continuou. — Não é nossa culpa, não escolhemos por quem nos apaixonamos. E esses homens, eles sabem o que estão fazendo... Não pedi para me apaixonar por George. Ele me fisgou, apesar de ser casada. Ele viu o quanto eu era infeliz, sim, mas também... é o jeito dele. Ele precisa ter alguém que o adora ao seu lado, alguém para ser testemunha de cada triunfo e confortá-lo a cada tropeço. Sem isso, ele não consegue ser feliz. — Foi só quando Teresa baixou o leque que vi que ela estava chorando.

O sofrimento de Teresa era tão parecido com o meu próprio que, por ela, fui tomada pela raiva, e, por mim mesma, pela frustração. Como chegamos ao ponto de nos encontrarmos nessa situação ridícula? A minha situação parecia pior, pois Jonathan e eu estávamos ligados um ao outro mais do que por amor ou amizade. Não tínhamos ideia do que esperar do futuro infinito à nossa frente, e havia o medo do terrível acerto de contas que certamente viria de Adair.

Enfraquecida, eu estava pronta para deixar a festa e esconder-me na solidão segura de meu quarto, mas, obviamente, não podia fazer isso. Precisava esperar até que os outros estivessem prontos para voltar para casa e tentava não seguir de longe as atividades de Jonathan, pois isso me causaria um sofrimento ainda maior. A certa altura, Byron encontrou-me sozinha, afastou-se da multidão animada e puxou-me para a pista de dança.

— Parece tão triste, minha querida. Não deve deixar Teresa desanimá-la; vi você conversando com ela um pouco mais cedo. Ela é muito boa em fazer os outros sentirem seja qual for a infelicidade que toma conta dela no momento. Espero que não a tenha deixado penetrar em sua pele.

Contudo, antes que eu pudesse lhe responder, passamos por Jonathan, em pé acima da pista de dança, preso por um grupo de mulheres tagarelas grudadas ao redor dele. Lorde Byron seguiu meu olhar.

— Ahh... sei. Que cansativo isso deve ser para você, Lanore! — A voz de Byron era baixa e sagaz. — Não fique brava com ele por causa disso. Não há nada que ele possa fazer, a não ser usar uma máscara em público — ele continuou gentilmente.

— Eu sei. — Tinha dito isso a mim mesma inúmeras vezes, se é que servia para alguma coisa.

— Ele não tem a intenção de magoá-la.

— Acho que ele nem faz ideia da minha dor. Acho que nem me enxerga aqui, sofrendo. Meus sentimentos não significam nada para ele.

— Ah, claro que não. Mas deve entender que os homens olham para o amor de uma maneira diferente.

Mais tarde, quando retornamos à *villa*, Byron escreveu aquelas palavras no forro do meu leque, que um dia seria exposto no Victoria & Albert Museum: "Para o homem o amor é algo à parte; para a mulher, é sua própria existência".

— Uma lembrança para quando chegar o dia em que não estarei mais ao seu lado — ele brincou comigo.

Eu deveria ter visto como Byron vira e como Teresa entendia. Para estar com Jonathan, eu precisava aceitar que ele nunca seria meu, não completamente. Por mais que desejasse, nunca seríamos o mundo um do outro, uma união de dois, um protegendo e apoiando o outro. Eu queria acreditar que as coisas dariam certo entre nós, que havia uma maneira de *mudá-lo*, como se isso fosse a única coisa necessária.

— Acho que está na hora de irmos embora — eu disse a Jonathan naquela noite, antes de irmos para a cama. Por mais conveniente que fosse ficar em Pisa, lorde Byron chamava muita atenção, e cedo ou tarde Adair teria notícias sobre um lorde inglês vagabundo que estaria hospedando um novo amigo atraente.

— Como quiser — ele respondeu, assim como um marido que parou de ouvir a mulher há muito tempo. Pela resposta dele, sabia que não queria ir embora, e ele não argumentaria sobre a questão; ele simplesmente não tomaria nenhuma atitude e, assim, continuaríamos com Byron e Teresa. Na maior parte do tempo, era fácil conviver com eles, cada dia mais intoxicante e doce como vinho misturado ao mel. Byron nos presenteava com histórias de suas viagens pelos países mediterrâneos (e eu guardava todos os detalhes, caso Jonathan e eu precisássemos nos esconder lá algum dia). Contou-nos de um verão tempestuoso perto do Lago Léman com o poeta Percy Bysshe Shelley e a esposa dele, Mary, andando de barco durante o dia com Shelley e, durante as noites, competindo um com o outro com histórias e poemas improvisados. Jonathan avisou a Byron que não tiraria nenhum poema de nós, pois não tínhamos esse tipo de cabeça, e Byron disse que não se importava, mas eu me perguntei se ele não estava esperando recriar alguns aspectos daquele verão idílico quando nos convidou para ficar com eles.

O humor de Byron era tão mutável quanto o céu de inverno, e não era incomum que deixasse nossa companhia em um rompante, irritado por sentir-se ofendido. Raramente Jonathan era o culpado, pois ele tendia a ser tranquilo perto de outros homens e, uma vez que Byron era nosso anfitrião, eu procurava não argumentar com ele. Suas brigas eram geralmente com Teresa, e podia-se ter certeza de que, em algum momento do dia, o casal teria uma querela, talvez até duas vezes ao dia, se a discussão fosse muito fervorosa ou desagradável. Não posso dizer que a culpa fosse inteiramente de Teresa, já que Byron parecia ter necessidade de discórdia e fogos de artifício. Ele vivia a vida tão intensamente — comendo e bebendo em excesso, e depois tentando fazer alguma atividade esportiva para procurar diminuir a cintura (tanto quanto seu pé torto permitisse), escrevendo a manhã toda e, então, picotando as páginas como confete — que era inevitável que explodisse com ataques de nervos e exaustão.

Quase sempre, após seus ataques de fúria, Byron queria somente a companhia de Jonathan, e os dois desapareciam durante uma tarde ou uma noite. Podiam andar a cavalo sob o Sol quente de Pisa, galopando a toda velocidade até que tanto os cavaleiros quanto os cavalos estivessem ensopados de suor; ou jantavam em uma hospedaria onde Byron entreteria os empregados e os clientes com histórias de sua vida tempestuosa, ou recitaria em voz alta versos de seus poemas, encantando a todos com seu talento e sua memória admirável.

Foi assim que Jonathan soube dos muitos relacionamentos tumultuados com mulheres, geralmente casadas, que se apaixonavam loucamente por ele e recusavam-se a deixá-lo partir depois que ele se cansava de brigar com elas. Contou a Jonathan do escândalo que o expulsara da Inglaterra, os rumores do caso de amor com sua própria irmã, os quais ele negou. Não, ele preferia muito mais a companhia estável dos homens, professou, e que essa era a razão pela qual geralmente viajava com uma companhia que compartilhasse seu amor pela aventura e também para que pudesse tirar uma pausa de suas amantes nervosas. Eu compreendi imediatamente que isso era o que Byron queria de Jonathan: queria fazer dele seu novo companheiro e carregá-lo junto com ele quando tivesse sua última briga com Teresa e levantasse acampamento em busca de sua próxima aventura.

Durante esses períodos, quando Jonathan e Byron estavam fora e Teresa se retirava a seus aposentos para tirar um cochilo durante o calor brutal da tarde, eu esgueirava-me no estúdio de Byron para ler as páginas de poesia que ele escrevera durante a manhã. Fazia isso por prazer e para procurar pistas com relação a suas possíveis intenções. Manuseava as páginas suavemente, com cuidado para não borrar a tinta ou colocá-las na ordem errada, não queria que Byron soubesse o que eu fazia. Ele estava trabalhando em *Don Juan*, que viria a ser uma de suas obras-primas, mas exceto por encontrar uma familiaridade passageira entre o herói da história e meu Jonathan — apesar de achar que Byron, o egoísta, moldara o personagem tendo a si mesmo como modelo —, não havia indicações das intenções do lorde inglês.

Desse modo, eu irritava Jonathan pedindo-lhe para me contar sobre o que ele e Byron conversavam durante o tempo em que passavam fora. De certa forma, também estava com um pouco de ciúme, pois achava a companhia do lorde inglês encantadora, muito mais divertida do que a de Teresa. Finalmente, em uma noite, enquanto nos preparávamos para dormir, ele pareceu demonstrar piedade. A princípio, tentou ignorar minhas perguntas, como se tivesse tocado em algo que ele gostaria de esconder.

— Não contou a ele a verdade sobre nós, contou? — perguntei, minha preocupação aumentando.

Ele me lançou um olhar malicioso ao puxar a camisa sobre a cabeça, desnudando o peito.

— O que posso dizer, Lanny? Posso ter dito uma palavra aqui e ali sobre nossos problemas, mas nada de Adair e seu saco de truques; eu não saberia o que dizer sem nos fazer parecer loucos. Não, só contei a ele algumas histórias sobre minha infância, sobre minha família e sobre crescer em St. Andrew. E foi isso.

— E o que contou a ele sobre St. Andrew? — Era uma cidade tão sem graça que eu mal podia acreditar que o sofisticado Byron pudesse ter algum tipo de interesse nessa história; de qualquer forma, eram pistas que Jonathan tinha dado a Byron, pistas que podiam levar até nossa verdadeira identidade.

— Nós conversamos sobre... ah, o tipo de coisas que interessam aos homens e... ele admitiu estar curioso sobre a minha primeira experiência sexual. — Ele balançou a cabeça ao lembrar-se da conversa. — Eu estava meio bêbado e talvez quisesse impressionar um homem tão mundano quanto Byron, pois, contra minha consciência, lhe contei... — E então ele parou.

— Contou-lhe o que, pelo amor de Deus? Não pode ser tão sério quanto... Ele olhou aflito: como odiava ser provocado!

— Joanna Kilpatrick, uma amiga de minha mãe e visitante frequente de minha casa, foi minha primeira amante. Ah, Lanny, não me olhe desse jeito! Não desdenhe de mim dessa maneira até ter ouvido o restante da história, pois então terá razões suficientes para me desprezar.

Fiquei em silêncio, chocada. Sempre acreditei que Jonathan tinha perdido sua virgindade com uma garota da mesma idade e tão inexperiente quanto ele, mas não foi o caso, explicou-me enquanto pegava minha mão. Ele era muito jovem quando tudo aconteceu, estava no auge da puberdade, ainda desacostumado aos truques que seu corpo lhe aplicava. Fora enviado até a casa dos Kilpatricks para carregar algumas coisas e a senhora o seduzira, mesmo com seu marido trabalhando no quintal da casa. A sra. Kilpatrick caminhara diretamente até ele, colocando a mão sobre seu membro, o que o deixara incomodado.

— Ela já tinha decidido, de antemão, como me colocaria a serviço dela, e estava determinada a garantir que teria o que desejava — ele disse, enrubescendo. — Ele acabou deitado no chão enquanto a sra. Kilpatrick montou sobre ele, com o espartilho desamarrado e as saias enroladas ao redor dos quadris enquanto cavalgava sobre ele. Jonathan mal tinha abotoado as calças e arrumado as roupas e ia em direção à porta quando passou pelo sr. Kilpatrick entrando na casa. Vendo as bochechas vermelhas da esposa e do garoto, e não sendo um imbecil completo, o sr. Kilpatrick acusou a esposa de ter cometido traição, o que ela negou. Sem provas, o marido retirou as acusações relutantemente e deixou que Jonathan fosse embora.

Eu olhava fixamente para Jonathan, incapaz de encontrar palavras. Que doutrinação mais sem romantismo nos mistérios do amor, ser simplesmente acariciado até ficar ereto e ser usado como um gancho na parede para Joanna Kilpatrick coçar as costas. Eu me lembrava da senhora Kilpatrick: ela tinha uma personalidade forte e havia galgado uma posição de respeito no vilarejo. Era necessário uma alma determinada para discutir com a sra. Kilpatrick quando ela enfiava uma coisa na cabeça. De qualquer forma, isso não lhe dava o direito de seduzir um garoto, e com certeza a esposa de cabelos vermelhos também tirara vantagem de outros jovens. Quanto mais eu pensava sobre a confissão de Jonathan, mais ficava enjoada; Kilpatrick tivera seus casos amorosos com lenhadores, todos vivendo sem as esposas ou namoradas, e agradecidos pela atenção feminina. Por que se interessou por Jonathan?

— Isso foi há muito tempo. Não deveria se preocupar com isso agora, não depois de tudo pelo que passamos juntos — Jonathan me disse, e era mesmo verdade: estávamos longe de ser um casal recém-casado inocente, e, depois de todos os homens e mulheres que já leváramos para cama na casa de Adair, o que era só mais um? De qualquer forma, quanto mais eu pensava, ou tentava não pensar sobre aquilo, mais me machucava, até que as lágrimas começaram a escorrer pelo meu rosto.

— Ah, Lanny, não chore por causa de Joanna Kilpatrick! — Jonathan pediu, erguendo-me e me colocando na cama de frente para ele. Pegou a ponta do lençol para secar minhas lágrimas. — Gostaria que nunca tivesse ouvido essa história.

— Achei que você tivesse me contado tudo — eu disse, repreendendo-o entre um soluço e outro. — Achei que eu fosse sua confidente.

Ele respirou fundo.

— Você era, pode ter certeza. Mas um rapaz não pode contar todas as suas experiências, especialmente naquela idade, para uma jovem senhorita por quem ele tem sentimentos. Estava tentando protegê-la.

Deveria ter deixado nossa conversa terminar ali — deveria ter deixado pra lá —, mas ainda estava cega em relação à verdadeira natureza de Jonathan, então, fiz uma pergunta que era melhor não ter feito.

— Há alguma coisa que ainda não tenha me contado? Não quero mais surpresas. Quero que haja honestidade entre nós, Jonathan. Nunca mais minta para mim, mesmo que queira poupar meus sentimentos.

Ele respirou fundo, me olhou com cautela e levou a sério minhas palavras. Contou-me uma história que desejei nunca ter ouvido, pois revelava um lado da cidade de St. Andrew que eu nunca conheci: homens e mulheres que satisfaziam seus prazeres em uma valsa dissimulada de amantes secretos, dançando bem embaixo do nariz do restante de nós. Eles não organizavam as atividades — não havia orgias como nas Missas Negras das florestas fechadas do norte —, mas eram indivíduos de gostos comuns que buscavam aliviar o peso de suas vidas difíceis com consortes sexuais proibidos.

Jonathan foi doutrinado dentro desse grupo bem cedo na vida e admitiu ter dançado com muitos parceiros até chegar aos 17 anos. Seguiu dando os nomes de cada um deles, pois era isso o que eu queria. Eu não tinha implorado para não haver mais segredos entre nós? Graças a Deus que ninguém de minha família tinha sido levado a essa seita, apesar de que até pensei se Nevin tinha alguma noção da podridão na qual Jonathan estava envolvido, já que falava mal dele tão vigorosamente. Entre as admissões mais chocantes de Jonathan: ele possuíra sua própria sogra, Katherine McDougal, anos antes de seu casamento arranjado com Evangeline. E ele uma vez deixara Titus Abercrombie, o prefeito da cidade, tocar seu pênis na floresta atrás do prédio da escola, apesar de não ter permitido que o velho tomasse outras liberdades.

— Ele queria tanto... — Jonathan explicou, cheio de arrependimento. — E eu estava entorpecido pelo poder que tinha sobre ele.

Ele chegou mais perto de mim e pegou minha mão.

— Lanny, tem que acreditar em mim: caí sob a influência de Joanna literalmente, pois é muito difícil para um rapaz recusar uma mulher quando ela tem suas partes privadas nas mãos. E, depois de ter sucumbido, bem, não ria de mim, mas me senti envergonhado, *sujo* pelo que tinha feito. Um véu foi retirado de meus olhos, seria muito pouco dizer que eu estava consumido pelo desejo de prazer e percebi que não faltariam mulheres para me satisfazer.

Esforcei-me para encontrar minha língua.

— Então, não tinha razão para entregar-se a mim, uma garota tão comum...

— Não foi isso o que quis dizer, Lanny! Não mude minhas palavras — ele retrucou, apesar da raiva desaparecer rapidamente. — Não procurei você porque meus desejos pareciam tão sórdidos, tão baixos... Parecia apropriado que eu me satisfizesse com uma mulher que não tivesse expectativas sobre mim.

— E foi por isso que se envolveu com Sophia. — Então, compreendi porque Jonathan começara um romance com Sophia, uma esposa recém--casada com um marido retardado e insuportável.

— Não esperava gostar dela, para ser franco. — A tristeza cobriu-lhe o rosto. — E isso foi o início de nossos problemas, Lanny, seu e meu. Porque, se não tivesse escolhido aquele momento de fraqueza, depois da morte de Sophia, nunca a teria engravidado.

— E meu pai nunca teria me mandado para Boston.

E... nenhum de nós precisaria seguir em frente. Ficamos sentados, perdidos nos pensamentos sombrios diante da lembrança do demônio que tínhamos certeza de estar atrás de nós.

Nosso tempo com Byron e a condessa terminou uma semana depois. Quanto ao meu pressentimento com relação aos planos de Byron para nós, houve uma noite em que nós quatro acabamos juntos na cama, bêbados e de portas trancadas, protegidos da descoberta negligente de algum dos servos. Surpreendentemente, a noite foi tranquila, pois Teresa não deixou que Jonathan a possuísse e Byron ficou satisfeito em observar Jonathan fazer sexo comigo com grande *gusto*. Talvez tudo o que o poeta quisesse era ver Jonathan em sua glória natural, pois o poeta mal tirou os olhos de nós enquanto copulávamos.

Dias depois, Byron nos contou que estava se mudando para Gênova; tinha se cansado de viver em um aquário, assim dizia, com todos os olhos do vilarejo em cima dele. Ele sorriu para nós como uma raposa, a esperança brilhando nos olhos.

— São bem-vindos para virem conosco. Vou emprestar a *villa* de um amigo. Tem espaço para todos.

Para meu grande alívio, Jonathan declinou do convite e, ao chegar o fim de semana, estávamos a caminho de nosso próximo destino desconhecido. No entanto, no decorrer daquele verão, o estrago tinha sido feito. Observar Byron e Teresa deixou bem claro a infelicidade futura que me esperava — ainda que não fosse culpado, Jonathan sempre seria prisioneiro de sua beleza do mesmo jeito que Byron o era de sua notoriedade —, e seguimos sozinhos de novo, nosso frágil relacionamento a caminho do abismo, a ponto de não ter mais salvação.

XXI

BOSTON

Depois de seu último encontro com Jonathan, Adair o evitou o dia todo. Ficou em seu quarto, manuseou seus livros em busca da menção dessa tal rainha e foi para a sala de visitas onde, incapaz de se livrar de sua inquietação, ficou observando os transeuntes através da enorme janela da frente. Resistiu à vontade de ver como Jonathan estava, ainda sentia uma dor lancinante pela última colocação de Jonathan, de que aquela divindade misteriosa e poderosa certamente se surpreenderia com seu desaparecimento e viria procurá-lo.

Adair sabia que agira precipitadamente ao trazer Jonathan de volta do mundo dos mortos. Ele queria acreditar que, em circunstâncias diferentes — se ele estivesse só fazendo uma experiência, por exemplo, ou testando um novo feitiço — teria sido mais paciente. Teria pesquisado a proveniência do feitiço e aprimorado a propriedade de cada ingrediente; resumindo, teria se preparado profundamente e saberia onde estava se enfiando. Mas se apressou a usar a magia, como um novato que desconhece o perigo e comete o erro crasso de se enveredar como uma besta pelo desconhecido, e agora sofreria por isso.

A menção enigmática de Jonathan a uma mulher com poderes extraordinários deixou Adair agitado. Claro que ela não seria alguém de carne e osso, desse modo, ele sentia-se pressionado a imaginar o que ela seria. Muito provavelmente algum tipo de entidade, um demônio ou *djinn*, se é que existem tais coisas, pois nunca tinha se encontrado com um durante seus procedimentos. Se ela era, realmente, a força que evitava que o mundo dos vivos e dos mortos se encontrasse, era outro tipo de ser, completamente diferente. Talvez fosse uma das forças mais poderosas da natureza, uma entidade que deveria ser vista como uma divindade.

De repente, ele percebeu sua estupidez: havia cometido um grande erro ao provocar um poder dessa magnitude sem se proteger antes. Era como evocar um tsunami sem ter certeza de que está a uma distância segura da praia. Os praticantes de magia negra se protegiam com feitiços ou envolviam-se em círculos de magia para se protegerem dos espíritos que traziam à tona, mas ele não achou que fossem necessárias quaisquer precauções — não para trazer uma alma da vida após a morte. Mas aquela alma era Jonathan e, aparentemente, nada sobre ele poderia ser comum. Adair culpava-se por não ter enxergado além do óbvio, por não ter imaginado que esse processo exigiria medidas extraordinárias.

Se essa rainha do submundo viesse procurar Jonathan, como ele próprio parecia achar que ela viria, Adair não via outra saída a não ser deixar que ela o levasse. Um resultado deplorável, depois de toda essa confusão, e tinha dificuldades em encontrar uma maneira de evitar que isso acontecesse. Afinal, ele era a melhor isca para Lanore. Ela não deixaria nem o próprio inferno impedi-la de vir atrás dele se soubesse que estava vivo. Agradava a Adair imaginar o choque dela ao saber que Jonathan estava sob a custódia dele. Lanny ficaria desesperada o bastante para fazer qualquer coisa que ele pedisse. Mas, como qualquer coisa que valha a pena na vida, isso, também, viria a um preço: Adair seria testemunha do absoluto *júbilo* dela ao ver Jonathan novamente, e ficaria arrasado ao saber que Lanore nunca se sentiu daquela maneira por ele.

Com relação a tomar posse da forma perfeita de Jonathan, Adair estava a ponto de admitir que o corpo não tinha condições de se redimir e nunca ficaria adequado a ponto de ser ocupado. Era melhor dispensá-lo e mandar o gigolô de volta à sua amante do que esperá-la vir atrás dele. Adair não se permitia arrependimentos. Ele era um cientista, aquilo tinha sido uma experiência e ele falhara. Aprenderia com isso e seguiria em frente, se era assim que tinha que ser.

Adair debatia-se com suas dúvidas enquanto ficava em pé, mais uma vez, em frente à porta do quarto de Jonathan. Objetivamente, sabia que trazê-lo de volta dos mortos era um de seus feitos mais grandiosos mas, ainda assim, sentia que fracassara. E, em vez de estar furioso — pois, mais do que qualquer coisa, odiava fracassos —, Adair desejou que pudesse deixar tudo de lado e ser amigo de Jonathan novamente, como se nada jamais tivesse acontecido.

Sabia que não podia baixar a guarda perto de Jonathan. Ele era um camarada trapaceiro. Afinal, ajudara Lanore a enterrá-lo atrás de uma parede de pedra, uma prova de que poderia ser tão impiedoso quanto ela. De qualquer forma, assim como Adair estava achando difícil endurecer seu coração para Lanore, também se sentia atraído por Jonathan, e viu-se querendo desfrutar da companhia dele. Adair atribuía essa estranha melancolia à exaustão e à solidão.

E outra consequência estranha, Adair percebera, era que, apesar de desejar a companhia de Jonathan, era difícil ficar perto dele por muito tempo. Em questão de minutos, sentia uma necessidade incontrolável de se afastar dele. Não era uma questão de ficar nervoso. Parecia mais com pânico, mas ele não conhecia uma razão pela qual devesse ter esse tipo de reação com Jonathan, e só podia imaginar que teria a ver com a proximidade do Jonathan com o outro mundo.

Adair não queria nada com a vida após a morte. Tinha certeza de que o inferno estaria à sua espera quando morresse. O julgamento, que certamente teria que encarar por lá, era a única coisa que temia. Apesar de estar seguro em sua imortalidade e confiante de que fizera o feitiço corretamente, Adair sempre soube que haveria um fim para ele. Esse dia talvez não chegasse até o dia em que o Sol engolisse a Terra, quando o próprio tempo não existisse mais e o mistério da vida no universo finalmente fosse revelado, mas sempre sentiu, até os ossos, que haveria esse acerto final. Nada que do que fizera seria esquecido, e ele seria condenado por todos os seus crimes e pecados.

Quando percebeu que não conseguia mais evitar Jonathan, empurrou a porta sem bater e encontrou-o ainda sentado na beirada da cama, tão imóvel quanto uma boneca colocada em uma prateleira. Mais uma vez, Adair sentiu seus nervos à flor da pele, fazendo-o tremer. Seu estômago revirou com uma ansiedade sem nome, mas nada o impediria.

— Venha comigo — Adair ordenou.

Adair guiou Jonathan pela escadaria, que os levou até o jardim do telhado. O espaço fora transformado em um quarto aberto, com árvores em miniatura, arbustos, mobília e iluminação. Apesar de um jardineiro manter as plantas aparadas e bonitas, e de a governanta manter tudo limpinho, havia um ar de abandono pela falta de uso. Após dois séculos sem dar uma olhadinha no céu, toda vez que podia Adair se aventurava em busca de um pouco de natureza, e achava que a vista de lá era a melhor de toda a casa. E, obviamente, naquela noite o céu era uma expansão luxuriante de roxo com pinceladas de branco, lindo como jamais vira antes. Sentou-se e, agradecido, absorveu a energia silenciosa do céu noturno durante um momento.

Sob a luz das estrelas, Adair percebeu que a transformação de Jonathan continuava e que ele estava quase parecido com seu velho eu novamente. O rosto dele tinha passado por uma mudança, algo que Adair não conseguia explicar, mas, fosse lá o que fosse, tirou-lhe as proporções clássicas e belas de antes. O rosto perfeito não era mais perfeito. De qualquer forma, era mais interessante. Tornou-se o tipo de pessoa de quem um estranho não hesitaria em se aproximar, ao contrário da beleza intimidante que possuía antes. Ele também havia mudado de outras formas sutis, porém inegáveis. Tinha uma qualidade etérea que não possuía antes, como se seu corpo terrestre tivesse transcendido; parecia mais leve do que o ar.

Sentaram-se nas cadeiras do jardim e, durante um tempo, olharam fixamente para a abóboda do céu enquanto Adair se preparava para apresentar seu caso.

— Não temos mais pistas do paradeiro de Lanore. Minha paciência se esgotou, Jonathan. Preciso que me diga tudo o que sabe.

Jonathan hesitou por um momento.

— Eu estava morto há meses. Qualquer coisa que eu saiba será inútil agora. Ela deve sentir sua presença e sabe que você está livre. Estará usando um nome diferente, e duvido que ela volte para casa.

— Não tem problema. Dê para mim qualquer informação que tiver. O nome que usa, o endereço da casa dela... — ele pensou em Pendleton e no hacker, e nos milagres que foram capazes de realizar tendo somente o mínimo de informação. Queria continuar otimista.

Jonathan balançou a cabeça.

— Sinto muito. Não posso ajudá-lo.

Adair esperava que bolhas de ódio surgissem de dentro dele diante da recusa de Jonathan, no entanto, isso não aconteceu. Não havia nada parecido com a conhecida raiva incandescente nem em sua cabeça, nem em seu coração. Em vez disso, foi tomado pelo desespero, por sua necessidade de encontrar Lanore. Quer tivesse essa intenção ou não, ela o mudara e ele estava perturbado com essa transformação profunda. Sentia-se tão fraco pela expectativa de que ela tivesse se perdido dele para sempre que não conseguia imaginar-se seguindo a vida sem Lanore. A profundidade de sua devastação o chocou.

Só sobrava uma alternativa, e era pedir a ajuda de Jonathan. Se alguém conhecia os segredos do coração de Lanore, era ele... e, mesmo assim, Adair não conseguia imaginar-se lhe pedindo ajuda. Não estava acostumado a *pedir* nada: sempre teve tudo o que desejou, a qualquer custo, quer fosse a vida de alguém que possuía o conhecimento que ele queria, ou a virgindade de uma garota atraente que atravessava seu caminho. Que ironia ter que confiar em Jonathan, seu antigo rival, um homem que nunca amou Lanore de verdade e nunca deu valor ao amor dela. Parecia que o destino não iria poupá-lo dessa indignidade; de fato, parecia que o destino estava tomando medidas consideráveis para humilhá-lo.

Adair suspirou fundo, a respiração pesada.

— Preciso de sua ajuda, Jonathan. Não machucarei Lanore. Não estou atrás de vingança. Só quero vê-la de novo. De algum modo, Lanore me transformou. Não consigo pensar nela sem me sentir fraco. Diante dela, sinto-me impotente. Admito ter passado décadas atrás daquela maldita parede, planejando exatamente o que faria com ela quando a encontrasse. Queria quebrar-lhe o pescoço; queria ouvi-la implorar por misericórdia. Pensei em sujeitá-la a torturas que me deixam enojado só de pensar nas atrocidades! Sou incapaz de machucá-la, Jonathan: eu amo Lanore. Só de imaginar que alguém possa feri-la, fico louco. Só quero vê-la de novo, dou-lhe minha palavra.

Ele esperou pela risada, pelo escárnio, mas Jonathan apenas sentou-se em silêncio antes de dizer:

— As pessoas não mudam, Adair. O que muda é o mundo ao redor delas. Por que deveria acreditar no que acabou de me dizer?

Adair afastou-se dele.

— Como pode dizer que as pessoas não mudam? Olhe para você. O Jonathan que conhecia não era capaz de amar a ninguém mais do que a si mesmo e, mesmo assim, um dia você se apaixonou, se casou e passou a sentir o amor tão profunda e abnegadamente quanto Lanore. Não pode aceitar que eu tenha mudado também? Imaginei que meu comportamento fosse prova suficiente. Eu pareço um homem buscando vingança? Fiz algo para machucá-lo? Admiti minhas fraquezas a você: de que outra prova ainda precisa?

Jonathan deixou escapar um meio sorriso.

— Verdade. Nunca imaginei tamanha vulnerabilidade em você ou, caso esteja mentindo, que conseguisse mentir com tanta veracidade. Quase acreditei que o que estava falando era verdade.

Adair sentiu uma onda de gratidão lhe percorrer ao ouvir as palavras de Jonathan. Estava sendo derrotado por suas emoções, tocado tão profunda e intimamente que nunca imaginou que outra pessoa pudesse compreender o que estava acontecendo com ele. Mesmo assim, Jonathan entendia, e acreditava nele, e Adair sentiu-se muito reconfortado por isso. Então, percebeu o quão raramente confiava algum segredo a alguém. Até onde conseguia se lembrar, nunca teve um confidente.

Jonathan levou o olhar até o céu estrelado.

— Acho que está sendo honesto comigo. Você realmente mudou, Adair. E está certo em dizer que ela o enfraqueceu... Não é mais o monstro que era. Mas isso é o que o amor faz. Ao mesmo tempo em que o torna mais forte para algumas coisas, torna-o mais fraco para outras. Tudo o que se ganha de um lado, perde-se do outro.

Perde-se do outro. Os cantos da boca de Adair se contorceram; talvez algo mais que seu estado emocional estivesse sendo afetado. Afinal, provavelmente tudo estava ligado, seu estado mental, físico e seus poderes extraordinários. Ele nunca tinha pensado que sua força pudesse depender da dureza de seu coração ou da intensidade de seu desejo. Passara séculos construindo conhecimento sobre o mundo médico e cultivando um tipo especial de energia do mundo não visto. Mas era possível que agora ele estivesse se aquebrantando, no intuito de encontrar Lanore. Talvez ele não pudesse se dar ao luxo de estar apaixonado.

Mesmo assim, sua necessidade de vê-la era inegável. Tinha que encontrá-la e olhá-la, tocar-lhe a pele e ter a presença dela em sua vida outra vez, mesmo que ela o matasse. Não acreditava que encontrar Lanore traria a morte para ele, ao contrário, sentia que estar com ela o faria ser como era antes: pleno e forte.

— Jonathan, tudo o que sei é que *preciso* vê-la. Ninguém conhece o coração de Lanore melhor do que você. Agora que sabe que não pretendo machucá-la, me diga como conquistá-la.

Por menos que Adair não se importasse em ser digno de pena, ficou contente ao ver a expressão de Jonathan se suavizar.

— Bem... primeiro, deverá aceitar que ela talvez nunca o ame, Adair. Muita coisa aconteceu entre vocês dois para que ela possa confiar em você algum dia. Sem confiança, não pode haver amor.

— Provarei a ela que pode confiar em mim.

— Só isso poderá levar uma eternidade.

— Eu esperarei. — Adair insistiu com determinação palpável.

— Também terá que aceitar que não há nada que possa fazer para obrigar Lanore a amá-lo. O amor é natural. O amor de uma mulher é uma coisa maravilhosa e subjugante. Já o viu em Lanny: o amor dela é feroz. Mas *ela* tem que escolher você, Adair.

— Ela vai me escolher. Sei que vai duvidar disso, mas ela já me amou uma vez, um pouco. — Adair não tinha certeza se dissera aquilo para reassegurar Jonathan disso ou a si próprio. — Aquela época com Lanore... foi o mais próximo que cheguei de me sentir amado — ele disse.

A lembrança daquele momento o deixou temporariamente feliz, apesar de, ao mesmo tempo, ter desejado arder em chamas e queimar até as cinzas para evitar aquela humilhação.

— Sim. Esse é o poder de nossa Lanny: ela é capaz de amar o que é impossível de ser amado. Falo por experiência própria — Jonathan declarou.

— Então me diga: como faço para que ela me dê outra chance?

Jonathan sorriu melancolicamente.

— Essa será a parte mais difícil. Deve lhe mostrar que é digno dela. Se quiser que ela o ame, deve ser o tipo de homem a quem ela amaria. Para Lanny, não teria que se tornar um santo. Mas tem esse seu temperamento: teria que fazer alguma coisa para controlá-lo. Uma coisa que Lanny exige é fidelidade. Ela dever vir em primeiro lugar em seu coração.

Adair franziu o cenho.

— Ela sabe que tenho outros amantes e ela mesma já esteve com eles.

— Mas naquela época você não estava pedindo a ela que o amasse, estava? Se quiser que ela faça de você o epicentro do mundo dela, terá que fazer o mesmo.

Adair pensava nas palavras de Jonathan, as capturava em sua mente. Fidelidade, confiança, sacrifício.

— Essa transformação não será fácil — ele finalmente concordou.

— Não, mas fará de você um homem melhor.

— Mas como vou encontrá-la?

— Você tem a resposta. Está dentro de você — Jonathan disse com sinceridade. — Acho que, se procurar dentro de seu coração, a encontrará.

O humor de Adair mudou.

— Não fale em metáforas. Se você sabe o que preciso fazer, me diga de uma vez por todas.

— Eu lhe disse tudo o que sei. E você sentiu a verdade em minhas palavras, não sentiu? — Jonathan continuou. — Sempre teve o poder de encontrá-la, esteve com você esse tempo todo. Só tem que querer.

— Querer? — Por mais estranho que parecesse, Adair sentiu uma pinçada no coração que o fez acreditar que aquilo era verdade.

— Eu já lhe disse tudo o que sei. E estou confiando em sua palavra, Adair, que não fará mal a ela. Seria bom você se lembrar disso. Guarde bem as minhas palavras.

Adair colocou a mão sobre o lugar onde deveria ficar seu coração.

— Prometo a você: não vou fazer mal a ela.

XXII

Ao menos as palavras de Jonathan tinham dado esperança a Adair, mas não sabia como encontrar Lanore, muito menos se conseguiria conquistar a afeição dela depois que a encontrasse. Ela poderia estar em qualquer lugar do mundo. Ficou pensando se seu subconsciente teria consciência dela em algum nível e, se sim, se haveria uma maneira de acessar essa informação. A técnica de projeção lhe veio à cabeça, e ele se perguntou se esse estado alterado da mente poderia levá-lo até a resposta que buscava. Durante todos os anos atrás da parede, tentara fazê-lo de muitas maneiras; não obstante, falhara. Ouvira histórias dos Adeptos que eram capazes de projetar a consciência para fora do corpo, libertando-os para viajar pelos cantos distantes do mundo, até mesmo por outros planos de existência, assim diziam. Se é que se lembrava corretamente, os praticantes geralmente contavam com ajuda externa, tais como beber uma poção, ingerir alucinógenos ou invocar visões no caldeirão do profeta. Adair conseguira chegar ao estágio de meditação profunda somente enquanto estava aprisionado, mas nunca teve a experiência de libertar sua consciência completamente. Mesmo assim, Jonathan disse que o poder para encontrar Lanore estava dentro dele, o que o fazia pensar que não precisava de mais nada além de sua própria mente para libertar-se.

Para chegar ao seu eu profundo, era geralmente melhor encontrar um lugar com silêncio absoluto, como um monge isolando-se em uma caverna para buscar a elevação espiritual. Podia passar a perna na escuridão — era impossível bloquear toda a luz dado o excesso de janelas daquela casa —, mas as paredes teriam que ser capazes de absorver todo o som e até mesmo de bloquear o movimento do ar, se possível. De acordo com as histórias que ouvira, acordar no meio de uma projeção era perigoso. A consciência poderia acabar presa em algum lugar desconhecido. Os velhos praticantes certamente tiveram algum ajudante ao lado, a quem poderiam chamar com um sinal predeterminado — o toque de um sino ou o som de palmas —, caso o sujeito se sentisse desorientado quando saísse desse estado de transe. Apesar de não ter nem um quarto totalmente fechado nem um assistente confiável, nada impediria Adair de continuar sua busca.

Ele resolveu tentar de qualquer maneira, naquele instante, sem alucinógenos ou caldeirão mágico. Caso falhasse, poderia consultar seus livros e tentar novamente, mas estava impaciente, com a curiosidade aguçada pelas palavras de Jonathan. Trancou a porta do quarto e deitou-se em silêncio sobre a cama.

Estava difícil aquietar a mente depois da conversa que tivera com Jonathan. Seus pensamentos queriam disparar a toda velocidade. Concentrou-se em sua respiração, limpando a mente, mergulhando cada vez mais fundo no pensamento puro. Foi cada vez mais fundo, até deixar seu corpo para trás, até sentir que não tinha mais nenhum limite corpóreo. Sentia-se como se tivesse evaporado e se dispersado como uma nuvem de gás ou uma camada de espuma carregada pelas ondas. Tentou não observar os arredores desse mundo abstrato, pois poderia distrair-se e quebrar o transe. No fim, ele não precisou se preocupar, estava suspenso em uma névoa pálida e cinzenta, e se entregou ao seu estado de criatura sem forma, sendo levado pela corrente, satisfeito.

Um solavanco fez a viagem parar, e Adair sentiu-se como a folha de uma árvore, caindo gentilmente no chão. Podia perceber que estava em um lugar diferente, pelo ar, pela temperatura e pela sensação em sua pele. Abriu os olhos, perguntando-se onde tinha ido parar e se havia encontrado o lugar certo.

Estava em uma cidade: era evidente pelos arredores, uma fila impressionante de sobradinhos de três andares um ao lado do outro, manchando a rua de sombras. Era uma rua tranquila, o tipo de lugar onde os vizinhos assistem ao que está acontecendo por detrás das cortinas. Quer isso fosse uma criação de sua mente, a manifestação real de um sonho ou uma cidade de verdade, como Nova York ou Londres, ele não saberia dizer. Tentou ignorar sua incerteza e continuar presente no momento.

Outro solavanco de leve o guiou em direção ao prédio diretamente em frente dele. Cinco degraus de pedra levaram à porta da frente de uma grande vidraça com grade de ferro com arabescos delicados, atrás da qual o ocupante poderia ver sem ser visto. Soube de imediato que era a casa de Lanore. Quando Adair colocou a mão sobre a maçaneta, ficou maravilhado ao sentir a presença dela no metal. Tocar a maçaneta era como tocar a mão dela.

Do lado de dentro, identificou um perfume que associou a Lanore, o cheiro almiscarado fazendo parte de seu cérebro pegar fogo de excitação, recriando a sensação de estar na presença dela. Ela parecia tão real, tão presente, que Adair esperou vê-la caminhando ou ouvir a voz dela descendo as escadas, mas, quando nenhuma dessas coisas aconteceu, sentiu sua solidão ainda mais profundamente do que antes. Ir lá, onde podia sentir a presença dela novamente, provava a ele que mudara — agora era suscetível à solidão e à tristeza. Não gostava dessa mudança: tinha indícios de fraqueza e debilidade. *É tudo culpa de Lanny; ela me deixou inválido*, ele pensou. Seu ódio veio à tona, mas desapareceu tão rápido quanto surgiu. Essa nova inibição de sua raiva, pelo menos no que dizia respeito a Lanore, ainda o confundia, como caminhar em direção a uma parede onde sempre houve uma porta.

Amor: ele tinha corrompido Adair.

Com um suspiro profundo, mas rápido feito um floco de neve trazido pelo vento, ele foi parar no hall. Estava quieto como uma sala de funeral. Uma mesa com pedestal grande ficava sobre um tapete oriental de preço incalculável, sob um candelabro feito para um salão de baile. Sobre a mesa havia uma pilha de cartas sem abrir, e o endereço do remetente de todas elas era um advogado de Boston. Tantas cartas, todas ignoradas. Conforme Jude tinha explicado enquanto encaixavam as peças da fuga milagrosa de Adair, a cidade provavelmente quis notificá-la das intenções de demolir a mansão para dar lugar a uma rodovia expressa. Aquela notificação sem dúvida estaria contida em uma dessas cartas, às quais ela ignorou cerimoniosamente. Adair perguntou-se se Lanore teria suspeitado da intenção deles, em algum nível, e se quis vê-lo livre, mesmo não conseguindo libertá-lo com as próprias mãos. Sentiu um sopro de esperança de que sua causa não estivesse inteiramente perdida.

O cômodo que quis visitar primeiro foi o quarto de Lanore, deixando os outros lugares da casa, menos íntimos, para mais tarde. Tudo o que fez foi desejar e instantaneamente estava lá, em um quarto escurecido pelas cortinas pesadas e as paredes pintadas com a cor de cogumelos da floresta. A cama era uma antiguidade sueca, coberta com lençóis de seda e os travesseiros ainda marcados onde a cabeça dela descansara pela última vez. A visão da cama o entristeceu, estar ali entre as coisas dela, inalando seu cheiro. Adair fixou o olhar no sulco do travesseiro feito pela cabeça delicada dela e sentiu a imensidão da tarefa que tinha à sua frente. Provar seu amor assim como sua dignidade a ela levaria tempo — um longo tempo.

Sobre uma das mesas de cabeceira havia uma coleção de objetos: uma antiga xícara de chá chinesa com três pérolas soltas dentro dela; um livrinho só um pouco maior do que a mão de uma mulher, *Madame Bovary*, a primeira edição de 1856; uma rosa de papel feita à mão. Sobre a outra mesa de cabeceira havia a evidência de que outra pessoa — um homem — dividia a cama com ela: um par de óculos de leitura comprados em farmácia; uma caixinha de plástico de fio dental; um pote de pomada; uma revista com fotografias brilhantes de homens jogando vários esportes do campo. Adair colocou a mão naquele lado da cama e titubeou para sentar-se, uma vez que foi tomado por uma onda de ciúme.

Foi até um dos trocadores, aquele que obviamente pertencia a ela. Cabides vazios e vãos entre a vara de pendurar roupas indicavam que ela havia arrumado a mala para viajar. Passou suavemente os dedos sobre os pedaços de tecidos finos pendurados em cabides forrados, peças delicadas feitas de seda e renda, o toque desses tecidos femininos o deixaram excitado. Levou uma das camisas dela até o nariz: não havia sinal de perfume, mas lá estava o cheiro dela novamente. Esfregou o rosto sobre a peça de roupa, desejando ser um cão de caça, capaz de encontrá-la pelo cheiro. O perfume dela assentou-se na língua dele e foi como se Adair pudesse degustá-la, como se pudesse saborear o gosto forte da pele no interior de suas coxas, o suor orvalhado da parte de baixo de seus seios. Sentiu vontade de enroscar a peça de roupa de Lanore em volta de seu membro e se masturbar, mas colocou a camisa dela de lado e deixou o momento passar.

Pelo corredor, Adair encontrou quartos de entulhos cujos tesouros tinham sido removidos pela metade, a contar por uma lista sobre a prateleira que catalogava as datas de remessa de vários itens. Fuçou por entre as coisas que foram deixadas, analisando cada item que descobria: um luxuoso par de baixelas de prata estilo *art déco*; um sabre de aparência primitiva em um coldre de pele de cavalo; uma coroa para a cabeça de uma criança. Uma pilha de fotografias antigas sobre uma prateleira. Ele não reconheceu as pessoas na maioria delas, mas então parou sobre uma, uma imagem amassada e desbotada da pose de um grupo na virada do século passado, com trajes pesados, como se fossem para uma festa de patinação no gelo. Ele a reconheceu de pronto, mesmo ela estando quase totalmente coberta por um grande casaco e chapéu de pele, com uma expressão arrogante em seu rosto virado para cima, audácia em seus olhos. Quando essa foto foi tirada, e quem eram aquelas pessoas? Tinha perdido tanto da vida dela, ele percebeu com uma ponta de arrependimento.

No andar de baixo, viu uma escrivaninha no canto de um quarto, onde aparentemente Lanore cuidava de suas correspondências. Adair abriu as gavetas, uma de cada vez, e não encontrou nada exceto papéis de carta e selos. Então, na gaveta de baixo, sob um antigo dicionário, encontrou fotografias de Jonathan. Jonathan na cama, seu rosto meio encoberto pelo travesseiro, o cabelo negro caindo sobre o rosto com barba por fazer; Jonathan dirigindo um automóvel e sorrindo encantadoramente para a fotógrafa no banco do passageiro; Jonathan, o exemplo de saúde perfeita e com uma expressão de felicidade completa no rosto, fotos tiradas alguns dias antes de Lanore colocar um fim à vida dele.

Até agora, ele não tinha encontrado nenhuma documentação escrita da vida dela, informações que poderiam levá-lo até ela, mas finalmente notou uma pilha de papéis em um pequeno gaveteiro enfiado embaixo da escrivaninha. Estava trancado, mas ele arrebentou a porta com as mãos, puxou os arquivos e começou a folhear os papéis. Como era estranho ver a complexidade de uma vida resumida em pilhas de documentos como esses. Obviamente, para Adair, o arquivo de sua vida se perdera muitas e muitas vezes, mas, com o passar dos séculos, ele treinara a si mesmo para viajar com pouca bagagem. Desapegado sentimentalmente da maioria das coisas, ele preferia permanecer um mistério.

Começou lendo as cartas, enfiando as mãos dentro dos envelopes abertos, desdobrando folhas de papel e analisando com ganância as palavras ali contidas, mas ficou decepcionado ao ver que eram, na maior parte, correspondências de negócios. Alguns extratos bancários, uma carta de um departamento do governo exigindo algum tipo de pagamento adicional. Alguns avisos para outra mulher — Annete Blanchard —, talvez o último pseudônimo dela... Ele anotou o nome para dar a Pendleton.

Depois, no corredor, pegou a pilha de cartas sem abrir. Eram todas de um advogado em Boston, a primeira delas enviada a Lanny há anos. Adair leu cada carta em ordem cronológica e veio a compreender o milagre de sua fuga. Era como Jude tinha sugerido: o estado procurou-a para avisar que iria demolir a mansão a fim de abrir espaço para o projeto de uma rodovia expressa, e que todo o bairro seria destruído. Porque Lanny não respondeu, o advogado não conseguiu proteger seus interesses. Por não ter feito nada, ela garantiu a fuga de Adair.

A princípio, achou-a tola. Como a esperta Lanore poderia ter sido tão descuidada com uma questão tão importante? *A não ser que...* ele se perguntou se algo mais estaria em jogo: o desejo inconsciente dela. Afinal, ele vira acontecer isso antes: em uma noite de sorte nas mesas de jogo, um homem poderia, de repente, começar a fazer opções táticas para colocá-lo fora do jogo. Ou, durante um cerco, um homem nobre toma a decisão de dar ao oponente os meios necessários para que entre na fortaleza. Talvez dominada pelo fatalismo, Lanny permitira que a casa fosse destruída para forçar uma resolução. Talvez estivesse cansada de ter a espada de Dâmocles pendurada sobre sua cabeça e quisesse que tudo aquilo chegasse a um fim.

Puxou outra carta de dentro do envelope: era um convite para fazer uma palestra em um museu, anos atrás, sobre xícaras de chá chinesas, por incrível que pareça. Adair ficou surpreso com a área de *expertise* dela; o que será que tinha acontecido para Lanore se transformar em uma especialista em um tópico tão arcano? Implicava ela ter ido à China, e não somente para férias casuais. Era inteiramente possível que ela tivesse vivido uma vida inteira lá, e, por um momento, Adair sobressaltou-se ao perceber que a mulher a quem procurava fora substituída por outra com mais de duzentos anos de experiências das quais ele não fazia ideia. Muito provavelmente, Lanore tornara-se uma mulher que, de certa forma, se retratou para compensar as coisas terríveis que fizera antes, tais como enterrá-lo vivo atrás de uma parede.

Enquanto lia as cartas, Adair ficou admirado ao ver que não havia menções sobre homens. Um nome falso, Emily Bessender, aparecia em todo lugar, mas não havia sr. Bessender na correspondência, nada que explicasse a presença masculina sem identificação no quarto dela — ou de qualquer outro homem, para ser sincero. Vindo de Lanore, Adair achou esse comportamento estranho. Ele virou as cartas de cabeça para baixo, procurando um nome rabiscado na parte de trás, um nome desenhado sem querer nos cantos. Nada.

Recostou-se no sofá e olhou para as pilhas de correspondência sobre a mesa de centro, onde ele havia espalhado papéis dobrados e tentava colocá-los em algum tipo de ordem, sem sucesso. Eram cartas de uma mulher estranha a ele e eram, sinceramente, desalentadoras. Onde estavam as cartas de amor? Os rabiscos ininteligíveis de um homem levado pela loucura da beleza, da inconstância e dos jogos dela? Onde estavam os pedidos de amor incondicional e das promessas das longas noites de amor na cama e do tempo passado só na companhia um do outro? Será que Lanore tinha aberto mão do amor assim que Jonathan a deixara? Parecia impossível. Adair quebrou a cabeça tentando encontrar uma explicação para o comportamento inescrutável dela e, sem encontrar nada, empurrou os papéis no chão, frustrado.

Afastou-se e tentou se lembrar do que Jude estava sempre lhe dizendo: *Tudo é feito eletronicamente*. Adair procurou pela casa até encontrar um computador em um dos quartos com entulhos. Era maior que as máquinas de Jude, e assim que o computador ligou, Adair olhou as datas e percebeu que os arquivos tinham muitos anos. Havia informação de valor, rascunhos de cartas e cópias de documentos, mas nada que o ajudasse naquele momento.

Voltou ao quarto e fuçou nas gavetas, procurando por pertences masculinos, na esperança de encontrar alguma identificação ou alguma pista sobre esse homem. Todas as roupas e artigos de higiene pessoal eram novos, como se ele tivesse vindo do além, como se não tivesse passado, como se Lanore o tivesse criado, como uma criatura mágica.

Finalmente, Adair encontrou o que estava procurando: alguns documentos mantidos em uma gaveta onde o homem guardava as meias. Uma carta de aparência oficial com o selo da república francesa... uma cópia de uma solicitação de visto. Adair cerrou os olhos ao ler o nome sobre o papel: Lucas Findley. A ponta de sua cabeça coçou. Ouvira esse nome antes, junto com o de Lanore... Sim, quando esteve na cidade de St. Andrew. Os camponeses dos restaurantes também tinham falado esse nome: o médico que ajudara Lanore a fugir. *Claro*, Adair pensou, *obviamente ela o manteria por perto* — e se perguntou por que não tinha pensado nisso antes, por que não tinha dado o nome dele a Pendleton... talvez ele realmente tivesse perdido o foco após o aprisionamento. Poderia haver várias explicações com relação ao paradeiro dela, ao que ela estava fazendo e com quem ela estava, mas, para ele, o nome Lucas Findley parecia se encaixar.

Sentiu uma ansiedade indescritível enquanto caminhava pela casa se perguntando o que tinha deixado passar, andando em círculos pelo térreo e parando de repente no corredor do fundo, em frente a um retrato emoldurado de um homem desenhado a carvão. Passou-se um longo segundo antes de ele perceber que aquele era o desenho que ele próprio encomendara de Jonathan. Lanore o tinha tirado da mansão. Mesmo com a imagem manchada sobre a folha de papel, a beleza ultrajante de Jonathan zombava dele, aquele rosto insuportavelmente maravilhoso o atingia como um soco no olho. O retrato fora feito logo após Jonathan ter se juntado à família, sua arrogância e petulância capturadas à perfeição pelo artista. E, mesmo assim, apesar de todos os defeitos de Jonathan, Lanore o escolhera — escolhera suportar seu tratamento perverso a aceitar o amor de Adair.

E agora ela estava com esse médico, um homem comum sem nada especial a oferecer. Era muito humilhante. Ele arrancou o retrato da parede e despedaçou-o no joelho. A moldura quebrou em lascas; o vidro, em pedaços pontiagudos e cacos. Adair puxou o desenho para fora da moldura e, num golpe demorado, rasgou-o ao meio. O peito endureceu e a têmpora começou a latejar. O lindo e pequeno ninho dela, onde vivia com esse médico idiota, zombavam dele. O ódio se acendeu dentro dele, a inibição que controlava sua fúria contra ela desapareceu por um instante, e não precisou fazer nada para transformar seu desejo em realidade. *Que tudo se queime*, ele pensou. *Que a casa arda em chamas. Que ela não tenha para onde voltar*. Enquanto se afastava e era levado pela corrente, a última imagem que viu foi das enormes chamas alaranjadas lambendo as paredes, devorando gulosamente tudo pelo caminho.

XXIII

BARCELONA

Dois dias depois, um envelope, elegante e exuberante ao toque, aguardava por mim na recepção. Não havia nada escrito do lado de fora, exceto um nome em uma letra bonita e miúda. Tirei a folha dobrada de dentro do envelope:

Minha adorada Lanore,

Perdoe-me pela minha falta de modos ao deixá-la sem diversão durante os últimos dias. Venha apreciar a hospitalidade de minha casa enquanto está na cidade. Por favor, junte-se a mim para o jantar. Meu carro virá buscá-la às oito horas.

Sinceramente,

C.

A letra "C" era um lindo trabalho de caligrafia, feito por uma mão experiente. Virei o envelope e a folha de papel, no entanto, não havia nem endereço, nem telefone, nem nenhum modo de entrar em contato com ele. Era óbvio que eu aceitaria o convite.

Não havia como pensar em não ir, mas, enquanto me vestia para a noite, estava apreensiva. Havia a maneira bem sinistra de como o convite tinha sido enviado — exigindo minha presença em um bilhete escrito à mão trazido por um mensageiro secreto —, e fui obrigada a imaginar que Alejandro fizera aquilo deliberadamente, em homenagem ao nosso passado mútuo, ou porque se sentia confortável em me agradar, como nos velhos tempos: correspondência em papel entregue por um lacaio, e o envio de uma carruagem para buscar a senhorita.

Em segundo lugar, ainda me sentia envergonhada por nosso encontro inicial. Nunca havia me ocorrido que os outros — Alejandro, e até mesmo Tilde e Dona — sentiriam outra coisa exceto felicidade por estarem livres de Adair. No pânico de fugir com Jonathan e descobrir como sobreviver neste mundo, não pensei que os outros teriam que encarar esse mesmo dilema. Achava que tinha lhes feito um grande favor como arquiteta da fuga deles; nunca, nem uma só vez, pensei que estivessem contentes em viver na companhia da Adair. No entanto, aqui estava eu me sentindo uma criminosa cujo passado finalmente tinha vindo acertar as contas com ela.

Por último, não conseguia deixar de lado a sensação de que Alejandro tinha usado os últimos dias não para tentar decidir se me perdoaria, mas para encontrar uma maneira de me entregar para Adair. Pela reação de Alejandro, tinha ficado bem claro que ele nunca suspeitara de mim como sendo a responsável pelo desaparecimento de Adair; ele pareceu chocado de verdade quando fiz minha confissão. Se Adair estava livre, ainda não falara com Alejandro. Lembrei a mim mesma que Alejandro tinha sido o mais gentil do grupo, incapaz de superar sua sensibilidade, ainda que isso fosse uma vantagem entre os acompanhantes de Adair. Confiava que a tendência sentimental de Alej pudesse permanecer durante mais alguns dias, e que eu pudesse esperar esse tempo para ver se ele tinha mais alguma coisa para mim.

Uma Mercedes cinza apareceu em um passe de mágica no horário marcado, como a carruagem da Cinderela, e me levou pelas ruas de Barcelona até um bairro nos arredores da cidade. Atravessou os portões de uma velha propriedade e parou em frente da casa. Estranhamente, as solenes portas da frente estavam levemente abertas, então entrei no saguão, tão frio e escuro quanto uma cripta. Mesmo assim, não havia ninguém lá para me receber e a casa parecia desocupada. Pouco à vontade, estava pronta para dar meia-volta quando vi uma figura no final de um longo corredor vindo em minha direção: Alejandro. Os passos dele sobre o chão de mármore eram os únicos sons dentro da casa; aparentemente, não havia empregados ou talvez fossem ocupados e discretos como ratos. Alej poderia estar satisfazendo seu gosto pelo drama ao entrar daquele jeito, ou talvez fosse outro artifício para me deixar com os nervos à flor da pele.

— Lanore! Que bondade sua aceitar meu convite. Estava com comichão, com medo de que você fosse me decepcionar — ele disse, pegando meu braço e acomodando-o debaixo do dele.

— Eu teria ligado para avisar que viria, mas não tinha como entrar em contato. Sem endereço, sem número de telefone... — Brinquei, observando a reação dele, mas ele não me ofereceu nada além de um sorriso enigmático. Sua aparência também revelava um tom a mais de sua excentricidade. Não vestia mais a roupa discreta que estava usando no estúdio, a roupa serena que o fazia desaparecer no pano de fundo. Esta noite ele usava uma mistura de estilos e épocas: uma jaqueta cortada como um jaleco, mas feita de tapeçaria, o tecido brilhante pela idade; uma camisa de cetim em estilo cossaco; jeans pretos desbotados; um gorro de crochê em forma de caixa, do tipo que usam nos países do norte da África. Todos pinçados de seu guarda-roupa, sem dúvida, cada peça era uma lembrança preciosa de outra época.

— Não tive a intenção de ser tão misterioso. Mas gosto de minha privacidade, sabe, e raramente dou meu endereço para alguém, acho que isso se tornou um hábito. Não quis assustá-la. Foi só um descuido, posso lhe garantir — ele falou, dando batidinhas na minha mão.

— E onde estão os empregados? Não mora aqui sozinho, mora? — Eu bisbilhotei dentro dos cômodos enquanto passávamos pelas portas abertas, esperando ver alguém preparando uma bandeja com bebidas ou arrumando alguma coisa.

— Ah, sim, claro que tenho empregados, mas pedi a eles que nos deixassem a sós hoje à noite, o máximo possível, assim podemos ficar à vontade para conversar sobre os velhos tempos e sobre nosso *segredo*. É raro conseguir ser eu mesmo com alguém, tenho certeza de que se sente da mesma forma, então achei melhor manter a ocasião tão íntima quanto possível. Não deve haver mais ninguém sobre a Terra essa noite, só nós dois.

Sorri para ele, mas meu coração estava apertado. Será que o pobre Alejandro tinha enlouquecido um pouquinho? Seu modo de se vestir fora do comum, sua mania por segredos... Assim como Savva, parecia que o mundo tinha tirado tudo dele.

Alejandro fez um tour comigo pela casa, fazendo comentários ocasionais sobre um objeto ou outro, e deixando-me absorver o que via por conta própria. Fiquei pasmada pela similaridade com minha casa em Paris, que também estava lotada com lembranças de séculos. No entanto, a casa de Alej não era tão desorganizada quanto a minha, ele tinha um olho mais apurado e manteve só as peças mais belas, editando sua coleção. Por isso, o efeito geral era mais harmonioso do que a cacofonia descontrolada de minha residência. Todavia, diferentemente de minha casa, a coleção dele parecia carente de sentimentalismo — não havia canhotos de ingressos desbotados ou programas de teatro que o fizessem se lembrar dos passeios com amigos mortos há longa data, não havia também suéteres comidos por mofo usados por um antigo amante —, mas assim era Alejandro: um exterior polido com as cartas escondidas na manga. Os cômodos pareciam mais ambientes montados do que uma reflexão dele próprio: o que ele gostaria que sua vida tivesse sido e não foi.

Ver que também tinha se cercado de posses, substitutos de pessoas e do amor que se fora da vida dele, me deixou triste.

— Então, o que mais você faz além de fotografar, Alej? — perguntei, ousando quebrar o silêncio. — Me conte, há alguém em sua vida?

Ele prendeu meu braço com força ao lado dele, como se eu fosse tentar escapar.

— Ah, minha pobre Lanore. Ainda é essa sua medida para a felicidade? Você só está feliz quando há alguém com quem dividir sua cama ou sua mesa no café da manhã?

Fiquei surpresa com a resposta dele: era aquilo que ele pensava de mim?

— Isso pode ter sido verdade no passado, mas não esqueça, Alejandro, que eu era praticamente uma garota naquela época, 20 anos de idade, e vivia uma vida muito resguardada, nunca esperei ter que viver sozinha. Desde então, tenho estado bastante sozinha; acho que todos nós. Pessoas vêm e vão. Bom, não é a pior maneira de se viver, dividir sua vida com alguém, é? Só estou dizendo que seria uma pena se estivesse sozinho, Alej, quando tem tanto a oferecer.

A expressão dele permaneceu alerta.

— É muita gentileza de sua parte se preocupar comigo, mas não há necessidade. Não estou sozinho, exceto quando escolho estar.

Ele continuou a me guiar pela casa, parando em um cômodo ou outro para me mostrar seus tesouros, cada peça digna dos melhores museus do mundo. Paramos por alguns minutos do lado de fora de seu quarto, o bastante para que absorvesse o estilo luxuoso, porém triste: painéis de natureza morta, cortinas de seda, um maço de papoulas vermelhas em um vaso na mesinha de cabeceira. Era um quarto lindamente montado, mas a cama, cercada por velas grossas, castiçais e queimadores de incenso, parecia mais um altar, uma plataforma, um palco, que um lugar de descanso. Para falar a verdade, me lembrou muito do quarto de Adair.

O jantar foi oferecido em uma sala grande e formal, os dois lugares postos juntos em uma das pontas. Ainda não tinha visto um empregado, mas alguém preparara os pratos, cobertos e ainda quentes ao toque. Alejandro tinha escolhido um cardápio exótico: havia uma travessa com algumas lascas de algo cor-de-rosa, fritas e crocantes, que se revelaram ser língua de codorna, ovos de tartaruga cozidos e uma linda salada coberta com damas-da-noite roxas. Apontei para a salada e exclamei:

— Mas isso aqui é venenoso!

Ele riu e retrucou:

— Não para nós. Experimente uma, são deliciosas. Muitas coisas venenosas acabam sendo muito apetitosas. O fígado do baiacu é a melhor parte, mas também a mais letal.

— Onde consegue encontrar línguas de codorna? — perguntei, usando um pequeno par de pegadores de prata para desenroscar a língua do restante.

— Era um dos meus pratos favoritos quando eu era criança — ele explicou enquanto deslizava delicadamente um dos ovos de tartaruga cozidos sobre o prato. — Tenho um bando delas no aviário só com esse objetivo.

Experimentei uma língua de codorna e uma dama-da-noite para ser educada, enquanto Alejandro colocava uma pequena porção da iguaria no prato e saboreava um pouco de cada, como um beija-flor. Preferi muito mais a garrafa de xerez que ele tinha colocado na mesa. Ele estava claramente fazendo um jogo comigo: a teatralidade de servir comidas bizarras e esconder os empregados. Se não fosse pelo efeito anestesiante do xerez, eu provavelmente teria tido um ataque de nervos e sairia correndo de lá. Não conseguia entender a razão de seu jogo a não ser me alarmar. Ou talvez seu senso de realidade tivesse sucumbido e esse era o reflexo daquilo que ele se tornara. A maldição de Adair não parecia capaz de impedir que nossas mentes se destruíssem, somente nossos invólucros.

Ele esperou até que tivesse comido os dois itens no meu prato antes de falar.

— Você foi muito paciente comigo esta noite, Lanore, e não devo deixá-la esperando por minha decisão por mais tempo. Ajudarei você. — Devo ter ficado muito aliviada pela resposta dele, pois se apressou em dizer: — Mas, não deve ter muita esperança. Só tenho contato com alguns dos outros e muito poucos têm interesse em estudar as artes negras. A maioria de nós tem medo e tenho certeza de que isso não é surpresa para você. Mas há uma pessoa que talvez possa ajudá-la.

Alejandro tirou um pequeno cartão branco de seu bolso e o entregou a mim. O cartão tinha o nome de Tilde, com um endereço.

— É ela a quem deve procurar — ele disse baixinho e com a voz firme.

— Não entendo.

— Muito tempo se passou, Lanore. Duzentos anos podem mudar qualquer um e eu diria que, de todos nós, foi ela quem mais mudou.

Olhei fixamente para o cartão encaixado entre as pontas dos meus dedos. De todas as pessoas frias e egoístas que Adair colecionara, Tilde fora a mais assustadora. Ela cometera o pior crime de todos antes de Adair transformá-la em uma de suas criaturas: tinha matado o marido e os filhos para se casar com um homem rico apaixonado por ela. Vez após outra, quer fisgando homens para perder o ouro na mesa de jogo de Adair ou garotas pobres para perderem a virgindade na cama de Adair, ela sempre se mostrou ser a criatura de coração mais duro. Depois de Adair, era ela quem mais me aterrorizava, e aqui está Alejandro me dizendo que ela seria a única que poderia me ajudar. Até ele parecia um pouco arrependido de me colocar nas mãos dela. Olhei para ele com olhos imploradores e perguntei:

— Não se lembra do quanto ela me odiava? Como ela concordaria em me ajudar agora?

Alej balançou levemente a cabeça.

— Ela não odiava você mais do que odiava a qualquer um, minha querida, e certamente não mais do que odiava a si mesma. Será que não entende? Nós todos tínhamos que encontrar uma maneira de agradar Adair para sobreviver, e esse era o jeito dela. Mais cedo na vida, ela decidiu que precisava colocar seus próprios interesses em primeiro plano; egoísta, sim, mas alguns consideram essa atitude pragmática. Ela viveu em uma época difícil e em um lugar ainda mais primitivo e rústico do que a cidade em que você cresceu. Houve eventos que marcaram Tilde quando Adair a encontrou, coisas sobre as quais você não sabe — ele me disse com tom de reprovação. — E não se esqueça de que você foi egoísta à sua própria maneira e não menos egoísta do que Tilde. Não quero ser cruel, mas você entregou Jonathan a Adair, não foi? E aqui está você, dizendo ser uma mulher mudada.

Ele ainda tinha aquele jeito sacerdotal e pacificador de antigamente. E sabia da vergonha que eu carregava em segredo por ter entregado Jonathan a Adair. Vendo-me subjugada, Alejandro continuou:

— Ela sente muito por tudo o que fez. É uma mulher completamente diferente, assumiu algum tipo de *espiritualidade*. Tem tentado descobrir o que nós somos e, para isso, mergulhou nas profundezas do mundo desconhecido. Já se consultou com sábios e praticantes daqui até o fim do mundo. Se há alguém capaz de ajudá-la, é Tilde.

Por mais ameaçador que fosse, queria acreditar nele. De qualquer maneira, não tinha outra escolha. Parecia que parte dessa provação era me humilhar diante de meus inimigos, pedir a ajuda de pessoas que esperava nunca mais ver. Se toda a minha jornada se resumia a mudar o tipo de pessoa que era, a reparar as coisas egoístas que havia feito, fazia sentido que isso também fosse parte da minha punição.

Ele pegou minhas duas mãos.

— Lanore, sabe que eu tentei protegê-la. Pode confiar em mim agora.

Estudei o cartão de Tilde uma segunda vez e coloquei-o dentro de minha bolsa.

— Obrigada, Alejandro.

Quando comecei a me afastar da mesa, ele levantou-se também.

— Está ansiosa para começar a próxima etapa de sua jornada. Eu compreendo. Vou pedir ao meu motorista para levá-la de volta ao hotel. Mas tenho que lhe pedir para esperar um minuto mais. Lembrei-me de uma coisa que gostaria de dar a você, algo que peguei há muito tempo, que lhe servirá perfeitamente. Venha comigo.

Fomos até um dos quartos cuidadosamente montados e ele começou a mexer em um enorme e antigo ervanário chinês com dúzias de gavetas, mas não conseguiu encontrar o que estava procurando. Pedi licença para ir ao banheiro e fechei a porta atrás de mim, então fiquei em pé agarrada à pia, nervosíssima diante da ideia de ver Tilde de novo. Tinha tanto medo dela quanto de Adair. Minha garganta estava seca e meu coração batia descontroladamente em meu peito. Respirei fundo, tentando me acalmar. *Dê mais cinco minutos a ele, então arranje uma desculpa e fuja.*

No entanto, ao passar pelo quarto de Alejandro, vi com o canto dos olhos uma ponta do passado: pendurado em um cabide na porta do armário, pensei ter visto um dos *robes de chambre* de Adair, de seda verde com listras douradas, as mesmas cores dos olhos dele.

Entrei sorrateiramente no quarto. Só precisei tocar a ponta dos dedos na seda para saber que era o velho robe de Adair, agora fino por ter tido uma eternidade de uso. Esse vestígio vazio dele me fez lembrar de sua figura vividamente. O movimento do cabide fez a porta do armário se abrir, e, ao tentar fechá-la, algo caiu no chão do armário. Agachei-me para empurrar seja lá o que estivesse bloqueando a porta e minhas mãos se fecharam ao redor de uma tira de couro, grudenta de tanto usar. Puxei um quebra-cabeça de tiras de couro e fivelas, uma prisão diabólica com a forma vazia de um corpo. A última vez que vi isso fora na casa de Adair em Boston, e aqui estava a penitência horrível novamente, tiras de couro afiadas, manchadas de sangue e endurecidas pela miséria humana, recusando-se a ser ignorada.

Mas o arreio não tinha mais a *minha* forma, congelada durante séculos: a forma era maior, mais estreita, e não imitava as curvas de uma mulher. Subitamente, entendi: Alejandro se colocara dentro do arreio, amarrara-se naquela posição indefensável... Na verdade, ele convencera alguém a amarrá-lo e usou o arreio para reencenar as punições que Adair costumava aplicar. Alejandro escolhera reviver a humilhação, os estupros e as surras; ele os aceitara voluntariamente, mas por quê? No entanto, quando pensei sobre o assunto, a resposta me pareceu óbvia.

— O que está fazendo? — a voz de Alejandro atrás de mim, fria.

Segurei o arreio para que ele visse.

— Alejandro, pelo amor de Deus, como pode ter guardado isso? — Eu mal tinha coragem de perguntar.

A expressão arrogante em seu rosto se desfez.

— O que mais eu poderia fazer? Era de Adair. Não podia deixar ninguém de fora encontrar isso. Imagine o escândalo. O que as pessoas teriam falado dele?

A verdade, eu pensei.

— Mas como pode fazer isso consigo mesmo, Alej? — Apontei para a forma capturada no couro com uma expressão de dor em meu rosto. Eu mal podia respirar. — Tem que parar de odiar a si mesmo.

Aqueles olhos negros me olharam de volta, cheios de vergonha, com um brilho de alívio por ter sido descoberto.

— O único momento em que me sinto verdadeiramente em paz — ele finalmente afirmou — é quando estou dentro desse arreio.

Talvez eu não devesse ficar surpresa por ele recriar esses rituais de tortura, punição e absolvição; afinal, ele era um filho da Inquisição. Ou, talvez, só quisesse se lembrar da atenção mais pungente e singular que já tivera de Adair.

Alejandro e eu fomos casualidades de Adair, moldados por cada uma de nossas interações com ele: sua atenção e seu desprezo, os prêmios que ele dava e as punições que infligia. Eu esperava ter quebrado esse ciclo e estar livre de sua influência, mas aparentemente Alejandro não estava.

— Ah, Alej! — eu disse, derrubando o arreio no chão. — Sinto muito por você.

Peguei a mão fria dele e a esquentei com a minha enquanto caminhamos juntos, em silêncio, pelos corredores vazios e escuros. Quando Alejandro foi me acompanhar até o carro, esperei até chegarmos à porta da frente para perguntar:

— Você vai procurar Adair? Presumo que queira estar com ele de novo.

O rubor de vergonha desaparecera de seu rosto, mas ele ainda não me olhava nos olhos.

— Não sei. Sou sábio o bastante para saber que a ideia de algo é geralmente mais sedutora do que a realidade. Ainda não sei, sabe como é.

Senti calafrios.

— Não, eu não entendo. Não tenho vontade de vê-lo; nenhuma vontade.

— Se eu estivesse na sua situação, também não iria querer vê-lo. Mas não tenho medo de Adair. Não mais. — Ele olhou para o horizonte escuro, evitando meu olhar. — Pensei muito nele todos esses anos, como você, eu imagino, e acredito que consegui compreendê-lo. Acho que ele não é perigoso para todo mundo. É um predador, é verdade, mas, por minha experiência, ele só caça certo tipo de pessoas. Reflita, Lanore. Nenhum de nós era boa pessoa. Não éramos bons para nossas famílias ou para nossos vizinhos. Não honrávamos a Deus pela maneira que levávamos a vida. Deus coloca predadores no mundo por uma razão e é por isso que não tenho mais medo de Adair. Acredito que Deus colocou-o em minha vida para expiar meus pecados.

Ele tinha o brilho dos fanáticos nos olhos, como sempre teve.

— Me desculpe, Alej, mas discordo de você. Não acho que nada que fiz tenha sido terrível o bastante para merecer o que recebi de Adair, assim como não acho que ele tenha o direito de nos punir. Depois de tudo o que vi e de tudo pelo que passei, não acredito mais em Deus. Não acho que haja uma razão por trás do que aconteceu a nós, mas obviamente queremos que exista. Queremos que a vida faça sentido.

Ele deu uma leve bufada de escárnio.

— Se é nisso que você acredita... se realmente tirou Deus de sua vida, então deve ir ver Tilde. Ela poderá lhe dizer coisas que mudarão sua cabeça. Acho que ela é sua maior esperança de encontrar paz em sua alma.

Abracei Alejandro e dei-lhe um sorriso amarelo ao nos despedirmos. Ele beijou-me as duas faces e olhou-me nos olhos ao dizer *"Fuerza"*, então, apertou-me os ombros tentando me assegurar de que tudo ficaria bem. Subi no carro e, enquanto cortávamos a cidade como um raio deslizando sobre as águas profundas do oceano, observei-a desaparecer, tentando colocar de lado a profunda melancolia que Alejandro semeara em meu coração.

PARTE 3

XXIV

Alejandro me informou que eu encontraria Tilde em Aspen, no Colorado, passando férias de inverno com seus enteados. Fiquei surpresa ao ouvir que ela se relacionava com alguém que tinha filhos. Nunca imaginei que ela tivesse esse tipo de paciência, e talvez isso fosse um sinal de que realmente tinha mudado. Ela não era uma mulher nem um pouco maternal, não mesmo: prova disso é o fato de ter envenenado seus próprios filhos. Esse parecia o tipo de ato do qual qualquer mãe jamais se recuperaria, algo que a assombraria todos os dias de sua vida, mesmo que tivesse acontecido séculos atrás.

A vida que ela estava levando era totalmente inesperada. Alejandro mandou artigos e fotos, via e-mail, de revistas da alta sociedade e jornais internacionais que mostravam Tilde em suas diversas personas ao longo dos anos: 1947, 1978, 2003. Fiquei chocada ao ver que ela deixara a imprensa falar sobre ela; ainda mais perigoso, deixara que a fotografassem. Ela estava lá para quem quisesse ver: fotografada em um elegante vestido longo azul-escuro em um evento político para angariar fundos em Nova York; dando entrevistas sobre seu trabalho na diretoria da escola particular de seu enteado. Cada vez que aparecia nas fotos usava um nome diferente e estava casada com um homem diferente.

Tilde era uma camaleoa, não só em sua identidade, mas também em sua aparência. Ainda que não pudesse mudar seu peso, altura ou formato do rosto, era necessário olhar para as fotografias com muita atenção para se perceber que se tratava da mesma mulher. O que a denunciava — pelo menos para mim, que tinha vivido com ela durante alguns anos — era seu olhar intrigante. Ela tinha um jeito de olhar que atravessava as pessoas, penetrava qualquer máscara de farsa que se usasse, o sangue, os ossos até chegar à mente e, muito provavelmente, à alma também. Seu olhar diferia pouco da habilidade de Alejandro com a máquina fotográfica, e imaginei se isso teria alguma coisa a ver com o jeito que Adair escolhia seus acompanhantes. Talvez eu também tivesse esse dom.

Atualmente ela estava usando o nome de Birgit Von Haupt, viúva do presidente de uma empresa multinacional de energia. Nas fotos, seu corpo esguio e com ares felinos estava vestido em um terno caro e conservador, seus olhos cor de lavanda escondidos atrás de óculos muito escuros. Ela era difícil de decifrar, pelo menos aos olhos mecânicos da câmera, e eu só desejava que Alej tivesse me contado a verdade e que ela estivesse escondendo uma compaixão recém-descoberta sob aquele exterior controlado.

Os artigos diziam que ela estava administrando a fundação de caridade do falecido marido, o que achei um bom sinal, e a aparência dela condizia com o que se esperava de uma mulher em sua posição. Além disso, o fato de Tilde estar cuidando dos filhos do marido parecia indicar que tinha mudado — apesar de que, até onde sei, ela poderia trancá-los dentro do armário durante a noite. É engraçado: naquela roupa, em pé na frente de uma limusine, ela parecia Jackie Kennedy, muito tradicional para ser uma aprendiz de magia negra. Mas, obviamente, as aparências enganam.

Contudo, olhar as fotografias de Tilde me encheu de maus presságios. Uma coisa era me revelar para Alejandro, outra completamente diferente era procurá-la. Não havia perigo real com Alejandro, e soube disso assim que fui vê-lo: ele sempre fora um facilitador e um mensageiro, não era do tipo que agia sozinho. Tilde, no entanto, depois de Adair, era a mais ardilosa e perversa, e talvez fosse ainda melhor do que ele na arte da dissimulação. Quando estranhos olhavam para ela, só viam o que ela queria que vissem, e era tão boa nisso que poderia viver sob os olhos públicos sem ser descoberta.

Enquanto estudava a fotografia de Tilde, fria e indiferente, comecei a me preocupar de novo se estava caminhando em direção a uma armadilha, mas parei de pensar nisso abruptamente. Quando eu aprenderia a confiar nos outros? Depois de ficarem livres durante séculos, provavelmente nem Alejandro nem Tilde iriam querer abrir mão da liberdade deles para servirem a Adair mais uma vez. E, apesar de toda a minha incerteza, nada realmente importava, pois eu não tinha outra escolha a não ser confiar neles. Ou eu usava todos os recursos que possuía para tentar me salvar, ou estaria em fuga para sempre. Já estava ficando esgotada com essa busca, me sentindo abalada mental e emocionalmente. Estava começando a ouvir o canto da sereia — fraco e distante, porém presente — tentando me convencer a desistir e me entregar ao inevitável.

Alejandro me garantiu que eu poderia encontrar Tilde em Aspen durante as próximas semanas. Disse-me que ela mantinha casas em vários lugares — uma de madeira com vista para um fiorde norueguês, um chalé nos Alpes Suíços —, cada uma delas fria e sombria como sua terra natal, um reino nórdico cujo nome se perdera no tempo. Enquanto organizava minha viagem, percebi que o voo passaria por Green Bay, em Wisconsin, o aeroporto mais próximo da família de Luke.

Não havia me esquecido de Luke: as lembranças dele me visitavam nos momentos de silêncio, pensamentos culpados pela maneira covarde como o tinha abandonado e por cortar todo tipo de comunicação com ele. Queria acreditar que, se Luke fosse exorcizado de minha vida, estaria a salvo de Adair. Mas estava começando a ver que não seria exatamente desse jeito, especialmente porque Luke se recusara a levar a ameaça a sério. Se Adair soubesse de Luke e da importância dele para mim, poderia ir atrás dele.

Passar sobre Green Bay parecia coisa do destino — pelo menos era assim que eu *queria* ver. Essa seria a chance de fazer Luke acreditar em mim. Ao mesmo tempo, seria uma oportunidade de vê-lo de novo — e eu queria muito isso. Enquanto digitava para fazer as mudanças na reserva do meu voo, soube, pela sensação incômoda na boca de meu estômago, que havia mais nesse desvio do que eu queria admitir. Era minha chance de dizer a Luke — o último homem que me amou sem me pedir nada em troca — que eu sentia muito.

❖

Havia uma névoa gelada e pesada no ar quando cheguei a Green Bay naquele final de tarde. Segui imediatamente para Marquette, com a intenção de ir direto ao lugar onde a ex-mulher de Luke, Tricia, vivia com as filhas, uma fazendinha nos arredores mais retirados da cidade. Enquanto dirigia, tentava formular o que diria a ele, como explicaria que tinha vindo para encerrar aquele capítulo em nossas vidas e para convencê-lo de que ele e a família estavam em grande perigo.

A viagem foi longa e me levou por partes de florestas e campos parecidos com os de St. Andrew. As últimas horas na estrada me levaram para mais perto da civilização, atravessando parques estaduais e cidadezinhas com nomes de tribos indígenas americanas que viveram ali há muito tempo. Passei por casas que pareciam ter sido feitas com toras de madeiras gigantes, placas gastas pelo tempo com propagandas de aluguel de *snowmobiles* e das refeições de domingo na igreja. Parecia um bom lugar para se viver e criar os filhos; provavelmente precisavam de médicos. Luke poderia recomeçar aqui, onde haveria menos perguntas e ele não seria conhecido pela única decisão ruim que veio a definir sua vida.

O céu já estava escuro quando encontrei a casa de Tricia. Era um sobrado modesto, com um celeiro grande e uma garagem para dois carros. Um carro alugado estava estacionado em frente à casa, perto de um Camaro antigo, mas bem conservado. A grama entre a casa e os prédios ao lado estava esburacada pelos anos de brincadeiras de crianças, e um balanço pendurava-se do galho de um carvalho gigantesco e antigo.

De onde estacionei, conseguia ver dentro da casa, através da porta do quintal. A família parecia estar se preparando para o jantar, uma toalha de mesa branca reluzia sob as luzes amareladas. Pessoas passavam pelas portas de vidro altas, visíveis a mim por alguns momentos. Duas garotinhas, ambas com o rosto arredondado e cabelos castanhos encaracolados iguais ao de Luke, correram, uma atrás da outra, os gritinhos agudos possíveis de serem ouvidos do lado de fora da casa. Uma mulher com a idade aproximada de Luke, luzes nos cabelos louro-escuros, colocava a mesa e de vez em quando tirava os olhos de sua tarefa para chamar alguém que eu não conseguia ver. Presumi que fosse Tricia, com sua beleza marcada pelo cansaço.

Então Luke apareceu, indo até a ex-mulher para perguntar alguma coisa. Eu não estava preparada para a mudança dele, as maçãs do rosto afundadas e alguns dias de barba por fazer. As roupas estavam desgrenhadas, como se tivesse dormido com elas. Eu fiz aquilo com ele. A minha partida abrupta o atingiu como um furacão, levantou-o do chão e o derrubou em um lugar inesperado. Dava para ver que Tricia estava sendo paciente com ele — a contenção de enfermeira no jeito dela —, e eu entendia porque Luke nunca disse nada de ruim sobre aquela mulher.

As filhas de Luke surgiram pela porta novamente, e a expressão dele perdeu um pouco da melancolia enquanto seus olhos as seguiam. Os lábios dele se mexeram; deve ter dito alguma coisa paternal, a boca adquirindo um ar austero. Eu já tinha visto aquela expressão algumas vezes quando falava comigo, naquelas vezes em que meu rosto o enganara e ele se esquecera de que eu era muito mais velha do que ele. Naquela cena do outro lado do vidro, ele parecia ter sido feito para ficar ali, naquela sala de jantar com aquela mulher e aquelas crianças, e eu sabia que, ao ir embora, tinha tomado a decisão acertada.

Luke parecia estar se adaptando à vida sem mim. Eu estava aliviada, embora estivesse triste comigo mesma, triste por nunca poder ter uma família como essa para amar e me afastar da solidão. Não tinha nem o conforto de ter uma só pessoa em minha vida. Isso era parte da maldição de Adair, ficar sozinha para sempre. Sentei-me atrás do volante e comecei a chorar de exaustão, cansada da confusão de pensamentos em minha cabeça, indo e vindo. Amor, fuga. Ficar, partir. Queria que isso terminasse.

Quando tirei as mãos do rosto, limpando minhas lágrimas, vi que Luke parecia estar olhando pela porta de vidro em direção ao meu carro. Será que sabia que era eu, nessa escuridão profunda? Não havia dúvida: pelo jeito que contorcia os lábios e pela dor e esperança em seus olhos, eu podia dizer que ele viu através da luz e me reconheceu atrás do volante. Não adiantava nada tentar me esconder.

Peguei meu celular, pressionei o número dele na chamada rápida e vi quando ele pôs a mão no bolso. Atendeu prontamente.

— Não diga à sua família que estou aqui. — Foram as primeiras palavras a sair da minha boca.

Ele hesitou.

— Entre e poderemos...

— Não vou ficar — continuei, bem direta, meu tom de voz evidenciando que não seria um encontro alegre. — Pode me encontrar do lado de fora? Só por um minuto?

A testa dele enrugou.

— Ah, claro! — Ele virou-se e saiu do meu campo de visão enquanto se afastava da família. — Passe com o carro pela casa, e eu andarei um pouco até encontrar você. Assim eles não verão para onde estou indo.

Minutos depois, Luke deslizou para dentro do banco do passageiro. Mesmo à luz da Lua, conseguia ver a evidência da tristeza dele: havia perdido peso e seus olhos estavam avermelhados. Ele tentou fazer um movimento, piscando para mim, como se pedisse por um sinal do que esperar, mas cruzou os braços, frustrado. Luke tinha passado por muita coisa no último ano — terminara o casamento, perdera os pais — e eu compreendia porque ele não queria sofrer de novo.

— Então... o que está fazendo aqui? — ele perguntou vagarosamente.

— Queria vê-lo — respondi, então me controlei. — Queria lhe dizer que sinto muito por ter ido embora daquele jeito. Não sabia mais como agir naquele momento... — Estava fazendo confusão com esse pedido de desculpas e parei antes que pudesse causar mais estrago.

— Você ainda acha que está fazendo a coisa certa? — ele perguntou, a voz tensa. Concordei com a cabeça.

— Então é assim que quer ficar.

— É assim que *é*, Luke. Eu...

— Não, me ouça. Agora é a minha vez. Tenho algumas coisas que gostaria de lhe dizer, mas você não atendeu às minhas ligações — ele disse, virando-se de frente para mim. Do lado de fora do carro, a escuridão da noite fechou-se sobre nós como uma cortina. Éramos somente nós dois nos confins do mundo. Essa era a hora de sermos honestos.

— Lanny... achei que amasse você. Quando me disse que precisava de mim, eu abri mão de *tudo*. Já se esqueceu disso? Minha vida está em ruínas. Minha ex-mulher acha que fiquei louco, e talvez ela esteja certa. Nesse momento, ela não sabe se pode confiar em mim com relação às minhas próprias filhas. Ela acha que posso fugir com elas e desaparecer, como fiz com você. E lá em St. Andrew? Sou um homem procurado. Perdi meu consultório, meu cargo no hospital... A única razão por ainda não haver um comitê de investigação é porque conheço meus pacientes desde pequenos e nenhum deles tem coragem de dar queixa à polícia.

Ouvir as acusações dele era como receber socos no estômago. Essas eram coisas das quais eu suspeitava ou que escaparam de suas conversas telefônicas com Tricia, mas ouvi-lo dizer isso em voz alta, e com tanta amargura na voz, me apanhou de surpresa.

— Vou recompensá-lo.

— E como vai fazer isso? — ele indagou bruscamente. — Lanny, fiquei muito preocupado com você, sem saber por que não tinha notícias suas, se o que disse se tornou realidade e aquele psicopata... — Ele parou de repente, incapaz de terminar a frase.

Lembranças da dor que Jonathan me causara vieram à tona.

— Perdoe-me, Luke. Eu não quis...

Ele ergueu uma das mãos para me fazer parar.

— E tem mais uma coisa que preciso lhe dizer. Lembra-se de Joe Duchesne, o xerife em St. Andrew? Ele está morto. Os amigos de Tricia contaram a ela. Foi morto por alguém que desenterrou seu amigo Jonathan e roubou o corpo. — Essas notícias me causaram arrepios na espinha. — Então, acho que você tinha razão. Adair está indo à caça. Não consigo imaginar mais ninguém que violaria túmulos.

— Ele levou o corpo de Jonathan? — disse e segurei a vontade de vomitar.

— Talvez ele a deixe em paz, agora que tem Jonathan — Luke disse, cuidadosamente otimista.

— Não. Ele quer vingança.

Luke segurou minhas mãos.

— Se esse é o caso, então não posso deixar que vá sozinha. Precisa de alguém para ajudá-la, Lanny. Não pode lidar com isso sozinha.

Afastei-me dele, fazendo-o recuar por um momento.

— Não pode vir comigo, Luke — declarei. — Pense em suas filhas. Se estiver comigo quando Adair me pegar, ele o matará. Quer que suas filhas cresçam sem o pai? — Ele ficou em silêncio. — Não posso ser responsável por isso, Luke. Quero que deixe nossa história para trás e siga sua vida, fazendo seja lá o que for que o faça feliz. A vida é curta, para a maioria das pessoas, precisa aproveitar o que ainda lhe resta. Isso é um adeus, é a única solução. Volte para as suas filhas, proteja-as. Leve-as para algum lugar onde não você tenha nenhum tipo de relação, onde ninguém pensaria em procurá-lo. Vá e se esconda até as coisas terem se acalmado e você parar de ficar sabendo sobre mais incidentes estranhos. Não se preocupe comigo. E espero que possa me perdoar.

Ele não estava convencido.

— Sabe o que está fazendo comigo, Lanny, me afastando dessa maneira? Sabendo de tudo o que você terá pela frente... como posso deixá-la ir embora? Que tipo de homem eu seria...

— Você é um homem maravilhoso, Luke. Não o mereço. Mas essa decisão não é sua. Volte para as suas filhas e me esqueça. — Eu não deveria ter esticado a mão para lhe tocar o rosto, mas fiz uma indulgência, já que era a última vez que nos veríamos. Imaginei ter sentido todo o amor e o desespero dele ao tocar naquele rosto quente. — Espero que um dia consiga me perdoar. Nunca poderá imaginar o quanto me arrependo por ter colocado você nessa confusão.

Luke estava embasbacado, e, por um segundo, fiquei preocupada que ele fosse se recusar a sair do carro ou que pudesse arrumar alguma maneira de dilacerar ainda mais o meu coração. Mas ele não era esse tipo de pessoa, graças a Deus, e, depois de um segundo de hesitação, saiu do carro zangado, batendo a porta atrás de si. Minhas lágrimas podem ter sido a razão da saída dele: Luke tinha muita dificuldade em permanecer firme quando eu chorava e eu já estava chorando, sentida por toda a dor que lhe infligira.

Porque ele estava certo. Eu tinha arruinado a vida dele, exatamente como sabia que faria na noite em que lhe pedi que me ajudasse a fugir. Eu raramente era confrontada por minha duplicidade. Ah, no afã do momento, nunca acreditei que pudesse estar magoando alguém; sempre tentei convencer a mim mesma de que dessa vez seria diferente, mas a verdade era que eu tinha sido irresponsável a minha vida toda, fugindo toda vez que uma situação se tornava ou muito dolorosa ou muito sufocante. Tinha que agradecer isso a Jonathan. Ele havia me ensinado a arte de viver completamente sozinha.

Pelo menos dessa vez eu poderia fazer alguns reparos. Poderia garantir que Luke estaria a salvo. Queria ter certeza de que ele ficaria bem, com suas filhas, a salvo, aquecido e seco quando estivesse frio, úmido e gelado. Queria ter certeza de que nunca faltaria nada a Luke, que ele e suas filhas não sofressem mais do que o inevitável nessa vida. Por experiência própria, eu sabia que o desaparecimento de um ente querido deixa cicatrizes.

Para que isso acontecesse, precisaria da ajuda de meu parceiro mais confiável, Henri Renville, o advogado de Paris que administrava meus negócios. Ele era famoso por aceitar clientes em situações delicadas e que exigiam lealdade absoluta; dizia-se que ele representava alguns criminosos internacionais, um negociante bem-sucedido de armas do mercado negro e o filho rebelde de um ex-ditador africano. Imaginei que estivesse entre os clientes menos conspícuos de monsieur Renville, ainda que estivéssemos juntos há muitos anos e Henri ainda não se sentisse à vontade para me fazer algumas perguntas. Teria acabado de amanhecer em Paris, muito cedo para ligar para a maioria dos escritórios de advocacia, mas não para Henri: ele tinha o hábito de receber ligações de clientes a qualquer hora.

— Lanore! *Mon Dieu*, por onde você anda? — A voz dele estava cheia de preocupação, quase paternal. — Por que não atendeu às chamadas ou respondeu aos e-mails que mandei?

— Sinto muito, Henri. Não pude. Mas por que estava tentando falar comigo?

— Espero que esteja sentada, que não esteja dirigindo um carro ou coisa do gênero, pois tenho más notícias para você. Sua casa, aqui em Paris. Completamente destruída por um incêndio.

Senti-me repentinamente arrasada. O mundo ficou um tom mais escuro.

— Você me ouviu? Fiquei num pânico terrível quando não tive notícias suas. Se o corpo de bombeiros não tivesse me assegurado de que não havia restos humanos entre as cinzas, teria pensado que você estava lá.

— Sinto muito, Henri, por ter lhe causado tanta preocupação. Eles sabem como aconteceu?

— Ainda não terminaram as investigações. Têm feito as perguntas de sempre, muito grosseiros, na verdade. Querem saber se você tinha um seguro muito alto, insinuando que você mesma tenha colocado fogo. Eu esclareci tudo imediatamente, como pode imaginar. *Vocês não conhecem a Mademoiselle Bessender se acham que ela seria o tipo de pessoa que incendiaria a própria casa!*, eu disse a eles.

Fazia ideia de como teria parecido estranho para Henri: eu acabara de enviar remessas de antiguidades de valor inestimável, nenhuma das quais tinha seguro, pois eu não queria dar explicações a uma companhia seguradora sobre como me tornei proprietária de tudo. Então, de repente, a casa pega fogo. Ainda havia algumas lembranças importantes e itens de valor sentimental, correspondências de amigos mortos há muito tempo, registros de minhas identidades anteriores. A única coisa que me mataria perder era o desenho a carvão de Jonathan, e foi a primeira coisa que me veio à cabeça. Contudo, naquele momento, não podia ficar de luto por essa perda.

— Não precisa de mim, precisa? — indaguei.

— Acho que a polícia gostaria de falar com você assim que possível. Eles estão muito preocupados, como pode imaginar. Quer que eu lhes peça para ligar?

Aquilo era a última coisa com a qual eu queria lidar agora.

— Não, ainda não, Henri. Primeiro quero lhe pedir que cuide de uma coisa para mim. É por isso que estou ligando, para falar a verdade. Quero comprar outra casa.

— Outra! Se não se importa que eu diga, isso seria um pouco suspeito para a polícia, considerando que sua casa atual foi recentemente destruída. Imagino que essa nova casa não seja em Paris, não é?

— Não, é aqui nos Estados Unidos. Quero quitar o financiamento em nome de alguém, não comprar a casa em meu nome. Quero dá-la de presente.

— Não é uma coisa simples de se fazer, Lanore. E também não é muito inteligente, se é que você me entende. Há boas razões para manter suas propriedades em seu nome. É para o seu amigo, o homem que está vivendo com você? Não preciso lhe dizer que os relacionamentos podem mudar, às vezes precipitadamente. Não deveria ser tão romântica.

Quando conheci Henri, disse a ele que eu era órfã, e isso de vez em quando o levava a desempenhar a figura de pai quando ele achava que eu precisava de conselhos de amigos.

— Obrigada, não há necessidade de se preocupar. Não quero nenhuma parte disso, Henri. É só uma casinha simples. Pertencia aos pais de Luke, mas eles morreram e Luke não consegue pagar o financiamento imobiliário. Gostaria que ele fosse dono da propriedade, sem custo nenhum. Mandarei todos os detalhes por e-mail.

Ele suspirou.

— Como queira. E você, Lanore? Quais são seus planos? Agora que sua casa foi destruída, onde vai viver?

— Estou bem. Estou viajando. Não preciso de uma casa agora.

— Seja lá o que esteja acontecendo, parece que a deixou muito triste, e nunca é uma boa ideia conduzir quaisquer transações financeiras quando se está abalado, sabe. É muito melhor analisar essas coisas com a cabeça no lugar. Tem certeza de que não quer pensar mais um pouco sobre o que está fazendo?

— Agradeço sua preocupação, mas já está resolvido.

— É só que — o tom de voz dele estava tenso, o que era algo incomum para Henri — você nunca fez nada desse tipo antes. Nunca comprou um presente de tal porte para alguém. Não para um homem.

— É isso que o está incomodando? — apesar de minhas preocupações, ri aliviada. — Luke está longe de ser um gigolô.

— Mas ele a convenceu a doar todas aquelas coisas maravilhosas — ele disse, referindo-se às peças enviadas aos museus. — Elas valiam uma fortuna. Uma fortuna *considerável*.

— Verdade, mas nesse caso foi a direção certa a seguir. Agradeço que esteja preocupado o bastante para me questionar sobre o assunto, mas essa é a minha decisão. Agradeço se você puder executar minhas instruções, por favor, Henri, com sua discrição habitual. — Queria dizer que Luke não poderia saber quem tinha pagado o financiamento. Mas ele adivinharia.

— Como queira — ele concordou resignado.

Então, fui obrigada a acrescentar algo:

— Não terá notícias minhas durante um tempo, vou me afastar. Nada com o que deva se preocupar.

— Se afastar? Mas você já está longe agora. Será que é possível ficar ainda mais longe?

— Não sei dizer, Henri. Entrarei em contato assim que puder. Não se preocupe.

— Você diz "não se preocupe", mas como não me preocupar? Você está me deixando muito apreensivo, Lanore, devo admitir... Tem certeza de que não está em choque pelas notícias de sua casa? Deveria ter sido mais gentil na hora de falar...

— Não, Henri, estou bem.

— Não, não está bem. Parece que está dizendo adeus a mim, em muitas palavras... Para ser bem franco, está tão melancólica que poderia pensar... poderia achar que está pensando em fazer mal a si mesma.

As palavras saíram em um emaranhado confuso. Como se responde a uma colocação dessas, vinda de um homem que tem cuidado de você há décadas? Especialmente quando ele tem razão. Em breve, eu deixaria de existir, de um jeito ou de outro; ou Tilde me ajudaria a quebrar os laços de minha maldição para que eu pudesse acabar com a minha vida, ou passaria o restante de meus dias sob a custódia de Adair, um fantasma, assim como Uzra foi um dia.

— Não se preocupe comigo, Henri. Amanhã estarei muito melhor. Tenho certeza. — Disse, esperando parecer convincente. — Adeus.

Joguei o telefone de lado e segurei o volante. Durante a conversa, tentei não me alarmar ao ficar sabendo que minha casa havia sido destruída, pois sabia que era obra de Adair. Teria gritado com toda a força se soubesse que ninguém me ouviria. Em questão de minutos, minha situação piorou muito. Era como se Adair estivesse me rondando feito um lobo, além do meu campo de visão. Ele matou o xerife, roubou o corpo de Jonathan e queimou minha casa. Estava sistematicamente destruindo tudo o que me era precioso. Pareceu-me que eu não teria chance de escapar. Ele estava vindo atrás de mim. Não suportava pensar na tortura que ele seria capaz de me infligir.

Fechei os olhos e soltei o ar devagar, tentando me acalmar. Eu tinha um plano, lembrei a mim mesma. Encontrar Tilde, torcer para que ela fosse tão clemente quanto Alejandro tinha me garantido e convencê-la a me ajudar. Ao engatar a marcha do carro, a porta do passageiro se abriu.

— Luke, eu... — Virei-me, o coração na boca, achando que ele tinha voltado para me fazer mudar de ideia. Quem mais poderia ser aqui no meio do nada? No entanto, o homem que entrou no carro não era Luke.

XXV

Havia algo familiar naquele homem sentado no banco do passageiro. Eu já tinha visto aquelas feições antes — o sorrisinho impertinente, a luz saltando dos olhos como labaredas de uma fogueira —, mas o nome dele não me vinha à cabeça. Havia algo de estranho nele. Parecia não pertencer a esse lugar, como se fosse de outra época. Ele aguardou pacientemente enquanto eu pesquisava na minha memória.

— Jude — ele finalmente disse, batendo a ponta do dedo na cabeça em uma mesura desdenhosa, com a mão direita sobre o peito.

Assim que ouvi o nome, claro que me lembrei dele como o pastor carismático de olhos esbugalhados que conheci ainda adolescente. Ele era um enviado de Adair, vasculhando o Novo Mundo em busca de indivíduos pecadores para serem transformados em acompanhantes e em um novo invólucro para carregar sua alma. Perspicaz e traiçoeiro, era perfeito para o trabalho. A aparição de Jude esta noite não poderia ser uma coincidência, e com certeza não era um bom presságio.

— O que está fazendo aqui? — perguntei, apertando o volante com mais força e tentando olhar por sobre o ombro dele, para dentro da escuridão. — Adair está com você? Onde ele está?

Jude abriu o zíper de sua jaqueta, ficando mais à vontade enquanto se acomodava no banco do passageiro.

— Não em Michigan, isso é tudo o que posso lhe dizer. Agora entendi porque ele me mandou ficar de olho na casa da ex-mulher: é totalmente desolado por aqui.

Fiquei aliviada ao ouvir que Adair não tinha se dado ao trabalho de vir atrás de Luke; enviara um criado. Mas ainda precisava saber o que ele estava pensando.

— Então ele está me procurando. Onde ele está, Jude?

— Não sei — Jude respondeu. — Ele não me conta tudo; sabe como ele é.

— Sim, estou começando a me lembrar de novo.

— Vai se lembrar logo, logo: vou levar você até ele agora. E faça um favor a nós dois: nem pense em tornar as coisas mais difíceis, porque sabemos que eu posso dominá-la facilmente e não acho que você queira fazer toda a viagem até Green Bay trancada no porta-malas. — Ele apontou com a cabeça para a estrada escura à nossa frente. — Dirija. Logo verá um carro no acostamento. Estacione atrás dele. Vamos usar meu carro e deixar o seu aqui — ele me instruiu.

Um carro preto esportivo apareceu embaixo de algumas árvores, conforme ele tinha descrito. Jude me pegou pelo cotovelo e me guiou até o tal carro, então me empurrou para o banco do passageiro. Vasculhou minha bolsa para ter certeza de que tinha o meu passaporte e tirou minha mala do porta-malas do carro alugado.

Girando a chave na ignição, Jude jogou o carro sobre a rodovia vazia. As luzes da estrada piscavam hipnoticamente sobre nossas cabeças, e, quando comecei a achar que ele viajaria o tempo todo calado, ele falou.

— Só para deixar claro, não tenho nada contra você, Lanore. Não que eu estivesse com pressa de ter Adair de volta. Todos nós nos sentimos assim: Alejandro, Tilde, Dona. Só que nenhum de nós teve coragem suficiente para tentar fazer o que você fez. Sabíamos o que nos aconteceria se falhássemos.

— Que sorte a de vocês, então, que eu consegui. — Mantive os olhos fixos nele, enquanto Jude disfarçava o olhar, envergonhado. Mudei de assunto. — Como ele está? Adair, quero dizer — perguntei.

— Como acha que ele está? É como se um furacão tivesse passado por sua vida e virado tudo de cabeça para baixo — Jude disse, alterado. — Ou de repente deixaram uma criança na soleira de sua porta. Tenho que explicar tudo a ele: telefones, carros, TV, computadores. Ele não sabe *nada*. É um pesadelo. E tinha me esquecido de como era tê-lo por perto o tempo todo... É um tirano, um déspota megalomaníaco. Uma vez livre, é impossível viver desse jeito de novo. — As palavras dele saíam feito uma torrente. Devia estar desesperado para reclamar com alguém que pudesse compreender a situação impossível na qual se encontrava.

— É muito pior do que imagina, Jude. Para começar, por que acha que o aprisionei atrás de uma parede? Ele não é o que você pensa. Não é o camponês indefeso que finge ser nas histórias de juventude dele. Ele é o médico, o monstro de sua própria história.

Pela reação dele, podia ver que eu o havia surpreendido.

— Isso é impossível! — Ele refutou, mas não parecia convencido, como se estivesse revirando na cabeça o que acabara de ouvir.

— Ele é muito mais poderoso do que imagina; não faz ideia do que é capaz de fazer.

Jude manteve o olhar nervoso na estrada.

— Tente.

Respirei fundo e esperei pela reação dele.

— Ele é capaz de colocar a alma dele dentro de outro corpo. — Jude ficou quieto. Juntando as peças do quebra-cabeça, talvez.— Ele tomou posse do corpo do camponês. E é por isso que mandou você e os outros procurarem alguém como Jonathan: ele estava em busca de um novo corpo. É por isso que me fez levar Jonathan até ele. Ele queria um novo invólucro, um que fosse irresistível, alguém com quem as pessoas gostariam de fazer amizade e confiar.

Ainda não havia objeção de Jude, nenhuma pergunta com relação à minha sanidade. Ele franziu os cantos da boca.

— O que a faz pensar que é isso que Adair está tramando? Quais provas você tem?

— Vi um quarto na velha mansão que era exatamente como o lugar de trabalho do médico da história de Adair. Ele o recriou e tentou escondê-lo. Era assustador, Jude. Estava repleto dos ingredientes da história, as ervas e as raízes, toda aquela parafernália antiga — contei a ele. — Encontrei seus livros, dois dos quais ele sempre falava, aqueles que têm todos os feitiços. Então, cometi um erro gravíssimo. Peguei algumas coisas para serem checadas, para garantir que estava certa sobre ele. Acho que foi por isso que ele matou Uzra: ele percebeu que alguém havia entrado no quarto e soube que tinha sido descoberto.

Jude parecia estar remoendo um pensamento enquanto dirigia, as mãos agitadas sobre o volante, a sobrancelha franzida e a boca enrugada.

— Eu sabia, todos nós sabíamos, que ele tinha interesse em alquimia... magia... mas não parecia ser mais do que um interesse casual. Na minha época, muitas pessoas eram interessadas nisso, não era tão incomum assim. Então, algumas semanas atrás, quando Adair escapou, ele veio direto à minha casa. Conseguiu me encontrar, simples assim — ele falou, estalando os dedos. — A primeira coisa que fez for procurar por seus livros de feitiços. Eu sabia sobre os livros, tinha visto os manuscritos uma ou duas vezes quando vivi com ele, mas não achei grande coisa na época. Ele nunca fez muito alarde sobre eles... Mas, desde que voltou, tem sido intenso... Ele tornou outra pessoa imortal como nós, trouxe Jonathan de volta do mundo dos mortos...

— Ele trouxe Jonathan de volta do mundo dos mortos? — eu interrompi. Parecia que eu tinha levado uma pancada na cabeça. — Ouvi dizer que ele tinha ido atrás do corpo de Jonathan, mas você está dizendo que Adair o trouxe de volta à vida?

Jude tremeu.

— Trouxe com certeza, e é a coisa mais espectral que possa imaginar. Assim que chegou em casa, parecia só meio-vivo, como um pedaço de carne sem sangue e molhado. O cadáver dele já devia estar num estado muito deteriorado, quase decomposto, quando Adair chegou até ele, e parece que está tentando se reconstruir...

— Jude, sem mais detalhes, por favor. — Meu lindo Jonathan, reduzido a um monte de carne podre. Foi isso o que eu fizera a ele, tirei-lhe a mágica que o mantinha perfeito e o deixei apodrecer, como um humano qualquer. Doía ouvir Jonathan ser descrito daquele jeito. Não queria pensar nele de nenhuma outra forma, a não ser como o conheci. Eu passara os últimos três meses atormentada, questionando se tinha feito a coisa certa libertando Jonathan, mas não pensara pelo que seu corpo passaria.

— Diria que ele está quase de volta ao normal, agora — Jude continuou. — Mas não o conheci antes, então é difícil dizer se está bem. Quanto ao estado mental, diria que ele está absolutamente *tranquilo* para alguém na posição dele.

Nesse momento, minha consciência sugou o melhor de mim e me abracei para espantar o frio da minha culpa.

— Ele disse algo sobre como é morrer? Contou se sentiu dor ou se desejou que não tivesse feito aquilo?

— Ele não a culpou de nada, se é com isso que está preocupada. — Jude colocou uma das mãos na parte de cima do volante. — Diz ele que não se lembra de nada com muita clareza, mas acho que é só uma desculpa para irritar Adair, pois ele está tão desesperado para saber sobre a vida após a morte... Adair está preocupado com o que pode estar esperando por ele do outro lado.

Comecei a prestar atenção.

— Está?

— Ah, com certeza, principalmente depois de Jonathan lhe dizer sobre o encontro com a "rainha do submundo".

— Rainha do submundo? — Não gostei de como aquilo soava, mesmo não conhecendo seu significado.

— Dos bilhões de almas na vida após a morte, tinha que ser seu garoto Jonathan o tal a chamar a atenção da chefona.

— Ele comentou alguma coisa sobre essa rainha?

— Adair disse que ele é o consorte dela, ou algo do gênero. — Jude empolgou-se com a história. — Não está muito claro o que está acontecendo, mas mexeu com Adair. Ele está com medo da rainha, disso não tenho dúvida. Ele diz que ela é uma força poderosa, magia forte.

— Nunca ouvi falar de uma rainha do submundo — resmunguei para mim mesma, lembrando-me das conversas que tivera ao longo dos anos, tentando encontrar uma maneira de sair da minha condição. Nenhum deles, nem os sábios, nem os mágicos experientes, autointitulados alquimistas, nem os homens sagrados, jamais mencionara uma rainha do submundo. Um arrepio de surpresa e medo me percorreu. Jonathan ter sido o escolhido para ser o companheiro dela não me surpreendia nem um pouco. Nunca conheci um homem ou uma mulher que resistisse a Jonathan, então por que uma divindade teria que ser imune ao apelo dele?
— Como Jonathan está? Adair não o machucou, não é?

— Eu não me preocuparia com Jonathan. Ele não tem medo de Adair, é mais o contrário. Eu diria que ele conseguiu decifrar Adair. E você deveria saber, Lanny: Adair mudou em vários aspectos. Aqueles duzentos anos atrás de uma parede com certeza o fizeram mudar. É complicado explicar como, exatamente... digamos que desceu alguns degraus do pedestal, talvez. Está pensando antes de agir.

Não sabia o que pensar de todas aquelas novidades. Se Adair estava poupando Jude de seu sarcasmo, isso significava que ele, sem dúvida, o estava guardando para mim. Enquanto refletia sobre o que Jude me contara, ele limpou a garganta para chamar minha atenção.

— Tem outra coisa que deveria saber. Algumas noites atrás, ele afirmou ter ido até sua casa em Paris. Ele não precisou nem sair do quarto, disse que foi através de "projeção". Disse que foi assim que descobriu que você estava com esse médico. E foi por isso que me mandou até aqui.

O fogo. O medo perfurou meu coração quando percebi que o fogo que destruíra a minha casa tinha sido obra de Adair, apesar de ele não ter estado lá de fato. Não precisou nem mesmo acender um fósforo. A mera intenção dele podia ser perigosa. E por que não deveria? Por sua mão e sua intenção — essa era a maldição dele.

E então, subitamente, me apercebi da enormidade do que ainda estava por vir. Por qualquer razão que fosse, Fates, a deusa do Destino, permitira a Adair tornar seus desejos realidade, tornar o impossível possível, e não havia como eu me defender de algo desse tipo. Podia tentar correr mais rápido do que ele, mas muito provavelmente isso só lhe deixaria ainda mais furioso. Ele tinha Jonathan, sabia sobre Luke, possuía, no mínimo, duas armas para tentar me controlar, e mais algumas que eu ainda não conhecia. Como conseguiu saber qual caminho eu tomaria, para onde eu correria? Como pôde estar tantos passos à minha frente?

Observei a paisagem passando pela janela do carro, a luz da Lua iluminando o horizonte. Minha liberdade estava escapando por meus dedos a cada quilômetro. Precisava que Jude ficasse do meu lado.

— Sabe que eu não sou a única a correr riscos aqui. Ele pode estar atrás de mim agora, mas, assim que tiver a mim, isso não estará terminado. Ele precisará de você para o próximo plano, e para o plano depois do próximo... — Ele não me respondeu, mas notei que estava me escutando com atenção. — Você sabe que Adair é perigoso. Ele já demonstrou que pode se virar contra qualquer um de nós. Ele mentiu para todos, durante todo o tempo em que vivemos juntos, fingindo ser algo que não era. Na verdade, você não o conhece. Nenhum de nós o conhece. Não sabemos do que ele é capaz.

Jude fungou.

— Nem me diga. Tenho estado seriamente estressado desde que ele voltou.

— E é por isso que estou pedindo para me ajudar. Estamos juntos nessa.

Ele estava pensando no assunto, dava para perceber. Ficou olhando para o espelho retrovisor, como se a resposta estivesse escrita lá, ou estava com medo de que alguma coisa saísse da escuridão voando sobre nós, atento à nossa conversa perigosa.

— Ele falou sobre o que pretende fazer comigo? — perguntei, deixando transparecer em voz clara e alta o medo que tentava esconder, o medo que carreguei comigo desde o dia em que aprisionei Adair. — Imagino que vai me enterrar viva, do mesmo jeito que fiz com ele.

Nunca senti tanto medo como naquele momento. Fui tomada por um tremor terrível, meus dentes começaram a tiritar e meu estômago se contorceu em um nó apertado. Não havia nada que pudesse fazer para ajudar a mim mesma. Gostaria de poder me jogar para fora do carro e acabar com a minha vida, perder a consciência com uma pancada e um tombo sobre o asfalto, rolando sem parar como um brinquedo que não serve mais.

— Ei, se acalme — Jude disse, alcançando o meu braço. Foi uma tentativa de simpatia, a maneira que um açougueiro tenta acalmar a ovelha antes de lhe cortar o pescoço.

— Quem é você para me dizer para ter calma? Sabe muito bem o que acontecerá comigo e, mesmo assim, está me levando até Adair. Não se iluda achando que é melhor do que ele!

— Ei, eu podia...

— Você está fazendo o que ele quer. Pelo menos eu tentei enfrentá-lo!

— E olhe só no que deu.

— Deu a você duzentos anos de liberdade — retruquei furiosa.

Jude abriu a boca para falar, então achou melhor pensar sobre aquilo. Passou a dirigir mais devagar enquanto pensava. Tentei não ter esperanças de que meu milagre pudesse surtir efeito nele, mas ele suspirou fundo e disse:

— Tentei avisá-la uma vez, não tentei? Em Boston, naquela vez que fui ver Adair e você estava na casa dele, para minha surpresa. Tentei lhe dizer que estava cometendo um grande erro, mas você me expulsou.

— Não quer que eu diga que deveria tê-lo escutado, não é?

Ele suspirou.

— Veja, o que você faria se eu a deixasse ir embora? Consegue ir para um lugar onde ele não vai encontrá-la? Tem algum plano?

Estava chocada, mas não arrisquei o momento para contemplar minha sorte.

— Sim, tenho uma ideia.

Ele olhou por sobre o ombro, como se o demônio pudesse estar no banco de trás, uma testemunha de sua perfídia.

— E Adair nunca saberá disso, mesmo se pegar você.

Balancei a cabeça.

— Nunca direi nada a ele.

Jude diminuiu a velocidade do carro e fez um retorno brusco, os pneus chiando em protesto. De repente, estávamos voltando na direção de onde viéramos. Fiquei sem palavras. Ele balançava a cabeça sofregamente, como se já estivesse arrependido de suas ações.

— Ainda não liguei para Adair para dizer que a encontrei. Até onde ele sabe, você nunca apareceu por aqui. Deixarei você ir, Lanny, porque tem razão: não preciso disso em minha consciência. Adair não é o único que tem medo da vida após a morte. — Ele esticou o pescoço como se a tensão tivesse se tornado insuportável. — O conselho que dei a você aqueles anos atrás... eu mesmo deveria ter prestado atenção nele. Mas era teimoso e achei que pudesse dar conta de qualquer coisa. Você, eu, os outros, fomos todos estúpidos ao aceitar a oferta dele, mesmo tendo sido feita à beira da morte — Jude disse com amargura. — No meu caso, aconteceu quando estava pendurado com a corda no pescoço, em um armazém em Waterlooplein... depois de tudo o que eu fizera, deveria ter recusado uma saída fácil. Algumas coisas são piores que a morte. Se tivesse aceitado que minha vida tinha terminado, pelo menos com minha morte teria conseguido fazer algumas reparações. Assim, acho que essa é minha segunda chance. Não vou deixá-la passar.

No restante do caminho ficamos em silêncio, cada um perdido em seus próprios pensamentos sobre os caminhos tortuosos que nos trouxeram até aqui. Assim que o carro deslizou, parando perto de onde tínhamos abandonado o carro alugado, Jude inclinou-se sobre mim para abrir a porta.

— Pense nisso como um pequeno gesto de reparação — ele disse. — Agora vá, e não deixe que ele pegue você.

Olhei-o de frente.

— O que você irá fazer? Vai voltar para ele?

— Darei uns dias, esperarei até ter notícias dele. Ele tem um novo homem que o ajuda, e você sabe como ele sabe privilegiar suas conquistas mais recentes. Quem sabe logo se livra de mim.

— Sabe qual é o próximo passo dele?

Ele balançou a cabeça.

— Não. Ele parou de me contar as coisas. Acho que não confia mais em mim.

Olhei para os dois lados da estrada solitária. Não havia carros, não a essa hora. Apertei a mão de Jude antes de sair de dentro carro.

— Obrigada.

— Não se esqueça: se acontecer o pior e Adair capturá-la, você nunca esteve comigo — Jude reiterou, olhando fixamente para a frente. — Vá.

Ao sentar-me atrás do volante e observar Jude ir embora, pensei no quanto as coisas poderiam ter sido piores essa noite. Se Adair tivesse vindo atrás de Luke por conta própria, todos na casa estariam mortos. Haveria cadáveres espalhados pela casa e pelo quintal, Luke amarrado e obrigado a assistir à carnificina antes de ser libertado de seu sofrimento com uma pancada na nunca. Teria havido mais inocentes mortos, mas não faria a menor diferença para Adair, contanto que eu sofresse.

Não podia ficar sentada dentro de um carro alugado no acostamento esperando a polícia fazer perguntas assim que o Sol nascesse. Tinha que continuar com o meu plano de encontrar Tilde e me entregar à piedade dela. Se eu sentia temor com relação a confiar em Tilde, pelo menos poderia me confortar em saber que os outros não tinham me decepcionado. Alejandro não havia fechado a porta para mim, Jude teve uma crise de consciência e me deixou partir. Adair estava certo ao dizer que éramos uma família e que tínhamos que contar uns com os outros, mas acho que ele nunca imaginou que nossa solidariedade tivesse esse efeito. Há consequências despropositadas para tudo.

Virei o carro sobre a pista de duas vias, em direção ao sul, afastando-me de Luke pela última vez, e decidi não olhar para trás.

XXVI

MARQUETTE, MICHIGAN

Luke entrou sorrateiramente na casa, pela garagem. As vozes das filhas eram trazidas da sala de estar, a risada aguda misturada aos rosnados brincalhões de Richard e o barulho da televisão ao fundo. Elas não notaram a ausência dele, mas ele achava que a ex-mulher, sim. Nada passava despercebido à Tricia.

Ela tirou os olhos da lavadora de louças.

— Onde você estava? — ela perguntou.

— Saí para fumar. — Ele mentiu.

Os ombros dela caíram, tinha louça suja na mão.

— Está fumando de novo? Sabe que não deveria. Não seria bom se as garotas pegassem você com um cigarro na boca. — Tricia virou-se para olhar nos olhos de Luke. Leu a expressão dele num instante, sempre conseguia, e continuou: — Você é um péssimo mentiroso, Luke. O que está havendo?

Será que deveria admitir que ela estava certa ou se enfiar em um buraco ainda mais fundo? Ele ficou tentado a fazer a última escolha, mas a ex--mulher tinha os instintos de um cão farejador.

— Acabei de falar com a Lanny. — Tirou o telefone de dentro do bolso e o balançou, não fazia o menor sentido contar a ela que a mulher que desprezava esteve estacionada a cinquenta metros da casa. — Escute, Trish. Não quero deixá-la preocupada, mas há algo que preciso lhe contar. Provavelmente não será surpresa nenhuma para você, mas Lanny está envolvida com algumas pessoas perigosas...

Tricia cruzou os braços sobre o peito, provavelmente organizando tudo em sua cabeça: todas aquelas viagens, a fonte inesgotável de dinheiro. De onde vinha tudo aquilo?

— E essas pessoas estão procurando por ela. Ela ligou para me avisar que essas mesmas pessoas que estão atrás dela sabem de mim, por estarem tentando chegar até ela... — A expressão de Tricia ficava mais tensa a cada segundo. — As crianças podem estar em perigo.

— Que merda, Luke!

— Preciso que você as leve para algum lugar. Em uma viagem, não para ver sua mãe. Algum lugar onde ninguém imaginaria procurar vocês.

— Você só pode estar de brincadeira, Luke...

— Estou falando sério, Tricia. Não estou falando só por falar, e não estou ficando louco. Essas pessoas são realmente más. Tem que tirar as meninas daqui. Eu pagarei seja o lá o quanto custar, só as leve a algum lugar seguro.

Ela balançou a cabeça, mudando o peso de um pé para o outro.

— E a escola? Vou ter que tirar a Jolene da escola por causa disso? E o trabalho? Acabei de receber minha agenda do hospital para este mês. O que devo...

— Diga a eles que é uma emergência. Não importa. Simplesmente faça isso.

— Que ótimo, Luke! Como pôde fazer isso conosco, com suas próprias filhas, se envolvendo em algo tão perigoso? E o que eu devo dizer a elas e ao Richard? Ele não vai sair daqui. Ele vai querer ficar para trabalhar na fazenda.

— Não, tem que dizer a ele para ir com você. Ele estará em perigo. Você está em perigo. É por isso que quero que leve as crianças para algum lugar. — Ele encarou os olhos furiosos dela. — Sinto muito, Tricia. Não tive a intenção de envolvê-las nisso.

Ela resmungou, indicando que não estava nem aí para as desculpas dele.

— E quanto tempo nós teremos que ficar fora? Sabe me dizer isso? Será que não consegue convencer sua namorada a dar a essas pessoas seja lá o que for que estão querendo? Dinheiro de droga, eu presumo.

— Eles não estão atrás de droga ou dinheiro.

— Tanto faz — ela disse com amargura. — Seja lá qual for o negócio ilegal no qual ela está metida, será que não consegue convencê-la a encarar as consequências e fazer o que for necessário para que pessoas inocentes não sofram?

— Tudo ficará bem. Só precisa se esconder durante uns dias.

— Ah, agora são só "alguns dias"? E o que vai acontecer em alguns dias?

Agora foi a vez dele desviar o olhar.

— Eu vou ajudá-la.

— *Está ficando louco?!* — Tricia gritou. As garotas devem tê-la ouvido, pois o volume da televisão aumentou consideravelmente; graças a Deus que Richard estava prestando atenção.

— Deixe sua namorada cuidar de si mesma. Ela se meteu nessa enrascada, deixe que saia sozinha. Tem outras responsabilidades com que se preocupar, Luke. Jolene e Winona, você se esqueceu delas?

— Claro que não.

— Elas são sua prioridade. Não escolha sua namorada em vez delas.

— Eu não estou fazendo isso. A razão de ir é garantir que as meninas estejam seguras, que *você* esteja segura. — A garganta de Luke se contraiu, a cabeça doía. Era demais para ele. Ele estava fazendo promessas, não fazia ideia se poderia cumpri-las. — E não posso deixar Lanny encarar tudo isso sozinha. Que tipo de homem eu seria se deixasse? Não o tipo que as garotas respeitariam.

— Não tente bancar o herói — Tricia respondeu frustrada.

— Não estou tentando bancar o herói. Só quero ser um ser humano decente. — Luke retrucou, quase desejando poder ignorar esse sentimento dentro dele, aquele que o fazia ir atrás de Lanny. A necessidade de autopreservação deveria ser mais forte do que a vontade de se sacrificar por outra pessoa. Talvez ele tivesse problemas, pensou, tendo sido criado por pais idealistas demais.

— E se algo acontecer a você... se nunca mais tivermos notícias suas de novo, o que eu digo para as garotas? — Tricia perguntou.

Luke ficou surpreso e grato ao ver lágrimas nos olhos dela.

— Diga-lhes que o pai delas era um idiota.

Tricia riu.

— É isso mesmo que direi. Você pelo menos sabe onde ela está, onde procurar por ela?

Ele verificou o celular antes de colocá-lo de volta no bolso.

— Ah, sim. Tenho ideia de onde posso encontrá-la.

XXVII

ASPEN, COLORADO

O motorista que contratei no aeroporto me deixou em frente ao portão de uma propriedade construída no sopé de uma montanha. Evidentemente, Tilde era cuidadosa com sua privacidade, sendo uma figura pública e absurdamente rica. De acordo com os artigos dos jornais e das revistas que Alejandro enviara para mim, o marido dela, um magnata do setor de energia, tinha morrido recentemente, deixando-a com os enteados. O marido fazia coleção e dirigia carros esportivos antigos, e sofrera um acidente fatal enquanto testava uma nova aquisição. Exceto revelar que a viúva tinha ficado no lugar do marido em sua fundação de caridade, a última pilha de artigos não faziam menção a ela.

Se tivesse que me entregar à piedade de alguém neste planeta, seria mais do que irônico que essa pessoa fosse Tilde. Quando vivemos sob o mesmo teto, na casa de Adair, eu tinha pavor dela. De todos os escolhidos dele, ela era a mais "sangue frio", a mulher que, sem pestanejar, saía em busca de garotos e garotas inocentes para servir de entretenimento a ele. Tilde nunca pareceu se importar com ninguém, nem mesmo com Adair: sua própria sobrevivência era tudo o que lhe importava. Será que uma pessoa como essa poderia mudar? Não queria ser maldosa, queria acreditar que todos são passíveis de mudança, de agir generosamente, de se tornar uma pessoa melhor. Por experiência própria, quanto mais vivíamos, mais compreendíamos e criávamos empatia pela raça humana, e nos sentíamos compelidos a mudar nossos hábitos egoístas. Detestaria me encontrar com a pessoa que sempre tiraria proveito do sofrimento alheio.

Depois de caminhar pela passagem íngreme até a casa — o carro deu meia-volta no portão e foi proibido de entrar na propriedade —, um jovem atraente esperava por mim do lado de fora da porta. Ele era tão bonito quanto uma peça de decoração, com a expressão insípida de um modelo, e parecia não ter nenhuma curiosidade com relação a mim. Fiquei imaginando se ele seria um dos enteados de Tilde. Ele me ouviu dizer que estava lá para ver a Sra. Von Haupt e virou-se sobre os calcanhares esperando que eu o seguisse. Deixou-me em uma sala com uma vista arrebatadora de uma formação rochosa escarpada, com uma cadeia de montanhas majestosas acima. O terreno que cercava a casa estava coberto de pedaços finos e esparsos de branco, combinando com a chegada antecipada da estação, todavia, o pico das montanhas estava firme e brilhante, completamente coberto de neve.

Eu sabia que reconheceria Tilde instantaneamente. Independentemente do que vestisse ou como arrumasse o cabelo, tinha certeza de que sempre me lembraria do olhar de águia penetrante e do jeito que se portava, como uma leoa. E, duzentos anos depois, essas características continuavam lá nas fotografias, porém bem menos evidenciadas. Havia apenas alguns traços da caçadora implacável que ela tinha sido um dia.

A mulher que entrou na sala estava precisa e elegantemente vestida em tom de creme da cabeça aos pés, tendo os óculos escuros sobre os olhos como único contraste. Seu cabelo louro tinha um corte da moda, curto e jovial, mas ela era muito sombria para ser considerada uma jovem mulher espirituosa. Seu ar predatório fora sido substituído pelo cansaço.

Ela tirou os óculos de Sol enquanto caminhava em minha direção, os olhos continuavam cor de lavanda, dando-lhe uma frieza que jamais poderia ser superada. Um último calafrio de nervoso percorreu-me de cima a baixo. Ela sorriu desconfiada e esticou a mão para me cumprimentar.

— Olá, Lanore.

Nós nos cumprimentamos rapidamente, a mão firme dela parecendo um pedaço de gelo sobre a minha.

— Devo chamá-la de Birgit? — perguntei.

Ela apontou para um par de cadeiras perto da lareira.

— Quando ninguém está por perto, pode me chamar pelo meu antigo nome. Seria bom, faz muito tempo que não o ouço. Por favor, seja cautelosa, caso alguém se junte a nós. Meus enteados estão aqui comigo; estamos passando as férias de inverno, uma das tradições de família do meu marido, e também tenho alguns amigos comigo. Desnecessário dizer que ninguém me conhece como Tilde.

Notei as diferenças no comportamento dela de imediato: ela usou a expressão "por favor", a qual eu não me lembro de jamais tê-la ouvido dizer em Boston, a não ser com muito sarcasmo. Seu antigo tom estridente foi substituído por algo mais calmo e tranquilizador. Ela mantinha os enteados com ela, não os relegara a um colégio interno nem os havia deixado com algum parente do marido. Isso, também, parecia muito incomum para a mulher que um dia conheci.

— Obrigada por concordar em me ver. — Comecei, mas ela fez um gesto como se colocasse meu agradecimento de lado.

— Devemos estar prontos para ajudar uns aos outros — ela disse suavemente. — Tenho certeza de que você, assim como eu, chegou à conclusão que, mesmo que amemos nossa família e as pessoas especiais em nossas vidas, nosso tempo com eles é breve, passa muito rápido. Somos confortados pela companhia deles enquanto ela dura, mas não temos ninguém para nos ajudar a colocar nossa vida em perspectiva. Ninguém com quem dividir a dimensão de nossas experiências de vida, ninguém que possa entender o que temos passado. Ninguém exceto uns aos outros.

Ela estava tão modesta e tão diferente da Tilde que eu conhecera que comecei a me preocupar que algo estivesse errado. Será que uma pessoa poderia mudar tão drasticamente? Em duzentos anos, com certeza qualquer coisa é possível. A frieza, o olhar indiferente... e então me lembrei de que ela estava de luto.

— Ouvi falar sobre seu marido. Sinto muito por sua perda. — Apressei-me em dizer.

Ela fez uma mesura com a cabeça.

— Foi inesperado. Bruno era maravilhoso, o tipo de pessoa que se encontra só uma vez na vida. Os jornais só falam de suas empresas e de seu sucesso como homem de negócios, mas ele era um companheiro amável e bom pai. Sentirei falta dele. Tenho certeza de que você esteve nessa situação mais do que uma vez, perdendo a pessoa que a mantém conectada à vida. Não sei você, mas, para mim, tem sido muito difícil apreciar a vida sozinha. Parece que só estou feliz quando as pessoas que amo estão felizes.

Concordando com ela, balancei a cabeça, mas, interiormente, estava estupefata. Depois do que tinha acabado de declarar, eu não podia pedir uma prova maior de que Tilde mudara. Ela parecia arrasada pela perda do marido e, em contraste à mulher que eu conhecera, parecia ter-se tornado bem reflexiva, lutando para entender nossa existência bizarra. Eu estava pronta para confiar nela, mesmo porque, a essa altura, não tinha escolha. Limpei a garganta.

— Presumo que Alejandro tenha lhe explicado porque vim — disse, hesitante.

— Ele disse que Adair voltou depois de uma longa ausência e que, por alguma razão, estava procurando você. — Ela observou minha reação, mas não deixava transparecer nada.

— E ele lhe contou onde Adair esteve esse tempo todo e por que está me procurando? Ele lhe contou que eu sou a responsável pelo desaparecimento de Adair? — Era mais difícil assumir isso a ela do que a Alejandro, talvez porque eu esperasse que ela reagisse mal, até mesmo com violência. Subitamente, me senti pequena feito uma criança, sentada na frente de Tilde, esperando-a ter um ataque de nervos. Na casa de Adair, ela tinha sido como uma irmã mais velha ameaçadora, saboreando cada oportunidade de me atormentar.

No entanto, de novo, a resposta dela foi tranquila.

— Alejandro mencionou alguma coisa com relação a isso — murmurou.

— Sinto muito se sofreu pelo que eu fiz, Tilde. — Continuei apressadamente. — Alejandro me contou o quanto a vida ficou difícil depois que Adair desapareceu, e sinto muito por todas as dificuldades que eu possa ter lhe causado. Acho que foi egoísta de minha parte fazer o que fiz, tirar Adair de vocês, mas precisa entender uma coisa: Adair ia tirar Jonathan de mim *para sempre* e eu não poderia deixá-lo fazer isso...

Ela ergueu a mão novamente para me impedir de continuar falando.

— Não precisa me pedir desculpas. Sou *grata* pelo que você fez. Eu queria fazer Adair parar, nós todos queríamos, mas nunca encontramos um jeito. Ou talvez fomos menos corajosos... — Ela disfarçou o olhar, envergonhada. — Lanore, não fui sempre a mulher que conheceu em Boston. Depois de tantos anos com Adair, fui moldada pela natureza dele. Fazia o que era necessário para sobreviver à fúria, aos humores dele. E isso incluiu endurecer o meu coração contra a sorte de qualquer outra pessoa. Por isso, na verdade, sou eu quem deveria pedir desculpas pelo modo terrível como a tratei.

Dei-me conta de que ela também tinha sido vítima de Adair, mas, enquanto eu sofri apenas por alguns anos, ela passara séculos nas mãos tiranas dele. Como poderia *não* ter mudado sob aquela pressão voraz?

Eles todos deviam ter sido afetados dessa maneira — Alejandro, Dona, Jude, o pobre Savva —, forçados a se tornarem impiedosos e calculistas para sobreviver. Lutaram sozinhos por um pequeno espaço para existir diante da presença de uma força tão implacável quanto Adair. Talvez Tilde não fosse a criatura monstruosa que Adair a fizera ser. Afinal, foi ele quem me contou sua história, não a própria Tilde; ele poderia ter mentido, como aparentemente fizera sobre Uzra. Ele poderia ter mentido sobre todo mundo.

— Alejandro disse que você precisava da minha ajuda. Sou toda sua, se puder lhe servir para alguma coisa.

Nervosa, limpei a garganta.

— Ele me contou que você sabe sobre magia negra, a fonte do poder de Adair. Estou procurando alguém que entenda essa esfera. — Minhas bochechas esquentaram enquanto eu tentava encontrar as palavras certas.

Ela se mexeu na cadeira.

— Sim, acredito que devemos tentar compreender nossa condição. Faz sentido, não faz? Se tivesse câncer, gostaria de saber tudo sobre a doença, os sintomas e os efeitos, as opções de tratamento. Por que deveria ser diferente para nós? É por isso que tenho estudado o que algumas pessoas chamam de "magia" para seguir o caminho dos praticantes, conforme eles ensinam. Mas se está me perguntando se sou como Adair, se adquiri qualquer poder sobre o mundo físico, bem, sinto muito em desapontá-la. Fiquei com Adair durante muito tempo, praticamente mais do que qualquer um de seus acompanhantes, e durante esse tempo o vi fazer coisas que são simplesmente impossíveis. Sempre soube que havia alguma coisa misteriosa — e possivelmente inexplicável — nele. Tentei compreender o que ele era, de onde vinham seus poderes, mas não obtive nenhuma resposta, assim como todo mundo. E quanto a *reproduzir* esses poderes... — Ela parou de repente, olhando intensamente para mim.

— O que, exatamente, você quer?

— Quero quebrar o feitiço. — Tentei não soar tão ridícula quanto me sentia.

— Quebrar o feitiço? — ela perguntou. — E por que diabos iria querer fazer uma coisa dessas?

Ficamos tanto tempo livres de Adair que ela tinha se esquecido: *ele* era o preço para a imortalidade.

— Porque Adair está vindo atrás de mim.

Tilde ruborizou, trazendo uma quentura incomum às maçãs do rosto, talvez pelo constrangimento de me ouvir falar com tanta honestidade.

— Entendo, você tem razão. Agora que ele está livre, isso é uma coisa com a qual todos nós temos que nos acostumar. Ele virá atrás de cada um de nós, não tenho dúvida... Mesmo assim, desistir de sua vida me parece uma solução dramática. É isso mesmo o que quer? — Tilde falava com empolgação. — Pense nisso com cuidado, Lanore. Faz ideia do que aconteceria se sua condição fosse, bem, aliviada? Você poderia morrer imediatamente, afinal, morremos como parte da transformação. Não há garantias de que a vida seria retomada de onde parou, recomeçando em seja lá qual for a idade que tinha, e progredindo em direção a um fim mortal normal. Sua vida poderá terminar imediatamente, bem onde está. Você realmente quer morrer? Não tem ninguém por quem queira viver? Ninguém que lamentará sua morte?

A verdade era que eu não tinha certeza se queria morrer. Tinha medo de morrer. Quem sabia o que me esperava do outro lado — Deus ou essa rainha do submundo — e qual o objetivo de se existir daqui para frente se não reparar os erros cometidos nesse mundo? Eu não sabia se aceitava a morte, mas aceitava o fato de não ter outra saída.

Tilde levantou questões pertinentes. Não havia pensado sobre a possibilidade de morrer instantaneamente. Achei que pudesse manter minha morte como uma possibilidade pendente, uma pílula venenosa para ser usada quando estivesse claro que eu não poderia fugir de Adair. Com relação à segunda pergunta de Tilde, precisaria de uma sinceridade brutal para respondê-la. Eu não tinha ninguém por quem viver? Sempre fora Jonathan, somente Jonathan. Achei que pudesse ser Luke. Mas, agora, eu tinha aberto mão dele. Enrosquei minhas mãos nas pernas.

— Não, não há ninguém. Ninguém em minha vida, ninguém para vir me procurar. É melhor terminar tudo.

Tilde me olhou desconfiada, então pegou a bolsa e a jaqueta jogada aos meus pés. Tinha esquecido a mala no porta-malas do carro de Jude, então não trouxe bagagem. Eu era exatamente como me apresentava: uma alma solitária, desapegada e desprotegida, trazida pelo vento e deixada na soleira da porta dela. Ela não poderia duvidar da verdade do que eu tinha acabado de lhe dizer. Eu estava sozinha.

— Tudo bem... deixe-me ver o que posso fazer. É bem-vinda para ficar conosco. Posso entender o quanto deve estar se sentindo vulnerável, e não deveria ficar sozinha num momento como esse. Temos um quarto vazio nos fundos da casa. Por que não vai descansar um pouco?

O mesmo homem de cabelos negros que estava na porta da frente me acompanhou até um canto silencioso, um quarto de empregada logo que saímos da cozinha. No caminho, passamos por uma sala enorme com dois jovens — os cabelos brancos como a neve, e se pareciam tanto que só podiam ser irmãos — sentados desmazeladamente sobre o sofá de couro em frente à televisão, jogando *video game*. Outras pessoas formavam um grupo: outro homem, jovem e atraente, uma moça de olhos esbugalhados, aproximadamente da mesma idade dos irmãos. Passaram os olhos por mim sem dizer uma só palavra, e não fomos apresentados: poderíamos ser fantasmas observando uns aos outros, a partir de nossos planos separados de existência.

Deitei-me na cama de solteiro e ouvi as vozes vindas da sala principal, abafadas e indecifráveis, o murmúrio de vez em quando interrompido por espasmos de riso. Eles só podiam estar falando uma língua que eu não entendia ou talvez fossem as paredes mascarando as palavras. O aposento de empregada era frio e me lembrava uma sala de exames de um médico, impessoal. Sem computador nem televisão.

Devo ter caído no sono deitada na cama, pois acordei com a batida na porta. Mal tinha me sentado quando Tilde entrou no quarto com uma caneca na mão.

— Talvez tenha uma resposta para o seu problema. Eu não quero alimentar sua esperança, mas acho que isso pode funcionar — ela disse, entregando a caneca para mim. — É uma coisa que encontrei em um velho livro de feitiços atribuído a um grupo de monges do século 13. A proveniência do livro foi confirmada, de acordo com os sábios que consultei, se é que isso influencia alguma coisa. Imaginei que, se você esteja procurando um remédio, podemos começar daqui. Essa poção serve para retirar todas as maldições.

Olhei para dentro da caneca com o líquido opaco escuro, uma cor entre o marrom e o verde, como um sapo. Cheirava a ervas amargas e álcool.

— Tenho que beber?

— Tudo. Nunca o fiz antes, muito menos o usei em alguém. — Ela cruzou os braços em frente ao peito, olhando pensativa para a caneca. — Pode ser que não tenha um efeito imediato e, se tiver... bem, tenho que admitir, estou um pouquinho curiosa para saber o que acontecerá.

Com Tilde me observando, bebi todo o conteúdo da caneca. Tinha um gosto muito forte de álcool e algo que não consegui definir, um amargor incomum coberto pelo sabor das ervas. Em questão de minutos, de uma vez só, meus músculos ficaram frouxos, como se tivesse levado uma pancada na nuca. Caí na cama, minha mente funcionava perfeitamente, mas era incapaz de me manter ereta. A mudança física foi tão poderosa e tão rápida que achei que estivesse morrendo. *Você quis isso*, lembrava a mim mesma. *Não reaja*. Precisei de todo o meu autocontrole para não entrar em pânico e jogar adrenalina nas veias para reagir a essa estranha sensação.

Abri os olhos e vi Tilde inclinando-se sobre mim com um sorrisinho desdenhoso, uma expressão que me fez lembrar instantaneamente de nossos dias em Boston. Ela pegou a caneca que tinha caído de minha mão. Eu era incapaz de mexer minha boca e perguntar a ela o que fizera comigo.

— Cheguei à conclusão de que seria mais fácil derrubá-la do que mantê-la aqui contra a sua vontade. Não tinha certeza se funcionaria em você, a droga do estupro, o Rohypnol, então coloquei o suficiente para derrubar um cavalo. Deixaria os garotos se aproveitarem de sua sedação e brincarem um pouquinho com você se não achasse que Adair fosse se importar, mas ele provavelmente vai querer fazer as honras, para começar, pelo menos. Deus, eu quase não acreditei que você fosse cair nessa. — Ela soltou aquela risada impiedosa e triste que ecoava pelos corredores da mansão em Boston. — Achei que tudo tivesse acabado quando disse "na verdade, eu é que deveria estar lhe pedindo desculpas"... eu pensei, *Ah, não, fui muito longe*, certa de que tinha passado dos limites, mas você nem piscou... você queria tanto acreditar, não mudou nada, não é? Continua a tola ingênua de sempre. — Tilde passou a ponta do dedo no canto do olho, chorando de tanto rir. — Ok. Agora fique quietinha. Não tente lutar. Deixe que a droga faça efeito. Adair logo, logo estará aqui. Tenha um pouco de paz enquanto pode. O tempo alcançou-a, Lanore. O acerto de contas pelo qual esperou durante séculos está prestes a acontecer.

XXVIII

A espera tinha terminado. A hora da libertação estava próxima. E, mesmo assim, o jato particular não foi suficiente para Adair. Ele tinha se contorcido durante todo o voo, mal conseguia tolerar a conversa de seus acompanhantes. E agora o carro que o pegara no aeroporto — será que não dava para ir mais rápido? Pensou que fosse sair de sua própria pele, de tanta ansiedade.

À medida que se aproximaram da casa de Tilde, Adair sentiu que algo tinha mudado sensivelmente dentro dele, como se tivesse uma grande força sobre si mesmo comprimindo sua consciência e sua energia em algo tão duro e denso como um diamante, com um propósito desconhecido. Não conseguia deixar de pensar na garotinha da história do País das Maravilhas, uma lenda fantástica contada a ele por Pendleton, que admirava muito a história. Adair imaginou que era daquele jeito que a garota deve ter se sentido quando foi encolhida por uma poção mágica, para que pudesse passar pela porta e entrar em outra dimensão. Ele também sentia que tinha sido transformado, alterado para se encaixar nas circunstâncias que vinham pela frente.

Ao mesmo tempo, sentia como se uma tempestade estivesse caindo sobre ele. O zumbido em seu cérebro estava mais nítido e mais forte — podia sentir a presença de Lanore aumentando conforme chegava mais perto dela —, e seu pensamento estava mais claro do que jamais esteve desde seu aprisionamento. Seja lá o que estivesse interferindo em seus pensamentos, desapareceu repentinamente. Ele estava sendo transformado por uma força invisível, ficando mais forte, mais astuto, mais intuitivo, por razões que iam além de sua compreensão. Tinha a nítida impressão de que conseguia enxergar dentro da mente de cada ser vivo e, ao mesmo tempo, os mantinha separados e distintos, como se conversasse com todos ao mesmo tempo. Estava certo de que era um truque ou alucinação, algum problema com sua mente cansada demais, porém, ao mesmo tempo, não podia ignorá-la. Era revigorante.

Tilde esperava na porta da frente quando o carro de Adair parou. Ela tremia com uma agitação visível enquanto Adair subia as escadas, mas retrocedeu quando ele passou por ela sem cumprimentá-la nem mesmo com uma só palavra, quanto mais com um beijo ou um abraço. Chateada, recuperou-se e abraçou Jude e Alejandro, um de cada vez, como irmãos que não se viam há muito tempo. Pendleton manteve-se atrás, no final do grupo, observando-os cautelosamente, como uma criança que acabou de chegar ao parquinho. O último a emergir do carro foi um homem alto com um sobretudo comprido, olhando para o Sol através dos óculos escuros.

Adair parou em frente ao saguão, erguendo a cabeça como um cão de caça tentando sentir o cheiro no ar.

— Onde está ela? — ele perguntou a Tilde por sobre o ombro.

— Não precisa se preocupar. Ela está aqui e não tem como fugir. Eu não decepcionaria você.

Tilde juntou-se aos outros e deu um passo para ficar ao lado dele. Ela levantou a mão e colocou-a sobre o peito de Adair, então, quando ele não colocou a mão dela de lado, Tilde pressionou o rosto contra o dele por um longo momento.

— Senti sua falta.

Assim que Tilde pressionou a palma da mão sobre seu peito, Adair foi inundado pelo conhecimento de todos os dias da vida dela desde que ele se fora. Foi parecido com a sensação de quando tocara a maçaneta durante a projeção até a casa de Lanore em Paris e sentiu-a viva perto dele, exceto que agora era mais intenso (por estar na presença carnal, ele imaginou). Naquele instante, Adair sabia tudo o que deveria saber sobre Tilde: o que ela tinha feito nos últimos duzentos anos e o que estava fazendo agora.

Viu que ela passara o tempo todo vivendo de marido em marido, matando-os para viver da fortuna deles em contentamento solitário até encontrar outro homem rico e começar tudo de novo. Ela pagara alguém para mexer no carro desse último assim que se cansara de suas manias megalomaníacas. Desde então, seduzira ambos os filhos para se divertir e para preencher o desejo sofrido e implacável de sua alma. *Que criatura triste ela se tornou*, Adair pensou, *sem objetivos e sem valor*.

— É tão bom vê-lo. — Tilde ronronou e pressionou-se contra ele por um pequeno segundo, revelando o desejo que sentia. Adair achou aquilo enervante, como ser lambido por um tigre. Ele quase desviou o rosto quando se inclinou para beijá-la, mas percebeu que Tilde e os outros notariam se ele não a beijasse na boca. Não cairia bem com Tilde — e não ficaria bem revelar sua fraqueza por Lanore a uma mulher como ela, de cuja crueldade ele um dia já dependera, mas que agora detestava.

Adair pegou-a pela nunca e puxou-a em sua direção, dando-lhe o tipo de beijo que ela esperava, o tipo que costumava dar, dominador e possessivo. Confiante, Tilde suspirou e relaxou. Ela ergueu o queixo na direção do homem em pé ao lado de Pendleton.

— Quem é aquele? Poderia quase jurar que...

— É Jonathan — Alejandro informou.

— Mas o que aconteceu com ele? Ele não parece o mesmo. Achei que nunca... — ela disse, a voz cada vez mais alta, alarmada. Jonathan a olhava de um jeito distraído, enquanto guardava os óculos de sol no bolso.

Adair respondeu.

— Não se preocupe, Tilde. O que aconteceu com Jonathan jamais acontecerá a você, desde que evite morrer.

Horrorizada, ela virou-se para olhar Jonathan.

— Sim, voltei do mundo dos mortos — ele afirmou bem direto. — Considerando toda a situação, até que estou muito bem.

Naquele momento, um som abafado veio de trás da casa e os dois irmãos caminharam em direção a eles com a curiosidade silenciosa de um casal de gatos, espiando por entre as longas franjas platinadas. Depois de uma última olhada desconfiada para Jonathan, Tilde deixou seu desconforto de lado e abriu os braços na direção deles, fazendo sinal para que fossem até ela.

— Deixem-me apresentar meus enteados. Josef, Mika, venham aqui... Garotos, quero que conheçam um amigo meu muito querido. Este é Adair.

O sorriso falso dela era o mesmo de sempre, possessivo e malicioso. O sorriso falso que vira muitas vezes antes, toda vez que trazia uma nova presa — uma jovenzinha assustada, um rapaz louco de desejo —, que tinha a intenção de dividir com Adair. Pelo comportamento dela, Adair sabia que Tilde queria que fossem amantes de novo, mas ele não tinha intenção nenhuma de deixar isso acontecer.

A capacidade de sentir os pensamentos e os sentimentos dela continuou, e ele notou que não precisou nem tocar nos enteados para que as histórias viessem até ele. Um só olhar bastava, parte do aperfeiçoamento de seu poder, ou talvez fosse a força do sofrimento deles. O mais velho, aos 19 anos, tentava parecer maduro e sofisticado, ser o tipo de homem (na verdade, o garoto) que podia fazer sexo com a esposa do pai e continuar inabalado. A aura dele dizia a Adair que era infeliz e corroído pela culpa, que desejava se livrar dela, todavia, por causa do segredo deles, era controlado por ela.

No entanto, Mika, o mais jovem... Adair podia sentir que o garoto estava completamente apaixonado por ela. O desespero dele escorria pelo tédio adolescente. Ele achava que conseguia disfarçá-lo, mas a única coisa em sua cabeça era estar com Tilde de novo, o desejo traindo-o à medida que não parava de se mexer, pouco à vontade. Ele tinha, talvez, 16 anos, e nessa idade era um escravo do prazer. Naquele momento, estava praticamente paralisado pelo desejo de colocar seu membro dentro da boca de Tilde. A única coisa que queria era se perder entre as pernas e os lábios dela, e tudo mais na vida — indulgente como era — estava em segundo plano. Nenhuma garota da idade dele poderia fazê-lo sentir-se como Tilde fazia, ou assim ele acreditava. Ele faria qualquer coisa por ela, e Adair sabia que isso o tornava perigoso. Era perigoso e incendiário copular com os dois irmãos, e, por isso, Adair respeitava Tilde menos ainda.

Os dois garotos olharam de volta para ele antes de Tilde os mandar embora, a hostilidade borbulhando sob suas expressões tranquilas. Para Adair, eles deveriam ser bons garotos antes de cruzarem os caminhos com Tilde, mas agora estariam para sempre envoltos no ato vergonhoso que tinham praticado com ela. Sempre acreditariam que havia algo fundamentalmente errado com eles, que tinham maldade dentro de si, como uma fruta podre. Tilde era uma mulher esperta, e Adair tinha certeza de que ela sabia que era melhor não corromper seus próprios enteados só por diversão. Nada de bom viria disso. Adair não queria fazer parte desse melodrama com Tilde e desejou nunca ter sabido de nada. Isso só aumentava ainda mais sua ansiedade em ver Lanore e deixar tudo para trás. Tilde, acreditando saber o que Adair estava pensando, tocou-lhe levemente a manga da camisa.

— Irá encontrá-la no final do corredor, no quarto atrás da cozinha. Vou mandar os garotos para as montanhas, e irei para a cidade com Jude e Alejandro para dar mais privacidade ao seu encontro.

— E Jonathan? — Jude perguntou. — Não podemos levá-lo conosco.

— Eu ficarei no carro com ele — Pendleton falou, surpreendendo a todos. Ele virou-se para Jonathan. — Gostaria de lhe perguntar sobre suas experiências. No outro mundo.

— Tudo bem, nós o levaremos conosco, mas o escondam o máximo possível. E faça com que ele mantenha os óculos de sol. Não quero que ele assuste meu motorista — Tilde instruiu.

— Bom — Adair disse. — Talvez ele seja mais aberto com você. E, Pendleton, caso ele diga alguma coisa, quero que faça um relatório completo para mim.

Tilde apertou o antebraço de Adair.

— A casa é sua. Leve o tempo que precisar.

Os olhos dela brilharam diante do que estava prestes a acontecer, tão animada quanto um cão de caça antecipando a caçada. Era bom que ela não conseguisse ver dentro do coração dele do mesmo jeito que ele podia ver dentro do dela, pois ficaria decepcionada com o que encontraria. No entanto, ele não disse nada, observando-a apressar os outros para o andar de cima para se vestirem e pegarem os casacos, e saírem o mais rápido possível da casa para deixá-lo com seu prêmio.

— Não se esqueça de sua promessa — Jonathan disse em voz baixa enquanto era guiado para fora. — Fez um juramento sob o Céu. O Céu estará vendo tudo.

— Eu me lembro — Adair respondeu, imaginando se conseguiria cumprir a promessa, agora que estava prestes a ficar cara a cara com Lanore.

XXIX

Acordei sobressaltada. O zumbido em minha cabeça agora tinha um tom agudo terrível e eu soube, imediatamente, que Adair estava lá. Olhei para as minhas mãos e reparei que Tilde tinha entrado no quarto enquanto eu estava inconsciente na cama e as tinha amarrado em frente ao meu corpo, mas deixou minhas pernas soltas. Tremi ao me dar conta de que ela sem dúvida tinha deixado minhas pernas desimpedidas de modo a ser mais conveniente para Adair. Ela era o tipo de mulher que só sentia desprezo pelo mesmo gênero, e sentia um prazer perverso diante de uma mulher sendo abusada por um homem.

A presença dele era forte o bastante a ponto de ser impossível pensar ou ouvir. Mesmo na escuridão daquele quarto pequeno, minha visão ficou branca pelo pânico. Também conseguia sentir outros sinais da chegada dele: a batida forte da porta da frente, seguida pelo murmúrio de várias vozes, e então a própria voz dele, um rumor distinto a que meus ouvidos ainda estavam sintonizados. O tom grave da voz dele reverberava pelo corredor e pelas paredes, passou pelos tubos de metal da cabeceira da cama. A voz dele percorreu-me em ondas baixas, como um sonar, cada onda prenunciando sua chegada, cada onda anunciando que ele estava vindo atrás de mim.

As outras vozes silenciaram, ou minha mente assustada não era capaz de processá-las. Os passos dele chegavam cada vez mais perto, o som trazido pelas lajotas, meu coração batendo duas vezes mais rápido do que as passadas. Olhei ao redor, procurando desesperadamente por uma saída, e sabia que nunca conseguiria me libertar e sair pela janela a tempo. Uma porta distante dava para um banheiro, mas era pequeno como uma caixa de sapato, e não havia nenhum lugar onde me esconder.

Tinha me levantado do colchão me apoiando sobre o cotovelo, procurando lugares para me esconder, quando a porta se abriu de repente. Adair preenchia todo o espaço da porta, tão maior do que eu me lembrava, ou talvez o medo o fizesse ainda maior do que ele realmente era. Os outros sons da casa desapareceram, e tudo o que eu conseguia ouvir era o sangue pulsando em meus ouvidos e as batidas de meu coração tão rápidas quanto as de uma lebre que está correndo para salvar sua própria vida. Minha garganta estava seca como um cano enferrujado, e senti que ia passar mal.

Ele entrou no quarto e fechou a porta. Agora conseguia ver melhor o rosto dele, e era ao mesmo tempo assustador e indecifrável. Ele não se parecia nem um pouco com o que eu imaginara que seria quando nos encontrássemos cara a cara novamente. Não estava vermelho de raiva. Não estava gritando ou me ameaçando. Estava em pé, parado na porta, aparentemente incapaz de tirar os olhos de mim, mas eu não sabia dizer em que ele estava pensando. Agarrei-me ao último fio de esperança, de que ele me deixaria implorar por misericórdia ou que eu pudesse encontrar uma maneira de desviar ou diminuir sua fúria pelo menos um pouquinho.

— Adair — eu disse assim que recuperei a voz. — Deixe eu explicar para...

Com dois passos rápidos ele atravessou o quarto, a mão erguida e posicionada para me esbofetear na boca, mas ficou paralisado no lugar. Eu me encolhi, fechando os olhos, mas não houve nenhum golpe. Abri meus olhos e o vi olhando fixamente para mim. Um gorgolejo triste e abafado emergiu do fundo de sua garganta.

— Por favor, Adair...

— Não. Está proibida de falar comigo. Ainda não — ele disse, engasgado de emoção. Alcançou meu rosto e eu me afastei instintivamente, caindo de costas na cama. Afastar-me dele o enfureceu, e sua expressão mudou completa e rapidamente, como o acender de um fósforo.

Tentei me levantar e ele empurrou-me para trás, subindo em cima de mim com uma expressão de desdém determinado. Esfregou o rosto pelo meu pescoço e pelas maçãs do rosto, inalando meu cheiro antes de tomar meus lábios nos dele. Ele não estava só me beijando, estava me devorando, e eu não podia fugir. O corpo dele estava sobre o meu, o cheiro da pele e do cabelo dele, o gosto de seu hálito — tudo era tão familiar e tão assustador. Ele inclinou-se contra mim e me manteve presa sem me mexer, como um animal, enquanto as mãos tateavam mais para baixo, então senti minha saia ser levantada acima dos quadris, a lufada de ar frio sobre a pele exposta, minha calcinha sendo abaixada.

— Por favor, não faça isso — disse, mas ele era como um peso morto em cima de mim, e pude perceber que não seria possível dissuadi-lo ao implorar por misericórdia. Tudo o que podia fazer era passar pela experiência que estava prestes a acontecer. As mãos dele seguraram meus quadris e então ele me penetrou, a dor latejante me rasgando-me por dentro. Ele não disse nada, não me insultou, nem me xingou, nem sequer suspirou, só rangia os dentes cada vez que me penetrava. Fechei os olhos com toda a força e tentei não gritar, controlando a vontade de reagir, pois reagir só pioraria tudo.

E então ouvi o som emergindo do fundo de sua garganta. Não o rosnado e o gemido de prazer que estava acostumada ouvir quando copulávamos. Soava como se ele estivesse oprimindo algum tipo de dor. Ele gozou rápido, dando estocadas dentro de mim ao mesmo tempo em que um grito estranho escapou-lhe da garganta. Era um som que eu nunca ouvira sair dele antes, indubitavelmente triste. Fiquei deitada embaixo dele enquanto acariciava meu rosto e meu cabelo com a ponta dos dedos, a respiração quente e tensa no meu ouvido.

Com grande dificuldade, ele saiu de cima de mim. Minha cabeça latejava como se fosse explodir. Com meus olhos ainda fechados, ouvi o barulho áspero do zíper sendo fechado. Ele não disse uma só palavra para mim, e eu permaneci acordada tempo o suficiente para ouvir a porta se abrir e se fechar atrás de mim, antes de mergulhar em um estado de esquecimento profundo e agonizante.

XXX

Adair ficou em pé do lado de fora do quarto onde Lanore estava deitada, sentindo dor, em um emaranhado de lençóis úmidos. Colocou uma das mãos sobre os olhos, os dedos tremendo. Estava exausto, cada músculo contorcia-se. Não sabia quanto tempo tinha ficado dentro do quarto, só se lembrava do momento em que gozou dentro dela.

Ele não queria isso, não para o reencontro. Tinha toda a intenção de conversar com ela, contar-lhe sobre a mudança pela qual tinha passado desde que havia se libertado. Queria muito lhe dizer que a tinha perdoado e queria lhe pedir uma chance... mas, quando o momento finalmente chegou, achou impossível falar na presença dela. Ficou com a língua presa assim que a viu, a língua grossa de desejo. Mais do que desejo, ele ansiava pela proximidade proporcionada por estar dentro dela. Queria derreter-se nela e queria que ela se derretesse nele. No entanto, ela não mostrara o menor sinal de que o queria, e então ele a tomou à força, incapaz de se controlar.

Ele a possuíra apesar de tudo o que sabia, pois toda a vida dela foi revelada a ele no momento em que a tocara, do mesmo jeito que aconteceu com Tilde. Soube, instantaneamente, de todos os seus anos de solidão esperando por Jonathan, e sentiu uma ponta de inveja por ela não ter sentido a mesma coisa por ele. Os sentimentos dela por ele eram uma mistura de medo e repulsa pelas coisas que ele tinha feito a ela e aos outros. Ele pensou ter sentido um pequeno brilho de atração, mas era pequeno e fraco, e achou que não fosse nada além de um resíduo da fagulha de amor que ela sentira por ele em Boston, como a luz visível de uma estrela distante que já morrera há muito tempo.

Em pé, do outro lado da porta, Adair queria bater a cabeça na parede, arrependido. Durante séculos pensou no momento em que veria Lanore novamente, a princípio coreografando as cenas de vingança e, depois, de sua epifania, imaginando como poderia fazê-la compreender que ele tinha mudado. Então, o momento tinha chegado e ido embora, completamente diferente das cenas que passaram vezes e mais vezes em sua cabeça. Era tarde demais e tudo acabou antes mesmo de ele perceber o que tinha feito. Sentiu uma confusão de sentimentos: náusea, triunfo, remorso. Ele queria correr de volta para dentro do quarto dela e pedir desculpas, mas, ao mesmo tempo, sentia repulsa por Lanore tê-lo reduzido ao seu atual estado de fraqueza.

Tudo o que *deveria* importar é que ela era dele de novo, como ela se sentia a respeito disso não deveria ser importante. Afinal de contas, ele é quem foi ofendido. Não havia razão para sentir-se tão arrasado quanto se sentia agora.

Contudo, não podia negar que era importante, sim, como ela se sentia. Assim que pusera os olhos nela — no exato momento em que o som da vingança soava em seus ouvidos —, ele também quis abraçá-la com força, pois seu coração explodiu de felicidade. Seu lado apaixonado só queria refestelar-se diante da visão dela, deleitar-se, como um estudante, com todas as coisas que adorava nela e das quais sentia falta. Ficara encantado ao perceber que a mera visão dela ainda o tocava, que seu lindo rosto ainda o fazia querer chorar. Colocou a mão na porta, desejando loucamente que não fosse tarde demais, ele diria a Lanore para não ter medo dele, imploraria para que ela lhe desse outra chance. Ela, um dia, tinha sentido por ele algo parecido com amor — ele tinha *certeza* de que era verdade, ela não poderia negar aquilo —, e tudo o que Adair queria era fazer Lanore amá-lo novamente.

No entanto, o orgulho o fez parar, e ele tirou a mão da porta.

Adair foi ao banheiro lavar o rosto. A água ajudou-o a se acalmar e ele se olhou no espelho, lembrando-se de como ela tinha virado o rosto e tentado resistir aos beijos dele. Como ela tinha ficado tensa e se encolhido quando ele retirou seu membro frouxo de dentro dela. Jonathan estava certo ao duvidar dele: ele não conseguiria fazer Lanore amá-lo. Não era nem mesmo capaz de parar de estuprá-la, não era capaz de não se deixar afundar no rodamoinho de emoções conflitantes. Como um dia seria digno dela se esses desejos sombrios ainda viviam dentro dele? Teve que se controlar para não esmurrar o espelho sem parar, até não sobrar nada além de cacos de vidro.

Ele tentou manter as emoções sob controle durante a viagem de Boston até Aspen. Esperava que, quando visse Lanore de novo, seus sentimentos mudariam, e ele não sentiria a alegria e otimismo ou o desejo de ver seu amor correspondido nos olhos dela. As coisas seriam muito mais fáceis assim: se não fosse amor, ele poderia puni-la até satisfazer-se e, depois, desfazer-se dela.

Mas, tão insano quanto possa parecer, os sinais demonstravam que ele ainda a amava. Desejou existir algum modo de extrair esse amor, seja lá o lugar que fosse dentro dele onde ele crescia, como uma vinha rastejante, contorcida e enrolada em suas entranhas e ossos, apertando seu coração e cortando o oxigênio do cérebro, insinuando-se para dentro de sua própria medula. Se soubesse como, estancaria esse crescimento canceroso e asfixiante. Esse sentimento estava acabando com sua vitalidade, a força infinita de seu ser estava sendo triturada contra o imutável objeto do amor e ele sabia, por experiência dolorosa, que não venceria essa batalha. Não podia obrigar alguém a amá-lo.

Adair tomou uma chuveirada para lavar todos os resquícios do que fizera com Lanore, tirou os fluidos dela de seus testículos e o cheiro do medo dela de sua memória, enquanto tomava uma garrafa de algo bem forte. Mesmo assim, nada aliviaria o remorso que sentia por ter se entregado àquele momento de vingança e luxúria. Agora, açoitado pelo sentimento, Adair queria infligir dor em si mesmo, como um penitente. Pensou em cortar os pulsos para ver se lhe traria algum alívio, se sangrar o ódio de si o faria mais digno dela. Lembrou-se de como Dona costumava cortar os braços quando estava bêbado, achando ridículo, um ato fútil. Agora Adair entendia porque ele fazia aquilo, compreendia a fascinação do ato e toda a comoção diante de sua inutilidade.

Que punição Deus lhe enviara! Deus, ele não pensava em Deus há muito tempo, exceto de uma maneira pejorativa, e, mesmo assim, como se fosse uma velha senhora supersticiosa em seu leito de morte, o nome de Deus escorregou-lhe dos lábios! A invocação de Deus nesse momento mais sombrio e amargo deixou-o em choque. Era enlouquecedor! O que essa mulher estava fazendo com ele? Ela o tinha revirado de fora para dentro, feito dele algo que ele não era, ou estava tentando transformá-lo naquilo que fora um dia, mas que tentou negar? Ele era só um rapaz quando resolveu trocar o amor pela ciência. Ingenuamente, acreditou que tivesse escolha com relação a essas questões. Apesar de tudo, ele era só humano.

Andou de um lado para o outro na cozinha, abrindo os armários até encontrar uma garrafa de vinho, e ficou parado no meio do cômodo, incerto sobre qual seria o próximo passo. Independentemente de onde estivesse ou do que fizesse, a presença de Lanore o atraía como um ímã, não poderia ser feliz a não ser ao lado dela. Com um grunhido, Adair resistiu à vontade de levar duas taças até o quarto dela: puxou uma cadeira e bebeu sozinho.

❖

O retorno dos outros evitou que Adair ficasse bebendo na cozinha a noite toda. Os enteados de Tilde e seus amigos ainda estavam esquiando, mas os outros voltaram animados, as vozes ecoando pelos cômodos cavernosos. Adair tinha chegado à conclusão de que eles saíram, inimigos sanguinários e sem coração, pois conseguiam facilmente se imaginar no lugar de Lanny, sofrendo quaisquer que fossem os horrores que ele lhe infligira. Mas isso, Adair sabia, não era verdade: nenhum deles poderia invocar as emoções que ela conseguia tirar de dentro dele. Ele nunca amou ninguém do jeito que a amava.

Adair, sóbrio apesar de ter ingerido a segunda garrafa de vinho, juntou-se a seus servos.

— Fiquei histérico — Alejandro estava dizendo quando Adair entrou na sala. — Comecei a sentir a presença em minha cabeça de novo, como vocês, certo? — ele perguntou olhando apreensivamente de um rosto para outro. — Fiquei me perguntando o que seria... e de repente Lanore aparece no meu estúdio. Então, pensei comigo mesmo, *Será que isso é só uma estranha coincidência?* Mas não, sabia que não poderia ser só uma coincidência. Quando ela admitiu que *ela* foi responsável pelo desaparecimento de Adair, quase perdi minha compostura bem ali...

— Sempre suspeitei de que ela tinha alguma coisa a ver com isso — Tilde interrompeu, apontando com a cabeça para os outros. — Desde o início, havia algo nela em que eu não confiava.

— ... então, eu sei que tenho que fazer alguma coisa — Alejandro continuou, levantando a voz para ser ouvido acima dos outros. — Ela não pode simplesmente se safar do que fez com Adair, mas o que faço?

— Por que não a manteve com você? Podia tê-la mantido com você até encontrar Adair. — Pendleton perguntou, para a surpresa do espanhol. Ele não se deixava enganar pelo ar afetado de Alejandro, por sua falsa delicadeza; Adair gostava disso. Alejandro fingiu estar chocado.

— Para começar, eu não conseguia pensar direito, fui pego de surpresa. Mas eu, meu querido? Colocar as mãos em alguém? Não, e eu lhe digo o que me ocorreu: ligar para Tilde. Eu tinha certeza de que ela saberia o que fazer. Então, inventei uma história para mandar Lanore embora e liguei para Tilde, que me disse para mandar um recado a todos os outros que conhecíamos e ver se alguém tinha sido contatado por Adair. — Ele sorriu, satisfeito consigo mesmo. — Então, tive notícias de Jude, e um dia depois eu estava em Boston, reunido com Adair, como se meu desejo de vê-lo tivesse se materializado, como em um sonho. Fiquei sem palavras de tanta alegria. — Ele virou-se e teve a visão de Adair, e seu rosto se iluminou em êxtase. — E até agora estou encantado ao vê-lo novamente conosco, desse jeito. Como se todo esse tempo não tivesse passado de um pesadelo, que agora acabou. É um milagre.

Adair grunhiu despretensioso, sem vontade de se engajar na bajulação de Alejandro. A verdade era que Adair tinha ficado chocado ao ver Alejandro sem tê-lo chamado. O espanhol apareceu na porta de Jude, presumindo que pudesse retomar seu lugar no séquito de Adair. Ele trouxe uma caixa de fotografias de sua vida com ele e insistiu em mostrá-las, foto após foto: pessoas que conheceu, lugares onde viveu. As mais constrangedoras eram da casa onde ele vivia atualmente, que Alejandro praticamente transformara em um santuário dedicado ao ex-mestre. Ele tinha recriado o quarto de Adair, dos narguilés até o canto de repouso coberto de almofadas. Um dos *robes de chambre* do próprio Adair estava pendurado ao lado da cama, obsoleto. Pior ainda, o espanhol levara com ele o equipamento de tortura, a rede de amarras, e entregou-os a Adair com reverência, como se Adair pudesse suportar usá-los agora.

Enquanto os outros cochichavam e se juntavam ao redor dele, Adair olhava-os criticamente. Será que sempre foram tão desagradáveis e ele nunca notou? Será que Jude sempre foi tão ganancioso, Alejandro tão serviçal? Ou, sem terem uma mão para guiá-los, deixaram seus piores atributos saírem do controle? Adair odiava a autoindulgência, ele a considerava a maldição dos preguiçosos. Não sabia se queria aguentar todos eles uma segunda vez, daria muito trabalho mudá-los. Pendleton parece o único promissor, Adair pensou, ele baniria o restante deles, daria uma boa purificada na família, mas pouparia Pendleton. Um homem precisava de pelo menos um servo em quem pudesse confiar.

E então havia Jonathan, sentado sozinho, ouvindo as tagarelices cacarejantes, mas sem fazer comentários. Adair achou que Jonathan parecia contido. Talvez estivesse pensando no que tinha acontecido com Lanore, se Adair tinha mantido sua promessa. Ou talvez conseguisse ver que Adair lutara com suas emoções e perdera a batalha.

À menção do nome de Lanore na conversa em volta dele, Adair sentiu uma fisgada perto de seu coração, ao se lembrar novamente do que tinha feito com ela no quarto. Ele teve a chance de lhe mostrar misericórdia, mas a desperdiçou, ela nunca mais confiaria nele. Seu antigo séquito tagarelava ao redor dele sem suspeitar que estava destruído pela vergonha, que queria cobrir-se de gasolina e acender um fósforo, ou quebrar-se em mil pedaços. Ele faria qualquer coisa para libertar-se de seu próprio eu miserável, mas não havia como escapar da sua natureza... nem mesmo se arrepender, como ele sabia muito bem.

A porta se abriu, e os esquiadores voltaram envoltos em uma nuvem de conversa sem propósito e risada sarcástica, os rostos jovens avermelhados pelo esforço. Ao verem os adultos reunidos ao redor da lareira, esconderam rapidamente toda a alegria e se transformaram em adolescentes mal-humorados de novo.

— Mika — Adair chamou o mais jovem por sobre o ombro, as palavras enroladas uma vez que a língua estava grossa por causa do vinho. — Venha aqui, garoto. Tenho uma tarefa para você.

Um silêncio aterrador caiu sobre a sala, exceto pela respiração profunda de Tilde. O garoto mais novo deu um passo para frente, relutante.

— Quero que vá até o quarto atrás da cozinha — Adair continuou. — Encontrará uma mulher lá. Leve algumas toalhas e lhe desamarre as mãos para que ela possa se lavar.

A palavra "desamarre" cortou o ar feito um sino alto e estridente, e os jovens se entreolharam nervosos, para ter certeza de que tinham ouvido corretamente. O choque misturou-se à descrença com relação ao que ouviram, e um deles riu, achando que fosse uma piada.

Jonathan começou a se levantar.

— Deixe que eu cuido disso.

— Fique onde está. — Adair rugiu sem tirar os olhos do jovem órfão, que, apesar de ser herdeiro de milhões, parecia tão grosseiro e inseguro quanto um ajudante de cozinha. — Não. Você fará isso, Mika... você quer ver sobre o que estou falando, não quer? Posso sentir que quer. Bom garoto. Mas não escute uma só palavra do que a mulher disser. Ela é uma sereia, e você conhece as sereias, não é? Elas enlouquecem os homens com suas canções.

— Acho que ele bebeu demais — Jude disse, desculpando-se com os meninos. — É óbvio que está brincando.

Tilde foi em direção ao corredor.

— Mika, fique onde está. Acho que seria melhor se eu mesma cuidasse disso...

— Sente-se! — Adair explodiu, colocando a sala em um silêncio aterrador. — Escutou o que eu acabei de dizer? É trabalho de Mika. Quero que se prove para *mim* — Adair esbravejou, o tom inquestionável em seu aviso.

Interiormente, as emoções conflitantes travavam uma batalha, um pouco mais cedo, ele desaprovara como Tilde corrompera o garoto, mas agora, em seu estado inebriado, Adair queria ver como o garoto reagiria quando se deparasse com alguém em perigo, como dar de cara com um coelho preso em uma armadilha. Será que o soltaria ou lhe quebraria o pescoço? Ou, talvez, enviando o garoto, um ser desconhecido, para ver sua prisioneira, ele estivesse provocando o destino a arruinar seus planos. Ao sentar-se com todos aqueles olhares fixos nele, Adair sentiu a sala ficar tensa e incômoda, e percebeu que tudo o que queria era colocar um fim naquele espetáculo. Como se houvesse alguém capaz de fazê-lo parar.

O garoto olhou para ele sutilmente antes de sair caminhando rumo à cozinha, e os amigos sabiamente escolheram desaparecer, indo em direção à escadaria. Antes que alguém pudesse falar, a campainha tocou. Jude correu para atender a porta, parecendo aliviado pela oportunidade de sair dali. No entanto, pouco tempo depois, ouviram a voz alta de um homem exigindo ver a proprietária da casa, a resposta murmurada de Jude, e então novamente a voz do homem, cada vez mais alta, e o nome "Lanore" ouvido distintamente, assim como "polícia". Tilde começou a levantar-se, mas Adair levantou a mão fazendo-a ficar onde estava, e ele inclinou-se em seu assento para seguir o caminho de Jude para fora da sala.

Um homem alto de meia-idade estava parado na frente da porta, tentando passar por Jude, que procurava barrar o caminho. O homem estava atormentado e avermelhado, nervoso, e dizia que não iria embora a não ser que fosse persuadido pela força física. E empurrou os óculos um pouco mais para cima no osso do nariz.

— Estou lhe dizendo, não tem ninguém aqui chamada "Tilde" — Jude dizia pacientemente quando Adair parou atrás dele.

— O que está acontecendo? Posso ajudar? — Ele queria dar uma boa olhada no homem que presumia ser o dr. Luke Findley.

— Conforme estava explicando para o seu amigo aqui, vim procurar pela minha namorada. O nome dela é Lanny. Sei que ela está aqui. O GPS do telefone dela mostra este endereço... — O homem parou de falar assim que olhou profundamente dentro dos olhos de Adair, e o desconforto visivelmente tomou conta dele. — Você é Adair, não é? O homem de quem ela me falou. Você é de verdade, realmente existe — ele disse com um tom de espanto, a voz seca. Jude deu um passo para trás, afastando-se da porta.

— Sim, sou eu. E você é...?

— Luke Findley. Mas você já sabe disso, não sabe?

— Me parece que ambos sabemos um pouco sobre o outro. Entre, Findley. Lanore está aqui, mas terá que me perdoar por não mandar buscá-la imediatamente: ela não está em condições de receber visitas. — Para a surpresa de Adair, o homem obedeceu como alguém que estivesse sonhando, caminhando lentamente pelo corredor. Lá, observou os outros, compreendendo repentinamente que as histórias eram verdadeiras. Olhou mais atentamente, curioso e contrariado ao mesmo tempo, mas não fez nenhum comentário.

Adair olhou Luke de cima a baixo.

— Então você é o amante de Lanore. Para dizer a verdade, estou surpreso. Não entenda isso de maneira errada, mas estou meio decepcionado com você: não está à altura do padrão ao qual ela está acostumada. Lanore geralmente prefere homens... mais bonitos.

— Ouvi dizer que você também — Luke refutou instintivamente.

Adair foi pego de calça curta. A réplica fora uma surpresa; talvez ele não fosse tão inofensivo quanto parecia, teve até coragem de dizer algo desse tipo. Corajoso ou não, Adair reagiu como sempre faria com qualquer zombaria, e deu um soco no rosto de Luke com o punho fechado. Alguma coisa trincou dentro da boca de Luke, e o sangue pingava do seu lábio inferior, que ele mordeu ao levar o soco. Ele cuspiu pedaços de um dente quebrado na palma na mão.

— Tome cuidado para não me deixar ainda mais enfurecido ou lhe mostrarei *exatamente* como eu gosto dos meus homens. — Adair avisou-o enquanto examinava o raspão sobre os ossos dos dedos da mão, um corte feito pelas pontas dos dentes de Luke. — Acha que talvez o gosto dela tenha mudado e agora esteja querendo um homem velho, de figura paternal? — ele continuou, flexionando a mão, o corte rapidamente desaparecendo como se nunca tivesse existido. — Nunca teria dado certo entre vocês dois. Ela não ficaria feliz por muito tempo. Você não seria mais do que um cãozinho de estimação, uma diversão para lhe fazer companhia. Você sabe, ela odeia ficar sozinha. Ela receberia até o diabo em sua cama se ele prometesse ficar até a manhã seguinte. — Adair via o homem acovardar-se. — Sim, isso é tudo o que poderia ser para ela: um servo quando lhe pudesse ser útil, um brinquedo quando não. Ela às vezes é muito cruel.

— Acho que você saberia disso — Luke murmurou por entre os lábios ensanguentados. — Ela se livrou de *você*, não é mesmo?

Um dos que estavam assistindo tudo soltou um assobio, outro, um grunhido, estupefatos pela ousadia do visitante. Dessa vez, Adair não lhe respondeu nada, só deu um golpe forte no estômago de Luke. Inclinou-se sobre o homem, que caíra no chão e se contorcia, indefeso.

— Você não tem a mínima chance do mundo contra mim. Eu o aconselho a não testar mais a minha paciência.

Com um braço, acenou para o bando de chacais às suas costas, subitamente exaurido do público.

— Saiam daqui, todos vocês. Me deixem sozinho com ele.

Eles saíram, cada um para um lado, lançando olhares de soslaio na direção de Adair enquanto esse andava de um lado para o outro no chão de mármore. *Deixe-os ficarem confusos* — ele resolveu, sem se importar mais com o que pensariam.

Adair podia sentir que o sentimento de Lanore por Luke era verdadeiro; de certa forma, era tão verdadeiro quanto o que sentira por Jonathan, apesar de representar um tipo diferente de amor. Incomodava-o tremendamente que pudesse perder Lanore para um homem tão indigno, tão comum. Não foi necessário o deus Sol para roubá-la dele.

Com Luke deitado no chão, Adair chutou-lhe a barriga com força, depois deu um segundo chute no rosto. Fazia bem chutar alguém, exorcizava sua fúria.

— Por que veio aqui? — ele perguntou quando terminou de golpeá-lo, o ódio monumental finalmente se dissipando. — Acha que é mais merecedor dela do que eu, que tem qualquer direito sobre ela? O que imaginou que pudesse fazer por ela vindo até aqui?

— Tinha que vir. — Luke conseguiu sussurrar, os braços fechados sobre o estômago, cuspindo sangue sobre no chão. — Sabia que ela estaria aqui. Não podia abandoná-la. Preferiria morrer a viver sem ela.

Adair queria desprezar o homem no chão diante dele, mas não podia, ambos eram muito parecidos, desesperados pelo amor de Lanore. Como não tinha coragem de matar esse homem, queria que o idiota apaixonado saísse de sua frente. Tirou do rosto o cabelo negro ensopado de suor e se inclinou sobre Luke.

— Terminei com você, por hora — Adair declarou, erguendo-o do chão com uma das mãos. — Enquanto eu não estiver aqui, quero que reflita sobre sua situação desesperadora. Desista. Simplesmente desista. Nunca ficará com ela de novo, nunca permitirei isso. — Ele sentia-se bem em dizer coisas desse tipo, como se pudesse criar um futuro a partir de seu próprio desejo. Então, arrastou Luke pelo corredor. — Me ouça bem. Aceite o que estou lhe dizendo e talvez eu não o mate. Mandarei você de volta para a sua família, as suas filhas. Tenho certeza de que elas ainda precisam de você. Pense em sua obrigação para com elas. Não há vergonha nenhuma em abrir mão de Lanore para voltar para elas. Na verdade, é muito honroso. — Adair enfiou a mão no bolso de Luke e pinçou um telefone celular. — Veja bem, vou colocá-lo em um lugar silencioso, sozinho, assim poderá pensar sobre o que acabei de lhe dizer. Lembre-se de que eu não quero matá-lo, então, não me provoque.

XXXI

Adair só sabia de um lugar onde poderia esconder Luke: na garagem, um espaço cavernoso com vagas para quatro veículos. Ele encostou Luke em um pilar, com as mãos amarradas nas costas. Não precisava se preocupar em deixar seu prisioneiro sem ser vigiado, uma vez que a garagem era afastada das idas e vindas da casa. Além disso, o homem estava quase à beira da inconsciência, escorrendo sangue sobre o chão de concreto manchado de óleo. Ele provavelmente não causaria nenhum problema.

Depois de cuidar de seu visitante inesperado, tinha chegado a hora de seguir em frente com a questão que mais estava pesando em sua mente: Jonathan. Seu desconforto com a presença dele era quase insuportável. Adair tinha concluído que a maior parte desse desconforto era culpa, culpa pelo que fizera a Lanore, e também culpa por roubar a paz de Jonathan. Adair não sabia mais o que Jonathan era. Às vezes, ele parecia ser um oráculo, com o dom da visão do futuro. Talvez tivesse se transformado em um portal entre os dois mundos, um condutor das mensagens desses seres superiores. Outras vezes, Jonathan parecia ser simplesmente um espião dessa tal rainha de quem falava de forma tão misteriosa.

A ideia de uma rainha tomava Adair de um horror inexplicável. Uma rainha implicava haver um rei, um homem que poderia sentir-se traído pelo interesse da rainha por Jonathan. O que mais incomodava Adair era a vaga sensação de que deveria evitar essa mulher e que, sob circunstância nenhuma, deveria conhecê-la. Não sabia o porquê, mas passara a confiar em seus instintos.

Toda essa incerteza deixava Adair enjoado e desequilibrado. Passou a vida toda tentando desvendar o desconhecido, no entanto, para compreender esse mistério, ele teria, aparentemente, que deixar esse mundo, um passo que ainda não estava preparado para dar. Se Jonathan era uma conexão com a outra vida ou com a rainha, Adair achava que precisava fechar esse canal.

Ele foi até a cozinha e escolheu uma faca, grande e larga, um pedaço considerável de aço, e testou o peso assim que a pegou nas mãos. Então, foi até o andar de cima, e procurou de quarto em quarto até encontrar Jonathan.

Jonathan olhou para o que Adair trouxera, mas não se preocupou. Ele estava esperando por esse desfecho: os dois homens sozinhos, a faca de açougueiro. Ele falou primeiro, aproveitando-se da hesitação de Adair:

— Você não manteve sua promessa. — De repente, para Adair, o ar entre eles ficou espesso e quente. Como Jonathan poderia saber o que se passara naquele quarto se uma voz do outro mundo não tivesse lhe cochichado no ouvido? — Nem se incomode em negar. Dá para ver pela expressão em seu rosto.

Adair afastou-se de Jonathan.

— Então, também pode ver que estou no inferno. A última coisa que eu queria fazer era machucá-la. Mas estava esperando por esse dia fazia tanto tempo... não consegui me controlar. Não consegui negar minha natureza.

— Desculpas são inúteis — Jonathan respondeu. — Acha que os *porquês* importam? Tudo o que importa é *o que você* fez.

— Esperou muito de mim — Adair ergueu o tom de voz, furioso por estar sendo questionado.

— Estamos falando das expectativas de Lanny, não das minhas.

— O que aconteceu... não poderia ter acontecido de outra forma. Um homem não pode mudar sua natureza.

— Todos nós temos que domar nossa própria natureza. E se não pode controlar a sua, isso quer dizer que você é muito fraco, Adair. Não é merecedor do amor dela. Acabou com qualquer chance que pudesse ter. Imagina que ela irá algum dia esquecer o que fez ou perdoá-lo?

A fúria e o desespero se acenderam dentro de Adair diante dessas palavras. Lanore era seu destino, mas o mero pensamento sobre ela o fazia mergulhar em um caos emocional. Enlouquecia-o pensar que não tinha controle sobre ela. Ele tinha conseguido forçar todo mundo a sucumbir aos seus desejos, pois estava inclinado a abrir mão de qualquer sentimento que pudessem ter por ele em troca de obediência. Com Lanore era diferente. Era estranhamente bom se entregar à necessidade que tinha dela. E ela era a única a quem ele *poderia* se entregar. Só quando estava com Lanny é que conseguia se esquecer — que podia abrir mão — de tudo o que parecia importante.

Contudo, subestimou a força de seu desejo. Jonathan já o tinha avisado. Como foi estúpido ao pensar que poderia mudar sua natureza com tanta facilidade. Não era algo que estava começando do zero entre eles, ele sabia disso, não sabia? Ele tinha destruído qualquer chance antes mesmo de poder começar.

Mas ele era apenas um homem. Tinha limitações, não poderia mudar completamente em um dia. Havia esperado muito e tinha prometido o que não poderia cumprir a Jonathan. Maldito Jonathan! Que esse maldito voltasse para o inferno! Adair faria as coisas ao modo *dele*. Começando por Jonathan.

Era hora de mandá-lo de volta à vida após a morte. O lugar dele não era mais desse lado do véu. Ele era uma sombra, uma aparição vestida em carne e osso, talvez um espião ou um charlatão destinado a desviar Adair de seu caminho. Além disso, Adair sentia, no fundo do coração, que Lanore não deveria ver Jonathan novamente, que, de alguma forma, isso a levaria a uma grande ruína. Adair sentia arrepios só de pensar em tal acontecimento.

Não só isso, Lanore olharia uma só vez para o rosto destruído de Jonathan e culparia Adair. Saberia que ele tinha sido o culpado, talvez até pensasse que ele o fizera por maldade. Teve uma sensação amarga e profunda no estômago ao pensar na decepção dela. Parecia que ele estava destinado a decepcioná-la.

Para o inferno! Maldito Jonathan! Maldita Lanore, também! Foi ela quem provocou tudo isso, ele pensou amargamente.

Uma onda de vergonha varreu Adair, quente feito óleo fervendo — vergonha por não conseguir controlar-se, por não conseguir esconder aquilo de Jonathan. Vergonha por Jonathan conhecê-lo melhor do que ele próprio se conhecia. E também fervia de ciúmes.

— Não precisa se preocupar mais com Lanore, Jonathan. Ela é minha agora. — Ele virou a ponta da faca. — E já que ela é minha de novo, não preciso mais de você. Está na hora de voltar para essa sua rainha.

— Pode mentir para você mesmo, mas não pode mentir para mim. Sei por que está me mandando de volta, Adair. Você tem medo dela, da rainha de quem lhe falei, e está certo em temê-la. Acredite em mim, não vai gostar se ela vier atrás de você. Mas não é por isso que vai me matar agora. — Os olhos negros de Jonathan o estudaram de um jeito enervante. — É porque não quer que Lanny me veja. Mesmo nesse estado, destruído como eu estou, você tem medo de que ela ainda prefira a mim. E isso o destruiria.

O palpite dele tinha atingido direto no ponto. Adair recuou como se uma flecha tivesse lhe acertado o peito. Jonathan estava certo: ver o rosto de Lanore se iluminar de amor por Jonathan o destruiria. Ele não aguentaria. Preferia ser covarde e insignificante a permitir que os amantes se unissem de novo. Mas isso cairia bem como parte da punição de Lanore, ele insistiu consigo mesmo. Pelo que lhe fizera, ela nunca mais deveria ver Jonathan. Se ele tinha que sofrer, os dois sofreriam também. Se ele não podia ser feliz, ninguém seria.

— Não estou nem aí para o que pensa, Jonathan — ele declarou, erguendo a faca. — Mandarei você de volta ao mundo de onde veio, de volta para os braços de sua nova amante.

Jonathan ergueu a mão para segurar a faca.

— Meu último conselho para você, Adair. Você quer o amor de Lanny, sei que quer, e não tem problema em querer, pois ninguém nunca o amou, Adair. Nem aqueles ditos amigos, nem sua família. Nem os seus servos. Deve ser a única alma em toda a Criação que nunca foi amada. A única alma que nunca foi amada na história do mundo. Lanny é sua última chance, Adair.

A revelação foi demais para Adair. Inundado de vergonha, ele passou a faca pela garganta de Jonathan em um único movimento. Não se vangloriou por achar que tinha feito um movimento habilidoso demais para Jonathan se defender: o homem morto não ofereceu resistência, querendo voltar para a esfera de onde viera. Adair esperou que o pescoço de Jonathan fosse cartilaginoso e grosso, mas osso e tendão se partiram como manteiga na faca, a cabeça cortada sem fazer sujeira. Não houve jorro de sangue, somente algumas gotas de uma seiva negra e pegajosa. O corpo permaneceu ereto, suspenso pela contração dos músculos durante o tempo que precisou para exalar o último suspiro, e então caiu em um amontado sobre o chão, como uma marionete que teve suas cordas cortadas. Era como se tivesse estado na companhia de uma sombra, de uma criatura mágica, e não de um homem de verdade. Recaindo o olhar sobre Jonathan, Adair sentiu um arrepio lhe percorrer.

Pendleton foi o primeiro a passar por Adair, em pé do lado de fora do quarto de Jonathan. Adair deu a ele a faca.

— Diga a Tilde que precisaremos pagar alguns homens para virem buscar o corpo. Quero que o joguem na água, em algum lugar fundo, de onde nunca possa ser retirado.

Continuou caminhando pelo corredor antes mesmo de Pendleton processar suas instruções, completamente chocado pela visão do corpo decapitado de Jonathan caído sobre o tapete persa.

XXXII

Depois que Adair saiu, deitei-me imóvel sobre a cama, de lado, com meus joelhos dobrados perto do peito. Devo ter enrijecido cada músculo de meu corpo durante o estupro, pois tudo doía cada vez que respirava. Meu maxilar, minhas costelas, meus quadris — tudo doía. Eu sentia essa dor porque ele queria assim. Ele queria que eu sofresse. Lembrando-me do que Adair fizera, puxei meus joelhos ainda mais apertados, e chorei de medo e frustração, sabendo que isso — e coisa pior — seria o meu futuro.

Foi um milagre não ter sido pior. Adair não me bateu, não houve ameaças, nem insultos, nem prazer pelo mal que estava me causando. Para ser sincera, se me lembrava corretamente — o episódio fora uma nuvem de terror —, ele tinha até tentado me beijar. E depois de ter gozado, saiu apressado, como se estivesse envergonhado. Não era exatamente o que achei que aconteceria comigo quando ele me pegasse. Não fazia sentido.

Alguém estava vindo: ouvi o barulho da maçaneta. A porta abriu-se totalmente e lá estava o enteado de Tilde, Mika, alto e magro feito um potro. Era tão pálido que brilhava como um fantasma. Com aqueles olhos furtivos, ele olhava fixamente, não para o meu rosto ou para minhas mãos amarradas, mas um pouco mais para baixo, tomado pela visão inesperada de um dorso seminu: minha saia ainda estava contorcida ao redor de minha cintura. Eu puxei-a sem jeito, e ele não se mexeu para me ajudar, não gritou assustado, não parecia tocado, tampouco ofendido ou assustado. Simplesmente olhava fixamente para mim.

— Me ajude-me, por favor — eu disse, esperando levá-lo a ter pena de mim.

Ele continuou me olhando durante um minuto ou dois, e então balançou a cabeça.

— Aquele homem... ele me disse apara desamarrar suas mãos para que você pudesse se limpar.

Claro que não precisava dizer quem o tinha enviado: ninguém mais teria ousado fazer isso. Mika chegou mais perto e estudou a corda, mas eu tinha lutado tão furiosamente que o nó estava ainda mais apertado. Ele tirou um pequeno canivete e cerrou a corda, até ela cair.

— Me diga, quem é esse homem que veio ver Birgit? — ele me perguntou enquanto me soltava. Estava evidentemente dominado pelo ciúme. — Por que ele está aqui?

Meu instinto foi de proteger Mika do que estava acontecendo ao redor dele, achando que ainda era uma criança.

— Ele é perigoso. Fique longe dele. Não confie nele. — Esfreguei as escoriações nos meus pulsos, sabendo que desapareceriam logo, ainda que dentro do quarto escuro Mika certamente não pudesse perceber esse pequeno milagre.

Um sorriso falso surgiu no canto da boca do garoto.

— Ele disse a mesma coisa sobre você. Chamou-a de sereia e me disse para não prestar atenção em sua canção.

— Você já é praticamente um adulto. Pode decidir por si mesmo em qual dos dois confiar.

Parecia evidente em quem ele deveria acreditar, no entanto, pela expressão distante do rosto do garoto, eu podia perceber que não lhe interessava quem eu era ou o que aconteceria comigo. Ele vivia em seu próprio mundo e, naquele momento, tinha só uma coisa na cabeça.

— Eles eram amantes? — indagou.

Hesitei.

— Veja bem, há coisas sobre sua madrasta que você não sabe...

— Sei mais sobre ela do que você pode imaginar — ele respondeu, quase orgulhoso. Começou a desabotoar a camisa. Eu me encolhi, achando que ele iria se aproveitar da situação e me atacar também, mas não foi o caso. Ele escorregou a camisa sobre o ombro, revelando a brancura pura da pele das costas, ou quase pura, pois estava coberta de pequenos hieróglifos negros, uma série de letras que eu nunca tinha visto antes, palavras que eu não conseguia ler. Era como um antigo manuscrito em uma língua há muito esquecida. Obviamente, eu sabia quem tinha feito aquilo com ele: pelas fileiras de picadas pretas que formavam as letras, reconheci a mesma mão que fizera a tatuagem em meu braço com um jogo de agulhas e um pote de tinta indiana centenas de anos antes. Tilde.

Ele deixou a camisa cair completamente das costas para me mostrar que seu corpo estava coberto com a escrita tatuada: atravessando as omoplatas mirradas e subindo pelo pescoço até onde o colarinho alcançava, descendo pelos braços até onde as abotoaduras ficavam. As letras seguiam sobre os ossos das costas e desapareciam dentro de suas axilas. As tatuagens ficavam escondidas sob as roupas e só Deus sabia o que estava escrito ali, mas eu achava que sabia o que era: marcara-o como dela, e aquilo era uma prova de até onde ele iria para agradá-la. Além disso, ela estava representando, fingindo ser Adair, imitando os hábitos dele, tentando criar sua própria dinastia. Porém, os homens dela não eram imortais e, independentemente do que fizesse para tentar mantê-los com ela, estavam fadados a decepcioná-la. Mika olhou para a escrita no antebraço direito encantado, como se um pássaro selvagem tivesse sentado ali.

— Ela me disse que são feitiços que me ligam a ela e talismãs para me proteger — ele declarou, olhando para mim, na esperança de que eu confirmasse suas ilusões, mas eu não podia. Eu sabia que ela não tinha poderes mágicos. Ela não era Adair. Aquelas não passavam de tatuagens que ele carregaria com vergonha pelo resto da vida, a prova de sua ingenuidade juvenil.

— Sim, está ligado a ela agora. — Não deixava de ser verdade, mas eu confirmei somente para agradá-lo, ainda que me deixasse enojada. Ao puxar a camisa de volta sobre as tatuagens e fechar os botões, ele sorriu com uma satisfação infantil.

— Aquele homem que veio vê-la, ele parece... perverso. Há algo de errado com ele. — Mika admitiu com relutância. — Isso aqui vai me proteger dele também?

Havia tanta esperança naquele rosto. Ele queria ser o jovem salvador de Tilde.

— Me ouça direitinho — eu disse, tentando atravessar o estado de encantamento dele. — Nada pode protegê-lo de Adair, nada. Fique longe do alcance dele, entendeu? Não fique sozinho com ele sob quaisquer circunstâncias e, pelo amor de Deus, não provoque uma briga com ele.

No entanto, ele apenas sorriu, seguro em sua tolice.

— Não se preocupe comigo. Sei cuidar de mim mesmo. — E, em sua ingenuidade, provavelmente achava que era absolutamente capaz e até mesmo o escolhido. Afinal, fora seduzido por sua madrasta e isso não era prova do quanto era especial? — Adair disse para você se limpar — ele informou ao sair do quarto. — Acho que vem atrás de você logo, logo.

Assim que Mika saiu, fui até o chuveiro no banheiro de empregada e parei sob o jato cortante de água quente, desejando que toda aquela água pudesse levar embora o que Adair fizera. A água podia me deixar limpa de novo, mas não inteira, podia me aquietar do lado de fora, mas não apaziguar a minha mente. Eu não tinha forças para recusar nada a ele, uma vez que minha vida agora revolveria ao redor dos altos e baixos de seu humor. Quando fosse pacífico comigo, a vida seria tolerável, mas, quando estivesse vingativo ou irritado com outro assunto, seria um inferno. Ouvi a porta se abrir enquanto estava tomando banho e não fiquei surpresa ao encontrar Adair jogado sobre a cama, olhando para o lugar no colchão onde ele me prendeu e me estuprou. Quando abri a porta do banheiro, deixando uma nuvem de vapor entrar no quarto, ele olhou para mim, úmida e nua. Não havia nem desejo nem fúria nos olhos dele. Ele parecia tão nervoso quanto eu pelo que tinha acontecido mais cedo. Puxou o lençol amassado do colchão e arremessou-o para mim.

— Disse para o garoto trazer toalhas — ele informou.

Enrolei o lençol em volta do meu corpo e mantive distância, apesar de ele parecer disciplinado e tranquilo, e sem vontade de me atacar novamente.

— Vista-se — ele ordenou. — Quero conversar com você, mas não aqui.

Aparentemente ambos estávamos pouco à vontade naquele quarto, onde a violência dele ainda pairava no ar. Fui em direção às minhas roupas usadas, agora rasgadas e sujas de sangue, mas ele me passou outra peça de roupa.

— Trouxe algo limpo para você vestir — informou. Era o *robe de chambre* que eu vira pendurado no quarto de Alejandro em Barcelona, e que um dia fora de Adair. A velha seda, listrada de verde e dourado, estava frágil por causa da idade e fina como uma bruma, mas, quando eu o vesti e o amarrei na cintura, lembrei-me dos tempos que o usara no quarto de Adair, na casa de Boston, tendo acabado de sair dos braços dele.

Enquanto caminhávamos pela casa, percebi que estava vazia: ninguém da família de Tilde estava na sala de estar, nem havia o burburinho das vozes saindo de outros lugares, e Adair me levava pelo caminho que dava até uma pequena biblioteca particular, cada parede do aposento forrada de prateleiras de livros. Ele se acomodou na poltrona e eu me sentei na namoradeira, o mais longe dele possível. Vestida em seda surrada e de cabelos molhados, eu estava com frio e tremia. Os olhos dele me observavam de cima a baixo, e a contar pelos olhos, pelo trejeito da boca e pelo franzido da sobrancelha, eu podia dizer que ele tinha algo em mente.

— O que vai acontecer depois disso? — perguntei, cuidadosa, para não transparecer o quanto estava aterrorizada pelo que seria sua resposta. Ele ergueu as sobrancelhas.

— É exatamente isso o que quero discutir com você: o que vai acontecer daqui para frente... Você virá comigo, é claro. — Não queria aparentar que concordava com ele, então, não disse nada. — Encontraremos um lugar para viver e você dormirá na minha cama e comerá à minha mesa — ele continuou. — Desde que se comporte, faça conforme eu mandar e não tente fugir, eu não a prenderei. Permitirei que administre a casa, desde que viva de acordo com as minhas regras.

Queria que fosse objetivo sobre o que queria de mim, sobre o que aconteceria entre nós dois. Seria como foi em Boston? Será que ele esperava que eu agisse como se o adorasse, e eu teria que tomar cuidado com cada palavra? Ou ele não se importaria se eu o aborrecesse, desde que não fosse escancaradamente rebelde?

— Então vou ser como Uzra? Vou tomar o lugar dela?

— Espero que seja melhor entre nós do que foi com Uzra.

— E se eu não fizer como você mandar?

Ele suspirou, decepcionado.

— Talvez seja melhor se você não fingir que tem alguma opção, Lanore. — Ele esperou até que eu absorvesse seu conselho antes de continuar: —

Iremos embora logo, talvez amanhã. Pendleton está tentando encontrar um lugar para vivermos por hora. Quero ficar longe dos outros. Quero que seja só nos dois, para não sermos observados nem sermos motivo de fofocas constantes. — Perguntei-me se isso seria um mau sinal, se a privacidade significava que ele se sentiria menos restringido em suas ações. — E assim que retomarmos nossa vida juntos, podemos procurar um lugar que lhe agrade mais. Podemos ir para onde quiser: o que acha disso?

Ele estava tão tranquilo que me pegou de surpresa. E o desejo de me agradar, de novo, parecia ser algum tipo de truque. No meio disso tudo, também me perguntava sobre Jonathan: se Adair o trouxera, estava em algum lugar da casa. De qualquer forma, não conseguia pensar em uma maneira de perguntar sobre ele sem correr o risco de enfurecer Adair novamente.

— Agora, há somente uma coisa para a qual preciso de sua ajuda — ele continuou. — Seu amigo está aqui... o homem com quem você se envolveu... o médico do Maine. Ele veio procurá-la.

Luke está aqui? O pânico cresceu dentro de mim. Ele fez a maior loucura ao me seguir; e como tinha me encontrado? Não tinha dito a ele para onde estava indo ou com quem planejava me encontrar. Por um minuto, fiquei cega de medo. Mas, apesar disso, acima do bom senso e das palavras, estava grata e surpresa por Luke me amar tanto a ponto de vir atrás de mim. Cheguei mais perto de Adair.

— Deixe ele ir. Por favor.

Adair passou a mão rudemente pelo cabelo.

— É exatamente nisso que estava pensando, mas, a julgar pela sua reação, talvez eu devesse reconsiderar? Você parece gostar muito dele. Tê-lo por perto poderia servir para alguma coisa, eu acho.

— Isso não é necessário. Farei qualquer coisa, Adair, prometo, se deixá-lo ir.

Ele me olhou, cinicamente triste. Reticente, coloquei minha mão por cima da dele.

— O que tem a perder? Você já tem a mim e, fazendo isso, terá minha eterna gratidão também. Adair, você tem as cartas na mão, pode se dar ao luxo de ser magnânimo. Por favor.

Ele olhou de soslaio para minha mão.

— Fez uma linda promessa, Lanore, mas já prometeu coisas no passado e veja onde me levou. Ama esse homem o suficiente para fazer qualquer coisa para salvá-lo. Primeiro Jonathan, agora ele. Eu, nunca. Então, prove que se entregará a mim. Prove que é minha. Venha, sente-se no meu colo.

Não havia nada que pudesse fazer, então eu me levantei, dei uma volta na poltrona onde estava sentado e me abaixei cuidadosamente sobre ele. O *robe de chambre* era fino e eu parecia estar nua, cada movimento das coxas e dos testículos dele eram evidentes para mim. Força e desejo emanavam dele, a luxúria, por si só, forte o suficiente para me esmagar mesmo quando seus braços ainda continuavam imóveis ao lado do corpo.

— Ok — ele disse roucamente. — Agora me beije, Lanore.

Tinha medo de fazer isso, medo do que ele fosse perceber com meu beijo, porém, obedeci. Peguei o rosto dele entre as mãos, a barba dele me espetando as palmas, meus polegares pressionados nos sulcos das maçãs do rosto. Coloquei meus lábios sobre os dele, e seu hálito quente ficou preso entre nós por um segundo. Então o beijei com toda a ternura que consegui. Tinha medo de que ele pudesse saber tudo sobre mim com aquele beijo — meu medo dele, minha aflição com Luke e minha preocupação com o que aconteceria a Jonathan —, e que, por ódio e inveja, ele destruísse o homem a quem eu devia tanto. Eu tinha selado o destino de Luke no dia em que, egoísta, lhe pedi para me ajudar a fugir de St. Andrew. Eu não conseguiria viver com isso, então beijei Adair profundamente, profundo demais para sentir, meu Deus, uma turbulência crescente dentro de mim como um trovão a distância.

Satisfeito, ele me beijou de volta ferozmente, um beijo como o dos velhos tempos, quando ele se entregava a mim sem reservas. E então sua boca estava em toda parte: no meu rosto, nos lóbulos de minha orelha, abaixo do meu pescoço, o *robe de chambre* aberto para lhe facilitar o acesso, sua cabeça leonina entre os meus seios, as mãos oferecendo-os à sua boca faminta. A partir daquele ponto, foi uma questão de minutos para que eu estivesse deitada sobre a namoradeira e ele sobre mim, dentro de mim. Tenho que admitir que ficar com ele dessa forma reacendeu meu antigo desejo, fez queimar as arestas, fazendo-me lembrar de que não estava tudo acabado. No entanto, sentia uma estranha mistura de emoções; imaginei-me sendo montada por um leão, dominada por uma força excruciante e uma paixão furiosa... e, também, havia a possibilidade de que, como um animal selvagem, ele pudesse me matar a qualquer minuto, seu amor substituído pelo ódio em um instante. Ao gozar, ele desabou em cima de mim, descansando a cabeça em meu peito como uma criança, como se a batida de meu coração o acalmasse. Fiquei deitada embaixo dele, perguntando-me se meu desempenho fora convincente o bastante para enganá-lo, bom o suficiente para que ele não se sentisse ameaçado por Luke e, assim, o libertasse.

Quando nos acalmamos de nosso frenesi, Adair ajudou-me a levantar da namoradeira, ajeitando a roupa enquanto eu esticava e amarrava o *robe de chambre* na cintura mais uma vez. Ele pegou minha mão e virou-se para mim.

— Então, está feito — ele declarou, satisfeito, escolhendo acreditar que agora tudo estava diferente entre nós. — Iremos ver esse homem, Luke, e você o mandará embora.

Adair levou-me até a garagem, onde deixara Luke como um cão sobre o chão manchado de óleo em uma vaga vazia, os braços amarrados nas costas. Eu engasguei ao ver o rosto dele, machucado e cortado, um olho fechado pelo inchaço e os lábios avolumados e rachados, os cantos cobertos com crostas de sangue. Ele provavelmente teria cicatrizes pelo resto da vida e seus ossos quebrados se recuperariam muito mal. Ele poderia nunca mais ser o mesmo, e era tudo culpa minha. Não podia chorar de medo e tinha que escolher as palavras que vinham até minha boca e controlar as lágrimas que estavam a caminho.

Acomodei a cabeça dele em minhas mãos e ele acordou, os olhos semicerrados olhando para mim, confusos. No estado em que me encontrava, estava com vergonha de ficar diante dele, pois com certeza ele podia sentir o cheiro de Adair em mim, e podia ver que eu estava nua embaixo do robe de chambre. Ele saberia o que eu tinha feito. Teria que usar isso a meu favor.

— Lanny? — ele murmurou.

— Luke, não deveria ter vindo atrás de mim.

— Eu não podia deixar você enfrentar... sozinha...

— Como me encontrou?

Por um momento, piscou com os olhos quase fechados, confuso com minha pergunta.

— Seu celular... lembra do programa que baixamos, o que tinha os mapas de Paris que lhe mostrariam minha localização no GPS caso eu me perdesse? Bem, me mostra onde *você* está também. Usei-o para seguir você...

— Luke... escute. —Pressionei um dedo sobre os lábios dele, para fazê-lo parar de falar. — Infelizmente você não entende. Vim até aqui por minha própria vontade.

Ele sacudiu a cabeça, descrente.

— E sou tão sortuda. Adair me perdoou. Ele me aceitará de volta.

Luke fechou os olhos e engoliu com dificuldade.

— Então, veja bem, não vou voltar com você. Estou com Adair, agora.

— Está tentando me proteger, mas não vai adiantar. Não pode me mandar embora como se eu fosse uma criança — ele continuou sem hesitar.

Olhei sobre meu ombro e vi Adair em pé a poucos passos, de braços cruzados, nos observando com um olhar peculiar no rosto, de dor e tristeza, e, apesar de não parecer possível, uma terrível vulnerabilidade também. E então, como uma nuvem cobrindo o Sol, a expressão transformou-se em algo tão indecifrável quanto uma pedra.

Ajoelhei-me perto de Luke.

— Estou protegendo, você, Luke: finalmente estou lhe dizendo a verdade. Veja, cometi um erro achando que pudesse ficar com você. Aquela noite, em St. Andrew, quando nos conhecemos, tudo o que eu queria era fugir da polícia. Bastou apenas um olhar e eu sabia que poderia convencê-lo a me ajudar. Você tem um lado tão "escoteiro", Luke. *Boa gente.* Está escrito na sua cara. Cheguei à conclusão de que podia convencê-lo a me ajudar a atravessar a fronteira com o Canadá, então lhe daria um fora e seria isso.

Ele agonizava de dor.

— Está inventando tudo isso... Não acredito em você...

— Não, é a verdade. Minha cabeça estava confusa depois do que tinha feito a Jonathan. Estava cansada de minha vida e com medo de ficar sozinha. Achei que estivesse pronta para mudar, queria que as coisas fossem diferentes. E achei que você, quer dizer, você sendo tão correto e honesto, achei que pudesse fazer isso acontecer. Você é um homem bom, Luke, foi tão bom para mim. Realmente tentou, não posso culpá-lo por nada... Mas poderia tentar de hoje até o final dos dias e não adiantaria nada. Você não é a pessoa certa para mim. Não posso forçar-me a amá-lo do jeito que... deveria.

Luke mordeu o lábio inferior e sacudiu a cabeça sem querer, mas sua mão ficou pesada e frouxa na minha. Ele não a apertava mais de volta.

Continuei falando, torcendo para que ele estivesse ouvindo.

— Não tive a intenção de enganá-lo. Nunca imaginei que voltaria para Adair, nem em cem anos. Nunca imaginei que ele fosse me perdoar um dia. Mas estar junto com minha própria espécie de novo me fez lembrar de como a minha vida seria. Como *deveria* ser. Nós nos compreendemos. Não é um jogo constante de proteger seus sentimentos, de sempre lhe reassegurar de que não importa que esteja ficando mais velho, mais lento, mais fraco. — Ele piscou. Também me doía muito, mas eu tinha que envenenar os pensamentos dele sobre mim, para que nunca olhasse para trás em dúvida. Para que pudesse se separar de mim para sempre. E, aparentemente, algo em minha farsa estava funcionando, pois os olhos dele tinham uma sombra de dúvida.

— Convenhamos, Luke — continuei tão equilibrada quanto possível —, eu não tenho uma vida comum e não deveria fingir que tenho. Não fui feita para criar os filhos de outra pessoa. Você consegue me imaginar sendo feliz em sua casinha em St. Andrew, cuidando das roupas sujas, esperando pelas garotas chegarem da escola para assar biscoitos?

Ele esticou a corda que lhe amarrava as mãos.

— Sei que não é verdade — ele murmurou.— Você nunca iria com ele. Tem medo dele.

— Não espero que compreenda. Estar com ele de novo... cheguei à conclusão... que senti falta de estar com ele. Senti falta do meu lado *selvagem*, de me entregar aos meus impulsos mais sombrios. Tinha me esquecido de como era. — Fiquei em pé, inclinando-me sobre ele. — Não é fácil lhe dizer isso, Luke. Podíamos simplesmente tê-lo deixado aqui e você nunca saberia de nada. Mas achei que deveria saber a verdade. Assim, pode voltar para as suas filhas e se esquecer de mim.

Esperei, buscando uma indicação de que ele sabia que eu estava mentindo. Será que ele vira um tremor no meu olhar, um segundo de remorso pela dor que eu estava lhe causando? Não, eu era uma boa mentirosa. Enganei Adair uma vez, não foi? Era muito fácil enganar alguém tão ingênuo e honesto, tão confiável e honrado como Luke.

Então, Adair se intrometeu.

— Ouviu isso, homenzinho? Ela escolheu a mim, não quer mais você.

Luke olhou para seu torturador.

— Vá se danar.

Eu me joguei em frente de Adair para evitar que ele chutasse Luke, então, puxei-o de lado para que pudéssemos conversar sem que Luke nos ouvisse.

— Você o escutou ali, Adair. Ele não acredita em mim — eu disse.

— Não está sendo convincente o bastante — Adair grunhiu.

— Ele nunca acreditará que voltei por minha própria vontade, não depois de tudo o que ouviu sobre você.

De novo, ele me olhou de um jeito estranho.

— Isso é tudo o que ele sabe de mim: o mal? É essa a única maneira que pensou em mim? — Fui pega de surpresa. De que maneira ele esperava que eu pensasse nele? — Será que ele não podia acreditar que você me amou pelo menos um pouco? — Quando não respondi logo em seguida, Adair enrijeceu. — Então talvez devesse desempenhar suas habilidades dramáticas com mais afinco, minha cara. Como deve se lembrar, você conseguiu ser uma atriz bem convincente quando precisou.

Estava no meu limite, exausta. Não conseguia evitar as lágrimas.

— Precisa ser tão cruel? Tentei fazer o que me pediu. Tem poderes, não tem? Não há algo que possa fazer?

— Eu poderia matá-lo — Adair respondeu, e então se acalmou ao passar o dedo pelas lágrimas em meu rosto. — Mas isso não adiantaria nada, não é?

— Por favor, Adair. Se poupar a vida dele, serei eternamente grata a você.

Ele piscou diante da palavra “eternamente”. E limpou novamente minhas lágrimas.

— Você o ama e não quer que ele sofra por tê-la amado. Quer que eu faça alguma coisa para amenizar a dor no coração dele. É isso o que quer dizer, não é?

Soltei minha cabeça.

— Sim.

— Tudo bem. Isso eu consigo compreender. Seria tão bom se fosse fácil assim amenizar as dores do amor. Para esse homem, há algo que posso fazer. — Ele olhou Luke por sobre meu ombro. — Vou fazê-lo esquecer que um dia a conheceu. Entrarei na mente dele e arrancarei cada lembrança que ele tem de você. Você deve ir para o seu quarto e esperar por mim. Não saia do quarto, não tente roubar um último olhar dele pela janela. Ele não deve vê-la de novo antes de ir embora daqui ou o feitiço se desfaz.

Esta seria a última vez que eu veria Luke, percebi. Ele estava todo sujo de sangue e quase inconsciente, tudo por minha culpa. Sim, parecia ser melhor para ele que nunca mais se lembrasse de mim.

— Obrigada, Adair. Obrigada por sua... bondade. — Fiz uma pausa longa e, com esse último pensamento, fui incapaz de sair de onde estava, os pés plantados sobre o chão de concreto da garagem. — Mas... como saberei que fez o que me prometeu? Como saberei que você não o matou? — eu perguntei, a ideia acabando de me ocorrer.

Adair olhou-me com aqueles olhos assustadores, tão frios quanto as joias com as quais eles se pareciam, e respondeu:

— Não saberá.

XXXIII

LAGO GARDA, ITÁLIA

A casa que Pendleton encontrou para vivermos veio a ser um castelo na ponta norte do Lago Garda, bem no alto, na área italiana do lago, encrustada em uma estradinha serpenteante junto ao Vale do Sarca, com seus famosos e perigosos desfiladeiros aos pés da Cordilheira das Dolomitas. Adair conhecera a região há muito tempo, quando era habitada por grupos desorganizados de pessoas corajosas e obstinadas, capazes de sobreviver naquele terreno inóspito. Ele tinha memórias vívidas dos bandidos esfarrapados que faziam emboscadas nas passagens das montanhas, dos monges e padres que construíam igrejas escondidas no alto dos penhascos, seguidores da velha igreja que comandavam suas paróquias como déspotas.

Atualmente, a área atraía pessoas em busca de um terreno desafiador para esportes — escaladores de montanhas, praticantes de *windsurf* e ciclistas, que faziam trilhas nas montanhas —, mas a maior parte dessas atividades acontecia no vale, nas cidades medievais ao redor do lago, longe de nosso castelo do século 16, que ficava escondido atrás de um portão de ferro. Entre o portão e a longa e complicada descida para a cidade, tornara-se impossível para eu sair de casa, mas havia uma compensação por meu isolamento: uma vista magnífica do lago, a superfície negra sugerindo sua profundidade impenetrável.

Acho que Adair gostaria que eu e ele tivéssemos nos mudado para lá sozinhos, mas, ao final, acabou trazendo Pendleton conosco. Jude voltou a Boston para ganhar dinheiro, como uma criança encantada por voltar ao seu quarto e brincar de video game; Alejandro, apesar dos protestos afirmando que queria servir a Adair novamente, foi mandado de volta ao seu estúdio fotográfico em Barcelona. Ao menos não tinha sido estranho deixar Tilde para trás, pois ela mesma dissera a Adair que preferia continuar como ele a encontrara. Ela tinha se saído muito bem em alguns aspectos: era rica e completamente independente. Acho que queria ficar livre para juntar seu próprio grupo de acompanhantes, pessoas aquebrantadas em busca de alguém que lhe fizesse pagar pelos seus pecados. No entanto, se tinha Adair como inspiração, ela era uma versão malfeita do pobre homem, pois, apesar de ter unhas e dentes para enfiar em suas vítimas, sua única arma de sedução era a humilhação sexual. E há um limite para as pessoas que buscam esse tipo de degradação.

No castelo, Adair passava a maior parte do dia com Pendleton, aprendendo sobre o novo mundo, sobre a história e a ciência que perdera. Ele me deixava sozinha quase o dia todo, para ler, assistir à televisão e fazer compras online. Eu não podia descer até o vale para ir às lojas de verdade, nem mesmo com um acompanhante, mas podia pedir para entregar roupas novas e outros artigos variados no castelo.

Eu também navegava pelas notícias online e lia todas as histórias que podia encontrar sobre a volta de Luke, como um fugitivo, a St. Andrew. De acordo com as notícias, ele não tinha nenhuma lembrança de mim, e já que passara pelos testes de detectores de mentiras e ultrassons cerebrais, não havia nada que a polícia pudesse fazer e não puderam processá-lo. Quando as histórias cessaram, tentei continuar seguindo-o, mas seu nome desaparecera da lista de médicos do hospital, e, logo depois, a fazenda foi colocada à venda no site de uma corretora de imóveis, mesmo tendo certeza de que meu advogado completara a compra conforme eu havia pedido. Não podia culpá-lo por ir embora: a curiosidade dos vizinhos devia ser sufocante, e com certeza havia aqueles que não acreditavam que ele não se lembrasse de mim, do que acontecera no hospital naquela noite ou dos meses que passara desaparecido. Apesar de tudo, ele conseguiu sair de St. Andrew, e fiquei feliz por ele.

Quanto ao que restara da minha vida anterior, quis entrar em contato com Henri, meu advogado, para consolidar os meus ativos e organizar as minhas contas, mas Adair não permitiu. O desligamento foi feito, ele disse. O incêndio da casa de Paris pareceu um crime e funcionou a favor dele, pois aparentava que eu tinha desaparecido da face da terra. Não queria deixar pistas de nenhum tipo, caso alguém tentasse entrar em contato comigo. Além disso, ele declarou, seria de bom-tom que eu perdesse tudo se ele também perdera.

A perda de todo aquele dinheiro — ainda que fosse pequeno comparado à fortuna de Adair — deixou Pendleton enfurecido, e ele implorou a Adair para pensar no dinheiro como meu dote, mas ele não mudou de ideia. Não contei a ele sobre minha última conversa com Henri para comprar a fazenda dos pais de Luke, e falar desse assunto com Adair só serviria para colocar Henri em perigo. Imagino que o que Adair realmente queria era me deixar sem um tostão, dificultando ainda mais a minha fuga.

Com o passar das semanas, presumi que ninguém nos vilarejos ao redor sabia ou se importava conosco, até que notei que as empregadas e o jardineiro, que vinham da cidade todos os dias de manhã, pareciam estranhamente curiosos toda vez que nossos caminhos se cruzavam. Eles nunca perguntaram quem nós éramos ou de onde viemos — talvez a agência contratada tivesse lhes pedido para serem discretos —, até que um dia encontrei uma das empregadas que falava um pouco de inglês e lhe perguntei o que as pessoas da cidade comentavam sobre nós, achando que ela pudesse, no mínimo, confirmar que ninguém dava a mínima para quem alugava o castelo.

Ao ter permissão para falar sobre o assunto com seus patrões misteriosos, a empregada sorriu e me disse que os moradores dos vilarejos achavam que éramos de Hollywood, e que estávamos aqui para relaxar e ficar no anonimato. Os olhos negros dela imploravam para que eu confirmasse aquilo, e não tive coragem de dissuadi-la. Provavelmente, éramos muito mais interessantes para ela desse jeito; cheguei à conclusão de que há alguns poucos milagres terrenos que podem competir com Hollywood.

Adair reservava as noites para passarmos juntos. Imaginei que ele fosse estar ansioso por compensar dois séculos de privação e voltar à sua antiga forma, assim me preparei para uma vida de casas noturnas e outras diversões do tipo, tais como jantares, festas e orgias com os atletas de corpos musculosos e bem delineados que vinham desafiar as montanhas. No entanto, para a minha surpresa, ele parecia ter perdido todo o gosto por aquilo e queria ficar em casa. Sentávamos no mezanino escurecido do segundo andar, olhando através das janelas para a lateral das montanhas até as luzes da cidade embaixo, e para o reflexo maravilhoso da Lua sobre o lago escuro feito um borrão de tinta.

Fiz o papel de Scheherazade, uma vez que Adair me pediu para lhe contar cada detalhe de minha vida depois de Boston, desde o momento em que embarcamos para a Europa até ser abandonada por Jonathan no Marrocos, ficar perambulando pelo norte da África e pela Rota da Seda com Savva. Ele também quis ouvir sobre os homens que me amaram e sobre aqueles a quem eu, inconscientemente, usara para preencher o vazio que Jonathan deixara em meu coração. Adair absorvia tudo, raramente me interrompia para fazer uma pergunta ou pedir alguma explicação, mas não deixava de me tocar o tempo todo, acariciando meu braço, segurando a minha mão ou enrolando meus cabelos nos dedos, como fios de ouro em um carretel.

Disse-lhe várias vezes que achava constrangedor falar tanto de mim, e lhe pedi para contar a história de seu passado, se não por nada, simplesmente para me poupar de ouvir minha própria voz. Ele sempre protestava, dizendo que me contara um só capítulo de sua antiga vida e olhe só aonde isso o levara. Eu fui a única a desvendar seu segredo mais profundo. Quanto menos soubesse sobre ele, melhor, ele insistia.

— Além disso — ele brincou —, minhas histórias deixariam você louca de ciúme. Prefiro muito mais que façamos nossas próprias histórias. Como daquela vez... lembra-se? — Puxou-me para cima dele. — Quando fomos ouvir aquela palestra sobre... ah, não consigo me lembrar sobre o que era, porque você estava tão irresistível naquele dia, que não tive paciência para o palestrante. Fomos para trás da sala e fizemos sexo no fundo do auditório. Você se lembra? Até hoje consigo ver os rostos daqueles jovens chocados, bisbilhotando por cima das divisórias, encantados ao vê-la em tamanho êxtase. O farfalhar de sua saia de seda amassada entre nós e o som de seus gritos abafados ainda soando em meus ouvidos...

— Eu me lembro — respondi, enrubescendo.

— Diga-me que um dia teremos aquilo de novo, Lanore — ele disse repentina e seriamente. — Me diga que um dia vibrará de novo por estar em meus braços.

Eu não sabia o que dizer, era como ser levada por uma onda, bater a cabeça e ser puxada para o fundo. Não conseguia pensar em nada e me perdi nas palavras, incapaz de dar uma resposta que pudesse agradá-lo, e ele gesticulou, colocando o momento de lado, infeliz.

Cumprindo sua palavra, ele me levava para a cama toda noite. A princípio, fiquei ansiosa, sem conseguir me entregar no ato da cópula. Não conseguia parar de pensar em Luke, imaginando se ele estava bem e se se questionava por não se lembrar da mulher que todas as outras pessoas insistiam que ele conhecia. Deitar-me nua com Adair parecia uma traição, mas, se incomodava Adair, ele não demonstrava. Ele tentava me galantear a maior parte das noites, em outras, parecia satisfeito em ter meu corpo para fazer o que bem entendesse. Acima de tudo, eu me questionava sobre essa situação estranha, sendo tratada como uma convidada de Adair quando, por direito, ele deveria me tratar como sua prisioneira. Eu era grata por ter escapado da terrível punição que pensei estar esperando por mim, mas vivia em um estado de suspense contínuo. Tinha medo de que, talvez, estivesse vivendo em um sonho e acordaria para encontrar o Adair do passado, deitado na cama comigo. Eu vivia com a expectativa de que, um dia, o humor terrível de Adair mudaria de repente e, então, voltaria para o inferno que tanto temia.

❖

Uma tarde, estava perambulando sozinha pela casa, procurando alguma coisa diferente para fazer, quando Pendleton veio trotando escada abaixo em minha direção.

— Aí está você! Procurei-a por toda parte — ele falou em voz alta. — Adair quer ver você.

Sabia que o encontraria na biblioteca, pois era onde ele passava a maior parte dos dias. Era um ambiente magnífico, provavelmente o melhor de todo o castelo. Como no mezanino, o cômodo tinha uma parede de janelas altas e vista completa do lago, e, à tarde, a luz do Sol preenchia tudo. O Sol iluminava dezenas de prateleiras no ambiente, fazendo das paredes um mosaico resplandecente de colunas e diversos tons de couro com acabamento dourado brilhante.

Três mesas redondas predominavam sobre o assoalho, cada uma cercada por poltronas, mas Adair estava sentado na mesa do meio, a que tinha a melhor vista. Seu novo laptop colocado entre pilhas de livros e pedaços de jornais internacionais que os empregadores traziam da cidade a pedido dele. Ele estava atrás do laptop, olhando fixamente para a tela, mas fechou-o quando entrei na sala.

— Ah, Lanore. Sente-se, por favor. — Ele indicou a cadeira perto da dele.

— O que é? — Eu estava curiosa para saber o que se passava na cabeça dele, chamar-me durante o dia estava completamente fora da rotina.

Ele me estudou cuidadosamente por um momento, mas então pareceu se dar conta da severidade de sua expressão e amenizou o olhar. Ele estava assim desde a casa de Tilde, obviamente travando uma batalha entre a mente, a alma e o coração.

— Então, há quanto tempo estamos aqui, dois meses? Está gostando de sua vida aqui?

— É muito agradável — respondi.

— Não é muito parecido com as acomodações que você construiu para mim, mas é seguro e precisa ser muito confortável, já que tenho que compartilhar sua prisão com você.

Será que começara desse jeito com Uzra também? Eu me perguntei. Será que tinha sido cavalheiro e a cortejara, encorajara a falar sobre a infância, sobre seus sonhos? Conseguia imaginar como as coisas começaram a ficar ruins entre os dois: outro homem olhando para ela, talvez, ou talvez ele tivesse voltado a seduzir outras mulheres. Ou talvez, assim como eu, ela sempre o odiara, sempre se ressentira de que ele lhe tirara a liberdade. Talvez eles tivessem tido a conversa que estávamos prestes a iniciar e, caso eu não lhe dissesse o que queria ouvir, minha punição começaria de verdade.

— Aqui estamos nós de novo, Lanore, nós dois. Fico feliz em ver que, do seu lado, está cumprindo sua parte do acordo. Não tentou nem escapar nem entrar em contato com ninguém lá fora.

Nosso acordo. Um termo tão enganosamente inocente indicando uma decisão mútua. Pensei em Luke, em seu rosto machucado pela surra que levou da última vez que o vi. Será que temos obrigação moral de cumprir uma promessa feita à força?

— Fizemos uma barganha — respondi.

— Correto. Fizemos uma barganha. — Uma pausa tensa. — Agora que já se passaram dois meses, sinto que posso dizer a você, honestamente, que pensei que fosse ser diferente. Poderá achar ingênuo da minha parte, mas achei que fôssemos retomar o que tínhamos em Boston.

Eu sabia o que ele queria dizer. Houve uma época em Boston em que eu me apaixonei por Adair, estava encantada por alguém tão sofisticado quanto ele me achar fascinante... teria ficado grata por seu amor naquela época.

— Precisa entender: aqueles dias em Boston com você foi o tempo mais feliz de minha vida. A única época feliz da qual tenho lembrança. Estou começando a entender, no entanto, que talvez não seja possível ter aquilo novamente — ele continuou. Não conseguia mais olhar para mim e baixou o olhar para as mãos. — Achei que o problema entre nós, anteriormente, fosse Jonathan. Agora que ele se foi, pensei que você seria feliz comigo. Mas tem esse médico, nem belo nem rico, que tomou o lugar de Jonathan em seu coração. Mais uma vez, não há espaço para mim. Nada disso faz sentido para mim, nem um pouco.

Os olhos dele brilharam de ódio por um segundo, e eu fiquei com medo. Conhecia sua fúria muito bem. Se aquele brilho tivesse se mantido por mais do que um segundo, as coisas poderiam ter ficado feias. Isso me fez lembrar, também, que tinha vivido dessa maneira antes, com o medo sempre na boca do estômago, com medo de seus humores negros. Eu não queria viver assim novamente. Ele viu que me encolhi e fechou os olhos, a cena muito dolorosa.

— Você tem plena consciência, eu acho — ele prosseguiu, mais calmo do que antes —, de meus poderes singulares. Em todo o mundo, não há ninguém que possa lhe dar o que eu posso. E houve uma época em que eu teria feito qualquer coisa que me pedisse. Teria feito o Sol brilhar por vinte e quatro horas ou silenciado as ondas do mar. Teria feito o mundo aflorar, cada campo e cada planície, para adorá-la com flores. Teria criado uma segunda Lua para brilhar no céu ou feito todo mundo desaparecer, cada alma daqui até o final dos tempos, assim poderíamos ter o mundo para nós dois, só você e eu. Há só um homem no mundo que pode fazer essas coisas por você, que pode lhe oferecer céus e terra, que pode comandar as forças da natureza. Mas, mesmo assim — os olhos dele ficaram turvos, confusos e tristes —, você não me quer. Poderia dar-lhe uma poção e fazê-la se apaixonar por mim, mas estou começando a compreender que isso não acontecerá desde que você ame outro alguém. Lutei para aceitar isso, mas não consigo.

Segurei a respiração e esperei pelo ataque de fúria. Quanto mais professava seu amor por mim, mais perigosa seria sua decepção. Encolhi-me, esperando que lançasse o fogo do inferno por minha obstinação, minha intransigência, minha teimosia. Não havia nada que pudesse fazer, não tinha como amá-lo da mesma maneira que ele me amava — exatamente, ocorreu-me, como eu me sentia com relação a Jonathan. Ele continuava falando, apesar de, tomada pelo desespero, eu ter parado de ouvi-lo.

— ... e está acabando comigo ver que eu a faço tão infeliz. Assim... vou deixá-la partir.

Levantei a cabeça num solavanco, surpresa. Será que tinha ouvido corretamente? Tinha certeza de que tinha ouvido errado, que meus ouvidos ouviam apenas o que queriam que fosse verdade, mas era impossível dizer pela expressão vazia no rosto dele. Não, não vazia: infeliz.

— O que você disse? — perguntei nervosa.

— Pode ir. Está livre para voltar para o homem que ama.

Era muita coisa para compreender de uma só vez, e tive dificuldade em dar sentido aos fatos da maneira que os conhecia. Adair estava me deixando partir em busca do homem que eu amava, mas Luke não me conhecia mais. Tinha sido extirpada da memória dele. Adair balançou a cabeça.

— Sei o que está pensando, Lanore, mas ainda há esperança. Será um desafio, mas deve convencê-lo de que ele a conhece e que compartilharam uma vida maravilhosa. Vá encontrá-lo, Lanore, e faça-o se apaixonar por você novamente. Ele irá, se esse for o destino.

Estava perplexa, com medo de me mexer e quebrar seja lá qual fosse o feitiço que Adair estava escondendo na manga. Lá embaixo, o lago piscava para mim e, ao lado dele, a estrada que levava à vastidão do mundo. Por alguma razão, um milagre aconteceu. O coração de pedra de Adair amoleceu e eu estava livre.

— Eu... eu não compreendo, Adair — gaguejei. — O que aconteceu para fazê-lo mudar de ideia?

Ele abaixou a cabeça, procurando palavras que explicassem a mudança pela qual tinha passado.

— Quando você se apaixona, Lanore, apaixona-se loucamente: nós dois já vimos esse poder em funcionamento. É esse amor que quero de você. Como já vi não só uma, mas duas vezes, não serei capaz de aceitar menos do que isso. Não posso me satisfazer com a companhia pálida e cortês que tem me dado. Então, resolvi me tornar digno do seu amor. Preciso descobrir o que é necessário para que você me dê esse amor. Sei que tudo deve ser diferente. Tudo o que aconteceu no passado não funcionou, então, eu preciso mudar. Tenho planos de mandar Pendleton embora e eu mesmo irei embora para um lugar onde possa recomeçar do zero. Ensinarei a mudança a mim mesmo. Esse é o poder do amor — ele declarou. — Consigo imaginar nós dois, um dia, tendo uma vida maravilhosa juntos. Você sorri em dúvida, mas a eternidade é um tempo muito longo, minha cara, no entanto, isso só acontecerá se eu deixá-la ir agora. Devo correr meus riscos. Aparentemente, há uma força da natureza que eu não consigo comandar, e esta é a sua vontade. Talvez um dia você entenda que, imperfeito como sou, nenhum homem jamais a amará como eu amo, então, irá fundo em seu coração e descobrirá que também me ama.

Sentei-me em estado de choque, piscando pelo que pareceu um longo tempo. Fiquei tonta pelo discurso dele e me senti rodando em uma espiral, ao mesmo tempo feliz e preocupada. Meu coração saltitava com a notícia: eu estava livre! Poderia correr para Luke, suplicar, tentar restaurar suas lembranças.

Ao mesmo tempo, porém, me perguntei se aquilo seria uma armadilha. Adair tinha feito um discurso tão lindo quanto qualquer amante desejaria, prometendo adoração eterna, mas, ao mesmo tempo, balançava a liberdade diante dos meus olhos, a chave para a própria prisão que construíra tão cuidadosamente ao meu redor. Será que estava me testando para ver qual dos dois eu escolheria, quando realmente não havia escolha? Se seu pedisse para abrirem os portões, será que seria levada ao calabouço que eu suspeitava existir nas profundezas do castelo? Será que o meu corpo seria colocado no arreio humano? Comecei a tremer só de pensar.

Não se pode viver com medo do ser amado. Os escravos não podem amar seus mestres. Eu não podia imaginar ficar com Adair e ter que me virar do avesso, abaixar a cabeça, adulá-lo e agradá-lo eternamente. Levantei-me e o encarei.

— Mal posso acreditar no que está me dizendo.

— Acredite. Se escolher ir embora, o carro sairá em uma hora para levá-la ao aeroporto em Verona. — O olhar dele permaneceu fixo em meu rosto, sem trair suas emoções mais profundas.

— Se é assim, então escolho... — senti meu coração bater mais rápido. — Escolho ir embora.

Ele tentou esconder sua frustração, mas uma chama em seus olhos denunciou que estava arrasado. Ele concordou com a cabeça, e nos levantamos juntos. Não me mexi quando ele se inclinou para me beijar na bochecha e depois apertou nossos rostos juntos. Durante aquele segundo, quando nossos rostos se encontraram, senti o fogo dos velhos tempos sob minha pele. O fogo especial de Adair não existia em ninguém que eu jamais conhecera e, por um momento, quase me arrependi por estar prestes a perdê-lo.

— O carro estará esperando por você em frente à casa — ele informou com a voz rouca, sem parecer a dele. Então, virou-se e saiu da sala sem me dar a chance de falar.

Arrumei as malas com pressa, ainda sem acreditar em minha sorte, em parte achando que ele mudaria de ideia e viria rugindo pelo corredor com um metro de corda para me amarrar e desaparecer comigo, como Jonathan e eu fizéramos na noite em que o emparedamos. Enquanto fazia a mala, reparei que a casa tinha ficado mais silenciosa, e me pareceu que eu era a única pessoa lá.

Havia duas questões pendentes para resolver e precisava de Adair para ambas, mas eu não provocaria a sorte uma segunda vez para fazer o pedido cara a cara. Sentei-me na escrivaninha do meu quarto e escrevi um bilhete. Primeiro, pedi a ele para libertar Savva, se fosse isso mesmo que Savva quisesse. *Se quiser que eu o ame*, escrevi, *deve ser capaz de sentir compaixão*. Em seguida, escrevi que esperava que, um dia, ele pudesse me contar o que tinha acontecido com Jonathan. Disse-lhe que tinha passado os últimos meses esperando ter notícias sobre o destino de Jonathan, mas que ele tinha escolhido não me dizer nada. Eu compreendia que meu amor por Jonathan era um assunto doloroso para ele, mas informei-lhe que não havia nada a temer com relação a isso — não mais —, e esperava que, um dia, ele pudesse me contar o que eu gostaria de saber.

Assim que terminei o bilhete e deixei-o sobre a escrivaninha, tinha chegado a hora das despedidas. Corri pelo corredor, olhando de um lado para o outro pelas portas abertas, esperando ver os empregados ou Pendleton, mas não havia ninguém. Nem sombras sobre a luz dourada do final da tarde, nem conversas abafadas vindas da cozinha, nem a visão do jardineiro no quintal, através das janelas altas.

Parei do lado de fora das portas fechadas do quarto de Adair e pensei em me despedir dele, mas percebi a estupidez e saí depressa. Também passei pela porta da biblioteca, onde Pendleton normalmente passava suas tardes na companhia de Adair, mas ele não estava lá. Pensei em procurá-lo para dizer adeus, mas desisti. Enquanto carregava minha mala pela porta — um carro preto estava parado no quintal coberto de cascalho —, senti-me como uma princesa em um conto de fadas, fugindo enquanto o restante do castelo dormia sob o poder de um feitiço encantado. Pela primeira vez, o encantamento tinha funcionado a meu favor.

O motorista saiu do carro. Eu o reconheci, era o homem que dirigia a van transportando os funcionários vindos da cidade todas as manhãs e à noite. Ele colocou a minha mala no porta-malas e abriu a porta para mim. Ao me acomodar no assento, fucei em minha bolsa para ter certeza de que, na pressa, não tinha deixado nada para trás, e ele inclinou-se sobre o banco de trás para me entregar um envelope grande.

— O senhor da casa me pediu para lhe entregar isso — ele disse, sorrindo para se desculpar por seu inglês inseguro antes de virar-se para o volante.

Ao atravessarmos lentamente os portões abertos, olhei para o envelope, feito de papel cor de creme com um fecho de botão com fitilho, grosso como um álbum de fotos de casamento. Enquanto o carro balançava de um lado para o outro pela estrada esburacada, desenrolei o longo fio vermelho, as mãos tremendo de curiosidade, e então esparramei o conteúdo no meu colo.

Reconheci o documento maior imediatamente, exatamente como vira antes: era um dos velhos livros de feitiço de Adair, apenas duas capas de madeira surradas e uma coleção de folhas soltas e quebradiças de papel e pergaminho. Analisei-o por um instante, me perguntando por que ele escolhera dá-lo para mim. Talvez ele quisesse dizer que tinha renunciado à magia e à alquimia, ou achou que pudesse oferecer algum conforto, um sinal de que não usaria seus poderes contra mim no futuro.

O segundo objeto era um envelope feito do papel mais duro que já tinha visto. Depois de dar uma olhada para o espelho retrovisor, para ter certeza de que o motorista não estava me espionando, abri o envelope e tirei vários pedaços de papéis dobrados. As folhas estavam cobertas pela letra de Adair, escrita com bico de pena, a tinta arrastada em linhas e pontos precisos sobre uma página porosa e sedenta. No entanto, a coisa mais estranha é que o texto estava escrito em uma língua que eu não reconhecia e, na verdade, nunca deveria entender, mas, mesmo assim, ao me concentrar, descobri que fazia sentido. Eu conseguia ler o que estava escrito. Ele escreveu:

Minha querida Lanore,

Perdoe-me por atrapalhar sua partida, mas peço sua clemência nesse último assunto. Na esperança de que um dia você possa voltar para mim se conseguir me entender melhor, gostaria de compartilhar com você algumas coisas que nunca dividi com mais ninguém. Quero confiar esse conhecimento a você porque entendo que não devemos ter nada entre nós caso você venha a me amar. Ninguém mais será capaz de ler essas páginas, apenas você. Estou lhe confiando um conhecimento secreto, minha cara, e o conhecimento secreto é o conhecimento mais poderoso que existe. Vou começar pelo início: 1038.

Meu coração acelerou. Se a história dele começava em 1038, era muito antes do que ele confessara anteriormente. As páginas tremiam em minhas mãos.

Será que eu realmente queria saber dos segredos de Adair? Estava livre dele agora. Poderia deixar tudo o que tinha acontecido para trás. Porém, não tinha certeza se isso funcionaria, se as memórias dele não viriam me visitar toda noite, ameaçando-me, tentando me coagir a voltar.

Mais uma vez, dei uma olhada no espelho retrovisor. Os olhos do motorista permaneciam na estrada. Sob o brilho dos últimos raios dourados, avistei um fragmento do castelo pelo espelho prateado, uma lembrança obscura sobressaindo da cadeia montanhosa, e então desaparecendo rapidamente. O lago, com as ondas pululantes reluzindo sob a luz da tarde, resplandecia no vale à frente. Protegida no silêncio do carro, eu me acomodei no assento de couro, desdobrei as folhas e comecei a ler:

Nasci em um forte de pedra à beira de uma cadeia de montanhas na Romênia, o Maciço Ceahlau, o castelo pendurado feroz e perigosamente por um fio, sobre a face rochosa, tão ferozmente quanto eu, uma criança doente, me agarrava à vida...

AGRADECIMENTOS

Gostaria de agradecer aos meus amigos e à minha família por todo o apoio ao lançamento do meu primeiro romance e do primeiro livro da série, *Ladrão de Almas*. Agradecimentos especiais a Barbar e Joe, Margaret e Bruce, Geoff e Janis, Diana e Bob, Linda e Dennis, John e Joann, meus cunhados Noralie e John, e Barbara Webster. Muito obrigada a Eileen McGervey e às mulheres maravilhosas da One More Page Books: Terry e Lelia Nebeker e Katie Fransen. Obrigada a Michaela Hackner e Kathy Crewe por olharem os primeiros rascunhos de *Acerto de Contas*. Obrigada aos muitos blogueiros que apoiaram *Ladrão de Almas*, com um agradecimento especial a Jennifer Lawrence e Swapna Krishna pelos bate-papos. Obrigada, Janet Cadsawan, por ser minha terapeuta. Obrigada ao Writer's Center e The Community of Writers at Squaw Valley, pelo apoio.

Agradecimentos carinhosos a Jamie Ford, Danielle Trussoni, Scott Westerfeld, Kresly Cole, M.J. Rose, Meg Waite Clayton, Keith Donohue, C. W. Gortenr e Alexi Zentner por reservarem tempo em suas agendas ocupadíssimas para fazerem elogios ao *Ladrão de Almas*.

"Obrigada", não dá nem para começar a estender minha gratidão à minha editora da Gallery, Tricia Boczkowski, que dedicou muito tempo e reflexão a esse romance. Este livro não existiria se não fosse pela determinação ilimitada e pela visão clara de Trish. Sou grata pelo encorajamento dela durante todo o processo.

Também sou grata a Louise Burke, Anthony Ziccardi e Jen Bergstrom, pelo grande apoio à trilogia *Ladrão de Almas*. Meus agradecimentos a todas as pessoas da Gallery por serem um grupo tão maravilhoso de se trabalhar: Alexandra Lewis, Kate Dresser, Mary McCue, Natalie Ebel e Ed Schlesinger. Obrigada também a Liz Perl, Jennifer Robinson, Wendy Sheanin e Stuart Smith, da Simon & Schuster, pelo apoio generoso.

Obrigada a Ana Jean Hughes por cuidar da trilogia *Ladrão de Almas* na Century Books/RandomHouse/UK e a Ruth Waldram e Sarah Page. Agradeço pelo trabalho que a Intercontinental Literary Agency faz em meu nome, especialmente Sam Edenborough, Nicki Kennedy e Katherine West, e a Gray Tan, da Grayhawk Agency. Meus agradecimentos, também, a Matthew Snyder, da CAA.

Meu mais profundo agradecimento vai para meu agente, Peter Steinberg, pelo apoio maravilhoso durante esse último ano turbulento, e a seus colegas, Edward Graham e Lisa Kopel.

E, por último, agradeço ao meu marido, Bruce, por seu amor e apoio.